KATHY REICHS

Kathy Reichs fait partie des cinquante anthropologues judiciaires certifiés par l'American Board of Forensic Anthropology et travaille fréquemment avec le FBI et le Pentagone. Dès son premier livre, *Déjà Dead*, elle a imposé un nouveau genre : le thriller macabre à couleur féministe, servi par une héroïne à sa mesure, l'anthropologue Tempe Brennan, femme vulnérable et sentimentale doublée d'une scientifique hors pair.
Depuis, elle a publié aux Éditions Robert Laffont *Death du jour* (1999) (Titre Pocket : *Passage mortel*), *Deadly Décisions* (2000) (Titre Pocket : *Mortelles décisions*), *Voyage fatal* (2002), *Secrets d'outre-tombe* (2003), *Os troubles* (2004), *Meurtres à la carte* (2005).
À tombeau ouvert est le huitième roman de Kathy Reichs.

D1413774

À TOMBEAU OUVERT

KATHY REICHS

À TOMBEAU OUVERT

ROBERT LAFFONT

Titre original :
CROSS BONES

Publié avec l'accord de Scribner/Simon & Schuster, New York.

© 2005, Temperance Brennan, L.P.
© 2007, Éditions Robert Laffont S.A., Paris,
pour la traduction française
ISBN 978-2-266-17763-4

Pour Susanne Kirk, rédactrice chez Scribner,
1975-2004
et
pour le Dr James Woodward, président de
l'université de Caroline du Nord, section de Charlotte,
de 1989 à 2005

Merci pour toutes ces années de soutien
et d'encouragement.

Jouissez désormais de tout votre temps libre !

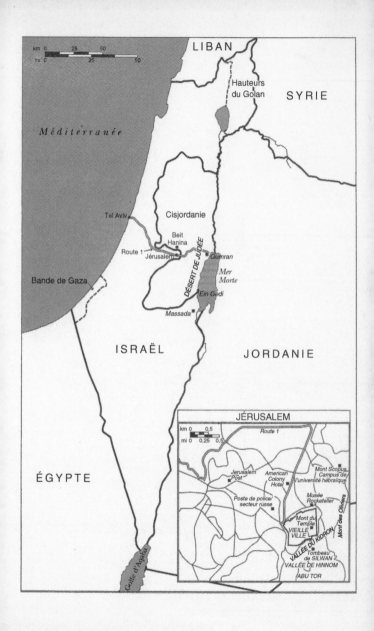

Éloigne-toi du mal et fais le bien.
Cherche la paix et poursuis-la.

La Bible, Psaumes 34,14

Le fruit de la justice est semé dans la paix
par ceux qui font la paix.

Épître de saint Jacques 3,18

Et n'usez pas du nom d'Allah
dans vos serments
pour vous dispenser de faire le bien,
d'être pieux et de réconcilier les gens.
Allah est Audient et Omniscient.

Le Coran, 2,224

LES FAITS

1. De 1963 à 1965, l'archéologue israélien Yigael Yadin, aidé de volontaires venus de différents pays, entreprit des fouilles à Massada, où se déroula au Ier siècle de notre ère la fameuse révolte des Juifs contre les Romains. À l'intérieur d'un complexe de grottes répertoriées sous le nom de «loci 2001/2002» et dont l'entrée se trouvait sur le flanc sud, sous le mur fortifié, l'équipe mit au jour des fragments mélangés de squelettes humains correspondant à un total de vingt-cinq individus environ. Ces restes, à la différence de ceux qui furent exhumés des ruines situées sur la partie nord du site, ne firent pas immédiatement l'objet d'une conférence de presse.

Durant les années 1990 circula la photo d'un squelette intact, également récupéré à Massada dans ces mêmes loci 2001/2002 au cours des fouilles de 1963-1965. Or ce squelette n'avait jamais été mentionné ni cité nulle part, que ce soit par Yadin, l'archéologue en chef, ou par Nicu Haas, l'anthropologue de l'équipe.

Plusieurs points méritent d'être signalés à propos de ces fouilles.

• Elles ne firent pas l'objet de rapports de chantier officiels, même si Yadin et son équipe tinrent régulièrement des réunions de travail, dont les transcriptions sont conservées aux archives de l'université hébraïque du mont Scopus. Mais il y manque justement toutes les pages relatant l'excavation des loci 2001/2002, qui devait aboutir à la fameuse découverte.

- Dans les six volumes que compte l'ouvrage définitif publié sur ces fouilles, les vingt-cinq squelettes mélangés ne sont pas mentionnés, pas plus que ne l'est le squelette intact ou le contenu des loci 2001/2002.
- Nulle part, que ce soit dans ses notes manuscrites ou dans son inventaire des ossements à analyser, Nicu Haas ne fait état d'un squelette complet qui lui aurait été confié. Bien qu'il ait détenu pendant plus de cinq ans l'ensemble des ossements découverts à Massada, il n'a rien publié sur aucun des restes récupérés dans les loci 2001/2002.
- S'agissant de la datation au carbone 14, Yigael Yadin indiqua dans des interviews à la fin des années soixante que ces analyses étaient rarement pratiquées à l'époque où il dirigeait les fouilles de Massada, et qu'il n'entrait pas dans ses compétences de les ordonner. Et de fait il n'envoya jamais pour analyse le moindre spécimen prélevé sur les restes retrouvés dans les loci 2001/2002, et cela bien que la plus grande incertitude demeure à propos de leur ancienneté.

Pourtant, la revue scientifique *Radiocarbon* rapporte qu'à cette même époque il fit parvenir à un laboratoire spécialisé des spécimens provenant d'autres sites archéologiques en Israël pour qu'ils soient datés.

2. En 1968, lors de la construction d'une route aux abords de la vieille ville de Jérusalem, les restes d'un « homme crucifié » furent mis au jour. L'analyse de ses ongles et des fragments de bois inclus dans un os de son pied devaient déterminer qu'il s'agissait d'un individu de sexe masculin d'environ vingt-cinq ans, qui avait vécu dans le courant du Ier siècle de notre ère et s'appelait Yehochanan.

3. En 1973, le journaliste australien Donovan Joyce prétendit dans un ouvrage intitulé *The Jesus Scroll* et publié chez Dial Press avoir rencontré en Israël un bénévole ayant participé aux fouilles de Massada, qui lui aurait montré un rouleau du Ier siècle contenant les dernières volontés d'un certain « Jésus, fils de Jacques » ainsi que son testament. Depuis, toujours selon Joyce, ce rouleau dérobé serait sorti d'Israël en contrebande, probablement à destination de l'URSS.

4. En 1980, des ouvriers de la voirie découvrirent à Talpiot, au sud de la vieille ville de Jérusalem, un tombeau contenant des ossuaires portant respectivement les noms de Mara (Marie) ; Yehuda, fils de Yeshua (Jude, fils de Jésus) ; Matya (Matthieu) ; Yeshua, fils de Yehosef (Jésus, fils de Joseph) ; Yose (Joseph) et enfin Maria (Marie). Il est rare de trouver dans un même tombeau plusieurs ossuaires portant des inscriptions. Des échantillons prélevés sur les restes enfermés dans ceux-ci furent soumis à des tests d'ADN.

5. En 2000, l'archéologue américain James Tabor découvrit en dehors de Jérusalem, dans la vallée de Hinnom, un tombeau pillé peu de temps auparavant et renfermant vingt ossuaires qui étaient tous brisés sauf un. Un linceul, découvert dans la chambre inférieure et contenant des fragments d'os et de cheveux, fut soumis à des tests au carbone 14 qui le datèrent du Ier siècle de notre ère. L'examen au microscope de ces cheveux fit apparaître qu'ils étaient propres et sans trace de vermine, signe que l'individu enveloppé dans ce linceul bénéficiait d'un statut social élevé. Enfin, l'analyse anthropologique détermina qu'il s'agissait d'un homme jeune. Le séquençage de l'ADN pratiqué sur les différents individus ensevelis dans ce tombeau démontra qu'ils étaient presque tous apparentés.

6. En 2002, un collectionneur d'antiquités israéliennes du nom d'Oded Golan révéla qu'il détenait un ossuaire du Ier siècle portant l'inscription : Jacques, fils de Joseph, frère de Jésus. L'information fut rendue

publique à l'automne de cette même année. Une preuve indirecte suggère que cet ossuaire pourrait provenir d'un site proche de la vallée de Hinnom, probablement de ce même tombeau où Tabor découvrit le fameux linceul. La question de son authenticité divise les experts. Si tous s'accordent à reconnaître que le coffret lui-même date bien du Ier siècle de notre ère, en revanche l'inscription soulève la polémique.

Un séquençage de l'ADN des restes contenus dans cet ossuaire de Jacques permettrait d'établir s'ils sont apparentés aux ossements découverts à Hinnom. Une demande officielle a été soumise à l'Autorité des antiquités israéliennes. Elle a été rejetée.

Tandis que ce livre était sous presse :

7. Poursuivis pour contrefaçon d'antiquités, M. Oded Golan et d'autres personnes ont été inculpés en janvier 2005. M. Golan clame son innocence et persiste à déclarer que l'ossuaire de Jacques est authentique dans sa totalité. Les experts campent sur leurs positions.

Chapitre 1

Après un dîner de Pâques constitué de jambon, de pois et de pommes de terre à la crème, Charles Bellemare dit Cow-boy piqua vingt dollars à sa sœur, se rendit dans une maison de Verdun acheter du crack et s'évanouit dans la nature.

L'été suivant, la maison en question était mise en vente.

En hiver, les nouveaux propriétaires en eurent pardessus la tête que leur cheminée ne tire pas. Le lundi 7 février, le maître de maison ouvrit le conduit de la cheminée pour trifouiller à l'intérieur à l'aide d'un manche de râteau. Une jambe desséchée dégringola dans l'âtre.

Le père de famille appela les policiers. Les policiers appelèrent les pompiers et le bureau du coroner. Le coroner appela notre laboratoire de médecine légale. Et voilà comment Pelletier écopa de l'affaire.

Une heure plus tard, mon collègue arpentait la pelouse devant la maison, flanqué de deux techniciens de la morgue. Dire qu'il y avait de l'agitation dans l'air est aussi original que de faire remarquer qu'une scène de crime engendre une certaine confusion. Père outragé. Mère hystérique. Enfants survoltés. Voisins hypnotisés. Policiers ennuyés. Et pompiers mystifiés.

Le Dr Jean Pelletier est le plus âgé des cinq pathologistes du LSJML, le Laboratoire de sciences judiciaires et de médecine légale du Québec. Il a de mauvaises articulations, des dents pires encore et une tolérance zéro pour ce qui lui fait perdre son temps, les choses comme les gens.

Un simple coup d'œil à la situation lui suffit pour recourir aux grands moyens.

Le mur extérieur de la cheminée fut pulvérisé et le cadavre extrait des décombres, déposé sur une civière et transporté au labo. Il était fumé comme un jambon !

Le lendemain, après un bref regard à la victime, Pelletier déclarait : « Ossements ! » Et c'est ainsi que je suis entrée dans la danse à mon tour, moi, le Dr Temperance Brennan, anthropologue judiciaire auprès des services spécialisés de Caroline du Nord mais aussi du Québec.

Ma région de Dixie et la Belle Province ? C'est une longue histoire d'amour. Elle a débuté par un échange de professeurs entre l'université canadienne McGill et celle de Caroline du Nord où j'enseigne toujours aujourd'hui, UNC-Charlotte. Rentrée chez moi dans le Sud, l'année scolaire terminée, j'ai continué à travailler au Québec, mais comme consultante pour le laboratoire de Montréal. Dix ans plus tard, je fais toujours la navette entre les deux pays. Par la force des choses, j'ai déjà eu droit à un bon paquet de vols gratuits.

À mon arrivée à Montréal, en ce mois de février, une *Demande d'expertise en anthropologie** m'attendait sur mon bureau. Elle émanait de Pelletier.

Nous étions le mercredi 16 février et les os extraits de la cheminée formaient un squelette entier sur ma table de travail. Tous les indicateurs, l'âge, le sexe, la race, la taille, et notamment les vis que la victime avait dans le péroné et le tibia de sa jambe droite, démontraient catégoriquement que l'individu étendu sous mes yeux était le Cow-boy disparu, même s'il était impossible de consulter ses dossiers dentaires, ce monsieur n'étant pas un maniaque du suivi médical.

---

* Les mots en italique suivis d'un astérisque sont en français dans le texte (N.d.T.).

Pour l'heure, je n'avais découvert aucun traumatisme, en dehors d'une fracture fine comme un cheveu à la base du crâne et qui résultait probablement de son plongeon dans l'âtre.

J'étais en train de me demander pourquoi et comment un homme peut monter sur un toit et dégringoler dans un conduit de cheminée quand mon téléphone a sonné.

— Je crois que j'ai besoin de votre aide, Temperance.

Pierre LaManche est bien la seule personne au monde à m'appeler par mon prénom entier. Il en accentue la dernière syllabe à tel point qu'elle se met à rimer avec « sconse » au lieu du « transe » auquel on s'attendrait. Ce matin, à la réunion, il s'était assigné un cadavre que je soupçonnais d'être en état de décomposition plus qu'avancée.

— La putréfaction ?

— *Oui**... et d'autres facteurs qui compliquent la situation, a ajouté mon patron après une pause.

— Vous voulez dire... ?

— Des chats.

Oh là là !

— Je descends.

Après avoir sauvegardé le début de mon rapport sur Bellemare, j'ai quitté mon labo, franchi les portes de verre séparant la section médico-légale du reste de l'étage, tourné dans un couloir latéral, et appuyé sur le bouton de commande d'un unique ascenseur. Accessible uniquement à partir de deux étages qui sont interdits à toute personne étrangère au service, à savoir le douzième où se trouve le LSJML et celui juste en dessous qui abrite le bureau du coroner, cet ascenseur n'a qu'une seule destination : la morgue, au sous-sol.

Tout en descendant, je me suis remémoré ce qui avait été dit à la réunion du personnel, ce matin.

Avram Ferris, juif orthodoxe de cinquante-six ans, avait disparu depuis une semaine quand son corps avait été découvert, hier soir, dans une réserve située au-dessus de son local commercial. Aucun signe d'effraction.

19

Aucun signe de lutte. D'après l'employée, le patron semblait un peu bizarre ces derniers temps. Suicide par balle, avait déclaré le médecin arrivé sur les lieux. Conclusion formellement rejetée par la famille.

Le coroner avait ordonné une autopsie. Les proches de la victime et son rabbin s'y étaient opposés. Négociation difficile.

À présent, j'allais constater *de visu* à quel compromis les pourparlers avaient abouti.

Et découvrir aussi l'œuvre des chats.

Au sortir de l'ascenseur, j'ai tourné à gauche, puis à droite.

En arrivant près de la porte qui donne sur la section des autopsies, j'ai perçu du bruit dans la salle des familles, le petit local sinistre destiné aux personnes qui viennent identifier les morts.

Un pleur étouffé. Une voix de femme.

En me représentant ce lieu morne et confiné avec ses fleurs en plastique, ses chaises en plastique et sa vitre discrètement obturée par un rideau côté morgue, j'ai senti mon cœur se serrer, comme chaque fois. Les autopsies que nous faisons au LSJML n'ont rien à voir avec celles que pratiquent les hôpitaux. Chez nous, pas de maladie hépatique au stade final, pas de cancer du pancréas. Notre terrain, c'est la mort brutale et inattendue : accident, meurtre, suicide. La salle des familles accueille des gens pris au piège de l'imprévu, de l'impensable. Leur chagrin me touche toujours.

J'ai franchi la porte bleu vif et longé un couloir étroit, laissant derrière moi sur ma droite des stations d'ordinateurs, des séchoirs et des chariots en acier inoxydable et, sur ma gauche, d'autres portes bleues portant chacune l'inscription : SALLE D'AUTOPSIE. Arrivée à la quatrième, j'ai pris une grande respiration avant d'y pénétrer.

En plus des corps réduits à l'état de squelettes, j'écope des grands brûlés, des momifiés, des mutilés et des décomposés. Mon travail consiste à leur restituer leur identité. Cette salle 4, je l'utilise souvent, car elle est équipée d'un système de ventilation spécial. Ce matin, il parvenait à peine à évacuer l'odeur de décomposition.

Certaines autopsies se déroulent devant un parterre vide, d'autres se jouent à guichet fermé. Aujourd'hui, malgré la puanteur, le spectacle Avram Ferris faisait salle comble. Étaient présents LaManche ; Lisa, sa technicienne d'autopsie ; un photographe de la police et deux détectives de la Sûreté du Québec en uniforme : l'un que je ne connaissais pas — grand, avec des taches de rousseur et un teint plus blanc que du tofu —, l'autre que je connaissais bien, je dirais même très bien.

Andrew Ryan. Un mètre quatre-vingt-dix, des cheveux blonds comme le sable et des yeux bleus de Viking.

Nous avons échangé des hochements de tête. Ryan, le policier. Tempe, l'anthropologue.

Comme si ce public d'officiels ne suffisait pas, il y avait encore quatre spectateurs.

Bref coup d'œil. Rien que des hommes, et pas de chez nous. Deux dans les cinquante-cinq ans, deux pas loin d'entamer leur septième dizaine. Tous avec des cheveux noirs, des lunettes, des barbes, des costumes noirs et une *kippa* sur la tête. Debout au pied du cadavre, épaule contre épaule, ils formaient un mur de désapprobation et me jaugeaient d'un œil perplexe.

Huit mains sont restées serrées derrière quatre dos raides.

LaManche a abaissé son masque pour me présenter au quartet.

— Compte tenu de l'état dans lequel se trouve M. Ferris, les compétences d'un anthropologue sont indispensables.

Quatre regards gênés.

— Le Dr Brennan a pour spécialité l'anatomie, a poursuivi LaManche en anglais. Elle est parfaitement au courant des exigences particulières qui sont les vôtres.

Lesquelles, grands dieux ? En dehors du prélèvement méticuleux de tous les échantillons de tissu et de sang, je n'avais pas la moindre idée de ce que l'on attendait de moi.

— Je compatis sincèrement à votre chagrin, ai-je déclaré en serrant mon écritoire contre ma poitrine.

Quatre hochements de tête moroses m'ont tenu lieu de réponse.

La cause du chagrin des quatre spectateurs était allongée au centre de la salle, séparée de l'acier froid de la table d'autopsie par un drap en plastique. D'autres draps étaient étendus par terre, tout autour de la table et en dessous. Des récipients, des pots et des fioles vides attendaient sur un chariot à roulettes à côté.

Le corps avait été dévêtu et lavé, mais aucune incision n'avait encore été pratiquée. Deux sachets en papier reposaient sur la paillasse. LaManche devait avoir effectué l'examen externe, y compris celui des mains, pour détecter la présence éventuelle d'une substance telle que la poudre, ce qui aurait indiqué que le coup de feu avait bien été tiré par la victime.

Quatre paires d'yeux ont suivi obstinément ma progression vers le défunt. L'observateur n° 4 a recroisé les mains devant ses parties génitales.

Avram Ferris n'avait pas l'air d'être mort la semaine dernière, mais plutôt durant les années Clinton. Il avait les yeux noirs, la langue pourpre et la peau d'un vert olive mâtiné d'aubergine. Il avait l'intestin dilaté et son scrotum était gonflé au point de ressembler à un ballon de plage.

J'ai jeté un coup d'œil à Ryan en quête d'explications.

— La chaleur dans la réserve devait atteindre les quatre-vingt-douze degrés, a-t-il dit.

— Comment ça ?

— Un chat a dû dérégler le thermostat.

Quatre-vingt-douze degrés Fahrenheit. Autrement dit : dans les trente-cinq degrés Celsius. Pas étonnant que Ferris mérite la palme d'or de la putréfaction.

Mais la chaleur n'avait pas été l'unique désagrément supporté par notre homme.

Tenaillé par la faim, le plus doux d'entre nous peut péter les plombs. Privés de nourriture, nous devenons des tigres. La survie supplante l'éthique et manger, c'est vivre. C'est un instinct de survie que nous partageons aussi bien avec les vaches qu'avec les animaux de proie, les immigrants entassés dans des chariots et les équipes de football.

Même Minou et Médor se muent en vautours.

Avram Ferris avait fait l'erreur de passer l'arme à gauche, enfermé dans un cagibi avec deux chats de gouttière et un siamois.

Et pas assez de croquettes.

Difficile d'imaginer à quoi Ferris avait pu ressembler de son vivant. Il avait la joue gauche lacérée. Les parties d'os à nu, striées de griffures laissées par des dents, jetaient un éclat opalescent au milieu d'un vilain ragoût grenat. En revanche, le côté droit du visage, bien que boursouflé et couvert de marbrures, était pour ainsi dire intact.

Je me suis redressée pour avoir une vue générale de la mutilation. Les chats s'étaient cantonnés au côté gauche, ils ne s'étaient pas aventurés au-delà du nez, ni sur le reste du corps.

Je comprenais pourquoi LaManche avait besoin de moi. L'état de décomposition et ces chairs arrachées empêchaient de déterminer la trajectoire de la balle.

J'ai fait le tour de la table.

Ferris avait les os du temporal et du pariétal gauche curieusement écartés. Sans voir l'arrière de son crâne, je devinais qu'il avait été touché à l'occiput.

Ayant enfilé des gants, j'ai glissé la main sous sa tête. L'os s'enfonçait comme du beurre. La zone du crâne éclatée ne tenait que par le cuir chevelu. Je me suis tournée vers Lisa.

— Je vais avoir besoin de toutes les radios du crâne.

— Sous quel angle ?

— Tous. Et je vais avoir aussi besoin du crâne.

— Impossible. Nous avons un accord, s'est interposé le spectateur n° 4, revenant à la vie pour la seconde fois.

— Mon devoir est d'établir la vérité dans cette affaire, a objecté LaManche en levant la main.

— Vous m'aviez donné votre parole que vous nous remettriez le corps entier.

Du rose avait éclos sur ses pommettes jusque-là d'une couleur proche de la farine d'avoine.

— Sauf en cas d'absolue nécessité, a rétorqué La-Manche.

Le scientifique, image même de la raison.

Le spectateur n° 4 s'est tourné vers son voisin de gauche. Celui-ci a levé le menton, continuant de fixer le sol à travers ses paupières baissées.

— Laissez-le parler, a-t-il prononcé sur le ton le plus neutre qui soit.

Le rabbin exhortant son disciple à la patience.

LaManche s'est tourné vers moi.

— Docteur Brennan, vous poursuivrez votre examen en laissant en place le crâne et tous les os intacts.

— Docteur LaManche…

— En cas d'impossibilité, vous suivrez la procédure habituelle.

Je n'aime pas qu'on me dise comment faire mon travail. Je n'aime pas davantage travailler sans disposer, au minimum, de toutes les informations accessibles et sans utiliser, dans le pire des cas, la méthode la plus efficace.

J'aime et je respecte mon patron. Pierre LaManche est le meilleur pathologiste que j'aie rencontré de ma vie.

Je l'ai regardé. Il a hoché la tête de façon presque imperceptible, me signifiant par là d'abonder dans son sens.

J'ai reporté les yeux sur les proches de la victime. Je pouvais suivre sur chaque visage la lutte éternelle de la foi et du pragmatisme : le corps considéré comme un temple ; le corps considéré comme un réseau de canalisations et de ganglions, comme de la pisse et de la bile.

En chacun de ces hommes, je pouvais lire la douleur d'avoir perdu un être cher.

Celle que j'avais déjà entendue quelques minutes plus tôt, en arrivant.

— Naturellement, ai-je répondu tranquillement. Appelez-moi quand vous en serez à rétracter le cuir chevelu.

J'ai regardé Ryan. Il m'a fait un clin d'œil.

Le fonctionnaire en service laissant transparaître l'amoureux.

Lorsque je suis repassée devant la salle des familles, la femme pleurait toujours. En revanche, la ou les personnes qui l'accompagnaient s'étaient tues.

J'ai hésité à entrer, ne voulant pas par ma présence les contraindre à reléguer leur douleur au second plan.

Mais était-ce bien la raison ? N'était-ce pas plutôt une excuse pour ne pas m'impliquer ?

Je suis souvent témoin du chagrin d'autrui. Maintes et maintes fois, j'ai assisté au choc frontal qui se produit lorsque les survivants prennent conscience que leur vie ne sera plus jamais la même.

Les repas ne seront plus partagés. Les conversations n'auront plus lieu. Les livres d'or ne seront plus jamais relus à haute voix.

Je la vois, cette douleur, mais je n'ai rien à proposer pour la soulager. Je suis extérieure à l'histoire au même titre que le voyeur qui rapplique après l'accident, l'incendie ou le coup de feu, et s'en met plein les yeux. J'appartiens au bataillon des sirènes hurlantes, des bandes jaunes qui délimitent le lieu du drame et des sacs à fermetures éclair qui emportent le corps.

Je n'ai aucun moyen d'adoucir la souffrance. Et je hais mon impuissance.

Le cœur empli d'un sentiment de lâcheté, je suis quand même entrée dans la salle des familles.

Deux femmes étaient assises l'une à côté de l'autre, tout près, mais sans se toucher. La plus jeune pouvait aussi bien avoir trente ans que cinquante. Elle avait le teint pâle, des sourcils épais et des cheveux bruns et bouclés attachés dans le cou. Elle portait une jupe noire et un long chandail noir dont le col remonté lui frottait le menton.

La plus âgée était si ridée qu'elle m'a rappelé les poupées en pomme séchée qu'on fabrique dans les montagnes, chez moi, en Caroline. Sa robe, d'une couleur indéfinie entre le noir et le violet, lui couvrait les chevilles. Un tortillon de fils pointait à l'endroit des trois boutons principaux.

Je me suis raclé la gorge.

Mamie-Pomme a relevé brièvement les yeux ; des larmes scintillaient sur les dix mille plis de son visage.

— Madame Ferris ?

Les doigts noueux tordaient et lissaient un mouchoir sans discontinuer. Je me suis présentée.

— Temperance Brennan. Je suis l'une des personnes chargées de pratiquer l'autopsie de votre mari.

La tête de la vieille dame est retombée à droite, entraînant sa perruque qui s'est stabilisée en biais sur le coin de sa tête.

— Je vous présente mes condoléances. Je sais combien ce moment est douloureux.

La dame la plus jeune a levé vers moi des yeux lilas d'une beauté à couper le souffle.

— Vraiment ?

Exclamation bien justifiée.

Perdre un être cher est difficile à admettre, je le sais. C'est une tragédie dont je ne connais qu'un petit bout. Cela aussi, je le sais.

J'ai perdu mon petit frère, emporté par la leucémie à l'âge de trois ans, et j'ai perdu ma grand-mère qui en avait quatre-vingt-dix passés.

Kevin n'était encore qu'un bébé, grand-maman vivait dans des souvenirs qui ne m'incluaient pas. Certes, je les aimais et ils m'aimaient, mais ils n'étaient pas le centre de ma vie. Surtout, leur mort ne fut une surprise pour personne. Pourtant, les deux fois, le chagrin a été pour moi comme une chose vivante qui envahissait mon corps et se nichait au plus profond de ma moelle épinière et de mes extrémités nerveuses.

Comment supporte-t-on la disparition brutale d'un conjoint ? D'un enfant ?

Je ne veux même pas l'imaginer.

— Inutile de prétendre comprendre notre douleur, poursuivait la dame, faisant écho à mes réflexions sans le savoir.

À quoi bon la prendre de front ?

— Bien sûr que non. C'était présomptueux de ma part.

J'ai dévié un instant les yeux sur sa compagne. Ni l'une ni l'autre ne réagissait à mes excuses.

— Je suis désolée pour vous.

La pause a duré si longtemps que j'ai été surprise d'entendre la plus jeune des deux reprendre :

— Je suis Miriam Ferris. Avram est… était mon mari.

Sa main s'est soulevée pour s'immobiliser brusquement comme si elle avait oublié le mouvement qu'elle comptait faire.

— Dora est la mère d'Avram.

La main a vogué vers la vieille dame puis est retombée auprès de sa jumelle.

— La présence de la famille à l'autopsie est assez inhabituelle, je suppose, a-t-elle repris d'une voix enrouée par le chagrin. Mais il n'y a rien que nous puissions… Tout est si…

Elle a laissé sa phrase en suspens, les yeux fixés sur moi.

J'ai cherché une phrase qui la soulage, qui lui mette du baume au cœur ou qui l'apaise tout simplement. Rien ne m'est venu à l'esprit. Je me suis rabattue sur les clichés.

— Je comprends la douleur qu'on éprouve à perdre quelqu'un qu'on aime.

Un tic a crispé la joue droite de Dora. Ses épaules se sont affaissées, son cou s'est relâché.

Je me suis accroupie près d'elle et j'ai posé ma main sur la sienne.

— Pourquoi Avram, mon seul fils ? a-t-elle demandé d'une voix étranglée. Ce n'est pas le rôle d'une mère, d'enterrer son fils.

Miriam lui a dit quelques mots en hébreu ou en yiddish. La mère a continué :

— Qu'est-ce que c'est que ce Dieu ? Pourquoi me fait-il ça ?

Miriam lui a parlé à nouveau, sur un ton de douce réprimande cette fois. Les yeux de Dora se sont arrêtés sur moi.

— Pourquoi ne pas me prendre, moi ? Je suis vieille, je suis prête.

Les lèvres fripées ont tremblé.

— Je ne sais que vous répondre, madame.

Ma propre voix m'a paru enrouée.

Une larme est tombée du menton de Dora sur mon pouce.

J'ai baissé les yeux sur mon doigt humide. J'avais la gorge serrée.

— Puis-je vous proposer du thé, madame Ferris ?

— Merci, ça ira, est intervenue Miriam.

J'ai serré la main de Dora. Sa peau était sèche, ses os fragiles.

Me sentant inutile, je me suis relevée. J'ai remis ma carte à Miriam.

— Je serai en haut dans mon bureau pendant une bonne partie de la journée. Si je peux faire quelque chose, n'hésitez pas à m'appeler.

Sur ces mots, j'ai quitté la salle.

L'un des barbus qui assistaient à l'autopsie se trouvait dans le vestibule et me regardait fixement. Au moment où je suis passée devant lui, il a fait un pas en avant, me bloquant la voie.

— C'était très gentil de votre part.

Il avait une voix éraillée, comme Kenny Rogers quand il chante *Lucille*.

— Une mère a perdu son fils, une épouse son mari.

— Je vous ai vue là-bas. À l'évidence, vous êtes une femme de cœur. Une personne d'honneur.

Où voulait-il en venir ?

Il hésitait. Comme s'il débattait d'un dernier point avec lui-même. Il a fini par tirer une enveloppe de sa poche.

— Voilà ce qui a causé la mort d'Avram Ferris.

Chapitre 2

L'enveloppe contenait une unique photo en noir et blanc : celle d'un squelette étendu sur le dos, le crâne tourné sur le côté, la mâchoire grande ouverte, comme figée dans un cri.

J'ai regardé au dos. Une date et une inscription à demi effacée : *Octobre 1963. H de 1 H*. Peut-être.

J'ai interrogé des yeux le barbu qui continuait à me bloquer le passage. Manifestement, il n'entrait pas dans ses intentions de m'en dire davantage.

— Monsieur… ?

— Kessler.

— Pourquoi me montrez-vous ça ?

— Je crois que c'est la raison pour laquelle Avram Ferris est mort.

— Vous me l'avez déjà dit.

Il a croisé les mains. Les a décroisées. Les a frottées sur son pantalon.

J'attendais.

— Il m'a dit qu'il était en danger. Que s'il lui arrivait quelque chose, ce serait à cause de ça, a-t-il expliqué en pointant quatre doigts vers la photo.

— C'est M. Ferris qui vous l'a donnée ?

— Oui.

Il a jeté un regard derrière lui.

— Pourquoi ?

Un haussement d'épaules en guise de réponse.

J'ai de nouveau baissé les yeux sur l'image. Le squelette était allongé de tout son long, son bras droit et sa hanche droite en partie cachés par un rocher ou un rebord. À hauteur de son genou gauche, on distinguait un objet par terre. Un objet des plus courants pour l'archéologue que j'ai été dans une vie antérieure, puisqu'il s'agissait d'un pinceau.

— D'où vient cette photo ?

Relevant la tête, j'ai surpris le coup d'œil qu'il jetait par-dessus son épaule.

— D'Israël.

— M. Ferris craignait pour sa vie ?

— Il était terrifié. Disait que cette photo ferait des ravages si jamais elle était divulguée.

— Quel genre de ravages ?

— Il ne me l'a pas dit. Je n'ai pas la moindre idée de ce qu'elle représente. Je ne sais pas ce qu'elle signifie. J'ai juste accepté de la garder. C'est tout. Mon rôle s'est cantonné à ça.

— Quels étaient vos rapports avec M. Ferris ?

— Nous étions associés.

J'ai voulu rendre la photo. Kessler a gardé les mains le long du corps.

— Il faut que vous répétiez au détective Ryan ce que vous venez de me dire, ai-je dit avec insistance.

Il a eu un mouvement de recul.

— Je vous ai dit tout ce que je savais.

À ce moment, mon cellulaire a sonné. Je l'ai extrait de ma ceinture. Kessler s'est écarté.

Au bout du fil, c'était Pelletier.

— Ils ne me laissent pas tranquille, pour Bellemare.

Kessler se dirigeait vers la salle des familles. J'ai agité la photo. Il a secoué la tête et pressé le pas.

— Tu as fini le rapport ? Je peux relâcher Cow-boy ?

— Je remonte.

— Bon. Sa petite sœur se fend en quatre pour qu'on l'enterre au plus vite.

Le temps de couper la communication et de me retourner, il n'y avait plus personne dans le vestibule. Très bien. Je passerais la photo à Ryan. Il aurait la liste des barbus venus assister à l'autopsie. Il saurait comment joindre Kessler.

J'ai appelé l'ascenseur.

Aux alentours de midi, le rapport sur Charles Bellemare était achevé. Ma conclusion était que l'ultime chevauchée de Cow-boy n'avait eu d'autre cause que sa propre folie, aussi étranges que paraissent les circonstances. On entre dans la vie, on se met au diapason, et le temps vient de tout abandonner. Dans le cas de Bellemare, à la suite d'une chute idiote. Quant à savoir ce qui l'avait poussé à grimper sur le toit de cette baraque… Mystère.

Au déjeuner, LaManche m'a informée qu'il serait difficile de pratiquer *in situ* l'examen du crâne de Ferris. Les radios révélaient seulement la présence d'un fragment de balle entre l'occiput et la moitié de visage en bouillie. Mon analyse serait capitale, a-t-il insisté, car les chats, par leur action mutilante, avaient distordu la trace que laisse un objet métallique sur son passage et que l'on peut d'habitude étudier aux rayons X.

En outre, Ferris étant tombé en avant, ses mains étaient restées sous son corps pendant qu'il se décomposait. Leur analyse n'avait pas permis d'obtenir de résultats concluants quant à la présence éventuelle de poudre.

À 13 h 30, je suis redescendue à la morgue.

Ferris avait maintenant le torse ouvert de la gorge au pubis. Ses organes étaient entreposés dans des récipients fermés. La puanteur dans la salle dépassait largement la cote d'alerte.

Ryan et le photographe étaient toujours là, ainsi que deux des quatre observateurs présents ce matin. LaManche a attendu cinq minutes puis, d'un hochement de tête, il a donné à Lisa le signal du départ.

32

La technicienne d'autopsie a pratiqué derrière les oreilles deux incisions se rejoignant au sommet du crâne.

S'aidant de son scalpel et de ses doigts, elle a décollé le cuir chevelu, du haut de la tête vers l'arrière. De temps à autre, elle s'interrompait pour poser une étiquette portant le numéro du cas et prendre des photos. À mesure qu'elle dégageait des fragments d'os, nous les observions, LaManche et moi, et nous les reportions sur le diagramme du crâne avant de les déposer dans les récipients.

Le cuir chevelu entièrement retiré, Lisa a rétracté la peau du visage. Avec LaManche, nous avons répété l'opération précédente. Examen des fragments, report sur le croquis, trois pas en arrière pour la photo. Peu à peu, nous avons fait surgir un maxillaire, un zygomatique, les os du nez et des tempes de cet amas sanglant qui, jadis, avait été M. Ferris.

À quatre heures de l'après-midi, ce qui restait du visage de la victime avait repris sa place et une couture en Y maintenait son abdomen et sa poitrine fermés. Le photographe avait cinq rouleaux de photos, LaManche une pile de diagrammes et de notes, et moi quatre sacs débordant de morceaux ensanglantés à remonter dans mon labo.

J'étais en train de les nettoyer quand j'ai aperçu Ryan dans le couloir par la vitre au-dessus du bac. Je l'ai regardé approcher.

Un visage de pierre, des yeux trop bleus pour annoncer une bonne nouvelle.

Pour lui ou pour moi.

Voyant que je le regardais, il a collé son nez et ses mains contre le carreau. Je lui ai fait une pichenette, les doigts mouillés.

S'étant écarté, il a désigné ma porte. Des lèvres, je lui ai indiqué que c'était ouvert et, de la main, lui ai fait signe d'entrer.

En sentant un sourire bébête étirer mes joues, je me suis dit que, finalement, Ryan n'était peut-être pas si mauvais que ça pour moi.

Conclusion à laquelle je ne suis arrivée que tout récemment. Car, pendant presque dix ans, je me suis mesurée avec lui dans une non-relation qui s'interrompait net à peine avait-elle démarré. Oui/non. Super/affreux. Brûlant/glacé.

Jusqu'à ce qu'elle devienne brûlant/brûlant.

Dès le départ, j'avais été attirée par Ryan. Mais avant de se mettre en place, cette attirance a rencontré plus d'obstacles que la Déclaration de l'indépendance ne compte de signataires.

Je crois dur comme fer à la séparation boulot/dodo. La *señorita* que je suis ne veut pas entendre parler de flirt près de la machine à café. Pas question.

Ryan travaille sur les homicides. Moi, à la morgue. Côté profession, la clause d'exclusion s'applique, premier obstacle.

Le deuxième, c'est le monsieur lui-même. Qui ne connaît le CV de ce fils d'Irlandais né en Nouvelle-Écosse, qui s'est retrouvé un beau jour nez à nez avec un goulot de Budweiser brisé brandi par un motard ? Abandonnant le parti des méchants, le jeune Andrew s'est engagé aux côtés des gentils. Là, il s'est élevé peu à peu jusqu'au grade de lieutenant-détective dans la police de la province. L'Andrew adulte est un homme aimable, intelligent et droit comme un I quand il y va de son travail.

Dans la salle de l'escouade, il est connu aussi pour être le tombeur de ces dames. La clause dragueur s'applique.

Mais Ryan est de ces beaux parleurs qui vous font prendre des vessies pour des lanternes. Après des années de résistance, je me suis laissé piéger, c'est tout.

Sauf qu'à Noël dernier le troisième obstacle s'est dressé devant moi : Lily.

Une fille de dix-neuf ans à qui rien ne manque : l'iPod dans les oreilles, l'anneau dans le nombril et la mère hippie. Vous voyez le tableau.

Pour Ryan, un souvenir de chair et de sang de son équipée sauvage parmi les motards.

Ahuri et quelque peu intimidé face à ses nouvelles responsabilités de père, il a serré sur son cœur le produit de son glorieux passé et décidé d'apporter certaines modifications à l'avenir, tel qu'il l'envisageait jusque-là.

À Noël dernier, donc, il a pris l'engagement d'agir en père lointain.

La même semaine, il m'a demandé de partager sa vie.

Oh là, bonhomme ! Du calme ! J'ai mis mon veto à la proposition.

Résultat : j'en suis encore à partager ma couche avec Birdie, mon fidèle félin, tout en virevoltant autour d'un avant-projet de vie commune susceptible de fonctionner.

Pour l'heure, j'aime assez notre petit pas de deux.

Personne n'est au courant. Cet arrangement appartient uniquement au domaine privé. *Stricto sensu*.

— Comment va mon petit chou ? a lancé Ryan du seuil de la porte.

— Bien.

J'ai ajouté un fragment d'os à ceux qui séchaient déjà sur la planche en liège.

— C'est le cadavre de la cheminée ? s'est enquis Ryan en fixant la boîte qui contenait Charles Bellemare, dit Cow-boy.

— Avec lui, je crois que je tiens le bon bout.

— Il a reçu un coup ?

— Non. Je pense plutôt qu'il s'est penché trop en avant. Mais pourquoi est-il allé s'asseoir sur ce rebord de cheminée ? Ça, je n'en ai pas la moindre idée.

J'ai retiré mes gants. Tout en versant du savon liquide sur mes mains, j'ai demandé :

— C'est qui, le type blond qui était avec toi en bas ?

— Birch. On va travailler ensemble sur l'affaire Ferris.

— On t'a enfin donné un coéquipier ?

— Non. C'est un prêt temporaire. Ferris, tu crois qu'il s'est fait sauter la cervelle tout seul comme un grand ?

J'ai décoché à Ryan un regard lui signifiant de m'épargner ce genre de questions.

— Loin de moi l'intention de précipiter tes conclusions ! s'est-il empressé d'ajouter en me retournant son sourire le plus innocent.

— Dis-moi déjà ce que tu sais sur lui, ai-je rétorqué en arrachant un essuie-main au support.

Un coup de coude à Bellemare dans sa boîte pour qu'il lui fasse de la place, et Ryan a posé une fesse sur ma table d'examen.

— Une famille de juifs orthodoxes.

— Tu m'en diras tant !

— Les Beatles étaient là pour s'assurer que l'autopsie respectait bien les lois kascher.

— Qui c'était ?

J'ai fait une boule de ma serviette en papier et l'ai jetée dans la corbeille.

— Son frère, son rabbin et des fidèles de sa synagogue. Tu veux les noms ?

J'ai secoué la tête.

— Ferris était un peu moins strict que ses parents. Il était à la tête d'une petite entreprise d'importation située à Mirabel, près de l'aéroport. Il a prévenu sa femme qu'il s'absenterait jeudi et vendredi. D'après elle...

— Son nom, c'est Miriam, ai-je soufflé à Ryan, comme il s'interrompait pour vérifier dans son carnet à spirale.

— Exact.

Il m'a lancé un drôle de regard avant d'enchaîner :

— D'après Miriam, donc, il voulait développer son affaire. Mercredi, il l'a appelée vers quatre heures pour la prévenir qu'il prenait la route et serait de retour vendredi en fin d'après-midi. En ne le voyant pas rentrer à la tombée de la nuit, elle s'est dit qu'il avait été retardé et qu'il préférait ne pas conduire le jour du sabbat.

— Ça lui était déjà arrivé ?

— Oui, et il n'avait pas l'habitude de téléphoner chez lui pour prévenir de ses retards. Le samedi soir, comme il n'avait toujours pas donné signe de vie, Miriam s'est branchée sur la composition automatique et a appelé toute la famille à tour de rôle. Personne ne l'avait vu. La secrétaire non plus. Ne sachant pas exactement pour quelle raison son mari s'était lancé dans ce voyage d'affaires, elle a décidé d'attendre. Le dimanche matin, elle est passée à l'entrepôt. L'après-midi, elle signalait la disparition à la police. Les policiers lui ont dit qu'ils lanceraient une enquête le lendemain matin si son mari n'avait pas pointé le bout de son nez d'ici là.

— Un mari profitant d'un voyage d'affaires pour s'offrir du bon temps ?

— Ce sont des choses qui arrivent, a fait Ryan en levant une épaule.

— Mais Ferris n'avait pas quitté Montréal. LaManche pense qu'il est mort peu de temps après avoir parlé à sa femme. À ton avis, l'histoire de Miriam tient la route ?

— Oui, jusqu'ici.

— Le corps a été découvert dans un cagibi, tu disais ? Ryan a hoché la tête.

— Les murs étaient couverts de sang et de cervelle.

— À quoi ressemble l'endroit ?

— C'est un petit local au fond d'un bureau, au-dessus de l'entrepôt.

— Comment se fait-il qu'il y ait eu des chats enfermés là-dedans ?

— C'est là qu'ils avaient leur litière. Ferris y gardait aussi leurs boîtes de pâtée. Il y a une chatière dans la porte avec un battant qui s'ouvre et se ferme dans les deux sens.

— Et il aurait réuni ses chats pour se tirer une balle dans la tête devant eux ?

— Peut-être qu'ils y étaient déjà quand il a reçu la balle. Peut-être qu'ils sont entrés plus tard. Ferris a pu mourir assis sur un tabouret et en dégringoler après, bloquant la chatière avec ses pieds.

J'avais déjà envisagé cette possibilité.

— Miriam n'a pas eu l'idée de regarder dans ce cagibi quand elle est venue le dimanche ?

— Non.

— Elle n'a pas entendu miauler ou griffer ?

— Elle n'a pas vraiment la passion des chats. C'est pour ça que son mari les gardait à son travail.

— Elle n'a pas remarqué l'odeur ?

— Apparemment, Ferris n'était pas un maniaque du récurage. Si jamais elle a senti quelque chose, elle a dû se dire que c'était la litière.

— Elle n'a pas trouvé qu'il faisait bizarrement chaud dans les locaux ?

— Non. D'ailleurs, le thermostat a pu être déréglé par un chat après sa visite. Dans ce cas-là, Ferris est resté à cuire de dimanche à mardi.

— Ferris avait d'autres employés, mis à part la secrétaire ?

— Nan… C'est une certaine Courtney Purviance, a ajouté Ryan après un coup d'œil à son carnet. Miriam dit « secrétaire », mais elle-même préfère le terme d'« associée ».

— C'est l'épouse qui rabaisse l'assistante ou l'assistante qui se fait mousser ?

— Plutôt la première variante, car l'assistante jouait un sacré rôle dans la marche des affaires, semble-t-il.

— Où était-elle mercredi ?

— Elle est partie tôt. Une vilaine sinusite.

— Comment se fait-il qu'elle n'ait pas découvert son patron le lundi ?

— Parce qu'elle avait pris un jour de congé pour planter des arbres. Il y avait une sorte de fête juive, ce jour-là.

— Oui, le *Tu B'Shvat*.

— *Or not to be shvat*, a rigolé Ryan.

— Je te jure, c'est la fête des arbres. Des choses ont disparu ?

— Courtney Purviance soutient qu'il n'y a rien d'intéressant à voler dans cet entrepôt : un vieil ordinateur, une radio plus vieille encore. Le stock n'a pas de valeur non plus, paraît-il. Mais elle vérifie.

— Elle travaille là depuis longtemps ?

— Depuis 1998.

— Rien de suspect dans le passé de Ferris ? D'anciens associés qui lui en voudraient ? Des ennemis ? Des dettes de jeu ? Une amante qu'il aurait quittée ? Un amant ?

Ryan a secoué la tête.

— Des détails pouvant suggérer qu'il songeait au suicide ?

— Jusqu'ici, rien. Un mariage solide, il a même emmené sa petite femme à Boca en janvier dernier. Des affaires qui tournaient. S'il ne faisait pas de bénéfices mirobolants, il avait quand même de quoi vivre tranquille. Surtout depuis que la secrétaire était là, comme elle s'est empressée de me le signaler. Selon la famille, il ne manifestait aucun signe de dépression, mais Courtney Purviance le trouvait d'humeur particulièrement versatile, ces dernières semaines.

Me rappelant Kessler, j'ai fouillé dans la poche de ma blouse à la recherche de la photo pour la remettre à Ryan.

— Un cadeau d'un des types des Fab Four. Il paraît que c'est à cause de ça que Ferris est mort.

— Ce qui veut dire ?

— Qu'il pense que Ferris est mort à cause de ça.

— Tu peux être vraiment chiante, Brennan !

— Oh, je me donne du mal, tu sais.

Ryan a étudié la photo.

— Lequel des quatre ?

— Kessler.

Ryan a déposé la photo pour feuilleter son carnet, le sourcil perplexe.

— Tu es sûre du nom ? a-t-il demandé après être revenu plusieurs pages en arrière.

— C'est celui qu'il m'a donné.

Il a relevé les yeux, son sourcil avait repris sa position habituelle.

— Aucun laissez-passer pour l'autopsie n'a été délivré à un Kessler.

Chapitre 3

— Je suis certaine que c'est le nom qu'il m'a donné. Kessler.

— L'un des types autorisés à assister à l'autopsie ?

— Oui, l'un des rares privilégiés sur les milliers de hassidim qui hantent ces lieux.

Ryan a ignoré mon sarcasme.

— Il t'a dit pourquoi il était là ?

— Non.

Bizarrement, Ryan m'agaçait avec toutes ses questions.

— Tu es sûre de l'avoir vu dans la salle d'autopsie ?

— Heu...

Ma rencontre avec Miriam et Dora Ferris m'avait remuée et le coup de fil de Pelletier avait renforcé ma distraction. J'étais dans un état qui me prédisposait à avaler tous les stéréotypes d'ordre culturel, et Kessler portait des lunettes, une barbe et une redingote noire. En fait, Ryan n'y était pour rien. C'est à moi-même que j'en voulais.

— Je l'ai supposé, tout simplement.

— Reprenons au début. Donc, il était dans le couloir quand tu es sortie de la salle des familles.

— Oui.

— Tu l'as vu arriver ?

— Non.

— Tu as vu où il est allé ensuite ?

— Je me suis dit qu'il allait rejoindre Dora et Miriam.

— Est-ce que tu l'as vraiment vu entrer dans la salle des familles ?

— Non, je parlais au téléphone.

Ma réponse a jailli plus sèchement que prévu.

— Inutile de monter sur tes grands chevaux !

— Je ne monte pas sur mes grands chevaux, ai-je répliqué sur un ton qui prouvait le contraire. Je ne faisais que zoomer sur un détail.

Tirant des deux mains sur les bords de ma blouse, j'en ai fait sauter les boutons pression.

Ryan a repris la photo.

— C'est quoi, ce que j'ai sous les yeux ?

— Un squelette.

Il a levé les yeux au ciel.

— Kessler… je veux dire le mystérieux barbu, m'a dit que cette photo venait d'Israël.

— Elle vient d'Israël ou elle a été prise là-bas ?

Encore une connerie de ma part.

— Cette photo a plus de quarante ans, elle ne doit pas être si importante que ça.

— Quand quelqu'un vous dit : voilà ce qui a causé la mort d'Untel, ça ne veut pas rien dire.

J'ai rougi.

Ryan a retourné la photo, comme je l'avais fait moi-même.

— C'est quoi, ce *M de 1 H* ?

— Tu crois que c'est un *M* ?

Ryan a ignoré ma question.

— Qu'est-ce qui se passait, en octobre 63 ? a-t-il demandé encore, plus pour lui-même que pour moi.

— Oswald se concentrait sur JFK.

— Brennan, tu peux être vraiment ch…

— Tu l'as déjà dit.

Je lui ai arraché la photo des mains. L'ayant retournée, j'ai désigné le pinceau par terre, placé à la gauche du genou.

— Tu vois ça ?

— Ce pinceau ?

— C'est une flèche, et elle désigne le nord.

— Comment ça ?

— C'est un vieux truc d'archéologue. Quand on n'a rien qui puisse servir de référence pour la taille et l'orientation, on place un objet quelconque dans le champ en le pointant vers le nord.

— Et cette photo aurait été prise par un archéologue ?

— Oui.

— Où ça ?

— Sur un site avec des tombes.

— Eh bien voilà ! On progresse.

— Ce Kessler est probablement cinglé, tu sais. Il faut le retrouver et le passer au gril. Interroger Miriam Ferris. Elle sait peut-être pourquoi ce truc-là foutait la trouille à son mari… Au cas où ça lui ait foutu la trouille, évidemment, ai-je ajouté en retirant ma blouse.

Ryan a étudié la photo pendant toute une minute. Quand il a relevé les yeux, c'était pour me demander si j'avais acheté le fameux slip rouge.

— Non, ai-je répondu, les joues en feu.

— En satin rouge, j'y tiens. Plus sexy, tu meurs.

Le regard que je lui ai décoché entre mes paupières plissées lui intimait clairement de la fermer. Sur un « Je considère la journée comme finie » lancé d'une voix forte, je suis allée pendre ma blouse dans l'armoire. J'ai profité de ce que je vidais le bazar dans mes poches pour évacuer aussi ma libido.

Quand je me suis retournée, Ryan s'était replongé dans l'étude de la photo, mais debout sur ses deux pieds.

— Tu crois qu'un de tes copains paléo pourrait dire qui c'est ?

— Je peux toujours me renseigner.

— Deux, trois coups de fil, ça ne peut pas faire de mal.

Arrivé à la porte, il s'est retourné et a fait danser ses sourcils.

— On se voit plus tard ?

— Le mercredi, c'est mon soir de taï-chi.

— Demain, alors ?

— D'ac.

— Mais je veux le slip rouge !

Clin d'œil, le doigt pointé sur moi.

Mon appartement de Montréal se trouve au rez-de-chaussée d'un immeuble en forme de U de quelques étages seulement. Il comporte une chambre à coucher, un bureau, deux salles de bains, un salon-salle à manger et une cuisine si étroite que, debout devant l'évier, on peut ouvrir le réfrigérateur en pivotant simplement sur les talons.

Ouverte aux deux bouts par une arche, on sort par l'une dans l'entrée dont les portes-fenêtres ouvrent sur la cour de l'immeuble, et par l'autre, dans le salon qui donne, lui, sur un minuscule jardin intérieur.

Une cheminée en pierre, de jolis lambris, une armée de placards et un stationnement souterrain. Rien de luxueux.

L'argument de vente ? L'emplacement, en plein centre de Montréal. Tout ce dont je peux avoir besoin est à moins de deux pâtés de maisons de mon lit.

Birdie ne s'est pas montré au cliquetis de ma clef dans la serrure.

— Coucou, Birdie !

Pas de chat, mais un « piou-piou ».

— Salut, Charlie.

— Piou-piou. Piou-piou.

— Birdie ?

— Piou-piou. Piou-piou. Piou-piou. Piou-piou. Piou-piou.

Un chant rivalisant avec le hurlement d'un loup.

Mon manteau suspendu dans le placard en poussant fort pour l'y faire entrer, je suis allée me délester de mon ordinateur portable dans le bureau avant de déposer dans la cuisine mes lasagnes achetées chez le traiteur et de continuer tout droit jusqu'au salon.

Birdie était sur le petit canapé, figé dans sa pose de sphinx, la tête droite, les pattes avant repliées contre lui. Quand je l'ai rejoint, il m'a à peine accordé un regard, tant il était concentré sur la cage.

Charlie me fixait à travers ses barreaux, la tête penchée sur le côté.

— Mes deux garçons vont bien ?

Birdie a continué de m'ignorer superbement.

Charlie a sautillé jusqu'à son plat de graines et lancé un nouveau sifflement, assorti d'un piou-piou.

— Vous vous demandez comment a été ma journée ? Fatigante, mais sans drame.

Je n'ai pas mentionné Kessler.

Charlie a penché la tête à gauche pour m'observer de l'autre œil.

Le chat, néant.

— Je suis contente que vous vous entendiez bien.

Parce que c'est vrai !

La perruche est le cadeau de Noël de Ryan. Si, au début, l'idée d'avoir un oiseau était loin de m'enthousiasmer, vu que je vis à cheval sur deux pays, Birdie, lui, a eu un coup de foudre immédiat pour Charlie.

Pour compenser mon refus d'habiter avec lui, Ryan a proposé une garde partagée de l'oiseau. Quand je suis à Montréal, Charlie vit avec moi. Quand je suis à Charlotte, il devient le coloc de Ryan. En règle générale, Birdie me suit.

Cet arrangement fonctionne. Chat et perruche semblent très attachés l'un à l'autre.

— Bonne route. N'oublie pas l'oiseau, a coassé Charlie en me voyant regagner la cuisine.

D'accord, les lasagnes ne sont pas géniales pour les postures telles que : « Attrapez la queue du moineau » ou « La grue blanche étire ses ailes » ; mais pour « La paix intérieure », on ne fait pas mieux. Si ce soir j'ai été nulle au cours de tai-chi, en revanche j'ai dormi, après, comme une bûche.

Le lendemain, j'étais debout à sept heures et au labo à huit.

J'ai passé la première heure à identifier, marquer et répertorier les fragments extraits de la tête d'Avram Ferris. Sans en être encore à l'examen approfondi, je remarquais déjà certains détails, et une petite idée commençait à se faire jour dans mon esprit. Petite idée qui me laissait pantoise.

La réunion du matin a apporté son lot habituel de brutalités bêtes ou tristement banales.

Un type de vingt-sept ans s'était électrocuté en pissant sur la voie, à la station de métro Lucien-L'Allier.

Un charpentier de Boisbriand avait tué à coups de matraque son épouse de trente ans qui ne voulait pas sortir dans le froid chercher des bûches pour le feu.

Un drogué de cinquante-neuf ans était mort d'overdose dans un hôtel sordide près de la porte du quartier chinois.

Rien pour l'anthropologue que j'étais.

De retour dans mon bureau à neuf heures et demie, j'ai téléphoné à Jacob Drum, un collègue d'UNC-Charlotte. J'ai laissé un message sur son répondeur en lui demandant de me rappeler.

Je travaillais sur mes fragments depuis une heure quand le téléphone a sonné.

— *Hey*, Tempe.

C'est ainsi que nous nous saluons, nous, les gens du Sud, laissant au reste du pays le soin de prononcer le *i* de « *Hi* » quand ils se saluent. C'est aussi comme cela que nous nous prévenons d'un danger, attirons l'attention ou émettons une objection, mais là, le *é* est bref et aspiré. Dans le cas présent, celui de mon ami, long et non aspiré, en valait bien quatre.

— *Hey*, Jake.

— Aujourd'hui à Charlotte, il ne faut pas espérer avoir plus de dix. Et chez vous, il fait frisquet ?

En hiver, les gens du Sud prennent un plaisir immense à me questionner sur le temps qu'il fait au Canada. En été, leur intérêt diminue.

— Plutôt, oui.

Le maximum prévu ne devait pas dépasser les moins dix-sept degrés Celsius.

— Moi, je vais uniquement là où le temps sied à ma garde-robe.

— Tu repars en mission ?

Jake est spécialiste en archéologie biblique. Depuis presque trente ans, il fouille dans tout le Moyen-Orient.

— Oui, madame. Une synagogue du Ier siècle. Ça fait des mois que je me tue à monter le projet. J'ai l'équipe. Les gens avec qui je bosse d'habitude en Israël et un chef de chantier que je dois rencontrer à Toronto, samedi. En ce moment, je fignole les derniers détails du voyage. L'enfer. Tu n'as pas idée combien ces trucs sont rares.

L'enfer ?

— Des synagogues du Ier siècle, il y en a une à Massada et une autre à Gamla. C'est à peu près tout.

— Ça m'a l'air génial, ton projet. Je suis drôlement contente que tu me rappelles, j'ai un service à te demander.

— Je t'écoute.

J'ai décrit la photo du squelette, laissant de côté les circonstances dans lesquelles elle avait abouti entre mes mains.

— Elle a été prise en Israël ?

— On m'a dit qu'elle venait d'Israël.

— Et elle date des années soixante ?

— Il y a écrit au dos : « Octobre 63 ». Et aussi un gribouillis qui est peut-être une adresse.

— Plutôt vague.

— Oui.

— Eh bien, je vais regarder ça pour toi.

— Je la scanne et te l'envoie par courriel.

— Je ne te promets rien.

— En tout cas, c'est gentil de ta part. Je te remercie vraiment.

Je savais déjà ce qui allait suivre. Chez Jake, c'est une rengaine. Plus fréquente qu'une mauvaise pub pour la bière.

— Faudrait quand même que tu te décides à venir fouiller avec nous, Tempe. Que tu reviennes à tes racines d'archéologue.

— J'en meurs d'envie, tu sais, mais en ce moment, ce n'est vraiment pas possible.

— Un de ces jours, alors.

— Un de ces jours.

Sitôt la conversation terminée, j'ai filé au département Imagerie scanner la photo et la transférer à l'ordinateur de mon labo sous format .jpg. Revenue au pas de course dans mes quartiers, je me suis connectée sur Internet pour l'envoyer sans plus tarder à Jake, à l'université.

Retour au crâne fracassé de M. Ferris.

Les fractures du crâne sont d'une incroyable diversité.

Les interpréter correctement requiert une parfaite compréhension des propriétés biomécaniques de l'os, ainsi qu'une bonne connaissance des facteurs intrinsèques et extrinsèques susceptibles de se manifester au cours du processus de fracture.

Simple, n'est-ce pas ? Autant que la physique quantique.

Bien qu'il semble rigide, l'os possède en réalité un certain degré d'élasticité. Soumis à une pression, il change de forme. Quand il dépasse son seuil de déformation, il éclate ou se brise.

Ça, c'est la partie biomécanique.

Dans la tête, les fractures se propagent en suivant des chemins de moindre résistance. Ces chemins sont déterminés par des facteurs tels que la courbure du crâne, la forme des arcs-boutants osseux ou encore les sutures, c'est-à-dire les lignes ondulées qui marquent la jonction entre les différents os.

Voilà pour les facteurs intrinsèques.

Les facteurs extrinsèques, eux, comprennent la taille de l'objet à l'origine de la fracture, sa vitesse au moment de l'impact et l'angle qu'il forme avec la surface qui reçoit le coup.

Représentez-vous le crâne comme une sphère avec des bosses, des courbes et des creux. Quand cette sphère subit un choc, elle éclate de plusieurs manières. Certaines de ces manières sont prévisibles. Exemple : une balle de calibre 22 tout comme un tuyau de cinq centimètres de long sont des objets susceptibles de produire un impact. La différence, c'est que la vitesse de la balle est nettement supérieure à celle du tuyau, et que la surface atteinte est beaucoup plus petite.

Vous avez l'idée.

Avec Ferris, j'avais sous les yeux une fracture atypique qui n'avait rien à voir avec l'étendue des dégâts, je le savais. Il y avait quelque chose dans ce crâne qui faisait que plus je l'examinais, plus je me sentais mal à l'aise.

Je plaçais un fragment d'occiput sous mon microscope quand le téléphone a sonné. Jake Drum. Cette fois, il n'a pas perdu son temps en « *hey* » insouciants.

— Où est-ce que tu as trouvé cette photo, tu m'as dit ?

— Je ne te l'ai pas dit. Je…

— Qui te l'a donnée ?

— Un type du nom de Kessler. Mais…

— Tu l'as toujours ?

— Oui.

— Combien de temps tu restes à Montréal ?

— Je dois aller aux États-Unis, samedi, mais juste un aller et retour…

— Si je passe par Montréal demain, tu peux me la montrer ?

— Bien sûr. Jake…

— Je te quitte. Faut que je réserve mon billet.

Sa voix était si tendue qu'elle aurait pu avoir le *Queen Mary* amarré au bout.

— En attendant, tu caches la photo en lieu sûr. Compris ?

La seconde d'après, je n'entendais plus que la tonalité.

Chapitre 4

Je regardais fixement mon téléphone.

Qu'est-ce qui pouvait être assez important pour forcer Jake à modifier un programme qui lui avait demandé des mois de planification ?

J'ai placé la photo du squelette devant moi.

Si le pinceau servait bien de référence pour l'orientation, ce corps était placé nord-sud, la tête tournée à l'est. Les mains étaient croisées sur le ventre, et les jambes complètement allongées.

En dehors d'un certain déplacement des os du pelvis et du pied, tout me paraissait correct sur le plan anatomique.

Trop correct.

Les rotules étaient parfaitement positionnées à l'extrémité de chaque fémur. Impossible à des rotules de tenir en place aussi parfaitement.

Une autre chose encore n'était pas normale : le péroné droit. Il était inversé par rapport au tibia, placé à l'intérieur alors qu'il aurait dû être à l'extérieur.

Cette petite erreur de position avait-elle un sens caché ?

Je suis allée examiner la photo au microscope. J'ai réduit le grossissement et réglé la lampe à fibre optique.

Par terre, tout autour du squelette, on reconnaissait aisément des traces de pas. Un plus fort grossissement révélait au moins deux empreintes distinctes.

Conclusion : plus d'une personne avait assisté à la séance photo.

De quel sexe était donc cet individu ?

Son crâne présentait des arêtes orbitales de grande taille et sa mâchoire était carrée. On ne voyait que la moitié droite de son bassin, mais l'encoche sciatique paraissait étroite et profonde.

Conclusion : de grandes chances pour qu'il s'agisse d'un homme.

Son âge, maintenant.

À première vue, l'individu avait encore toutes ses dents du haut ou presque, ce qui n'était pas le cas pour la mâchoire du bas où les dents, en plus, étaient mal alignées. Le côté droit de la symphyse pubienne, c'est-à-dire l'endroit où les deux moitiés de pelvis se rejoignent à l'avant, avait beau être légèrement penché, on voyait quand même — et ce, malgré le grain — que la symphyse présentait un aspect lisse et plat.

Conclusion : c'était un homme adulte, dont l'âge se situait entre la jeunesse et la maturité. Probablement.

Génial, Brennan ! Un gars mort à l'âge adulte avec de mauvaises dents et des os replacés. Probablement.

— Eh bien, voilà ! On progresse ! me suis-je lancé à moi-même sur le même ton que Ryan hier.

La pendule indiquait deux heures moins vingt. J'avais une faim de loup.

J'ai coupé la lumière à fibre optique tout en retirant ma blouse, puis je me suis lavé les mains. Au moment de sortir, j'ai marqué un arrêt.

Retournée auprès du microscope, j'ai ramassé la photo et l'ai glissée sous un agenda, dans le tiroir de mon bureau.

À trois heures, je n'étais pas plus avancée qu'à midi en ce qui concernait le crâne de Ferris. À défaut d'avoir les idées claires, j'avais une frustration grandissante.

Les bras n'étant pas extensibles, les gens qui se tirent une balle le font généralement dans le front, dans la tempe, dans la bouche ou dans la poitrine. Ils ne se tirent pas une balle dans la colonne vertébrale ou à l'arrière de la tête. Trop difficile de placer le canon à cet endroit-là en gardant bien l'orteil ou le doigt sur la détente. La trajectoire de la balle permet donc souvent de savoir si l'on est en face d'un suicide ou d'un meurtre.

En traversant l'os, une balle déloge de petites particules du bord du trou qu'elle a percé, de sorte que la blessure au point d'entrée de la balle est biseautée vers l'intérieur, alors qu'elle l'est vers l'extérieur à son point de sortie.

Point d'entrée de la balle, point de sortie de la balle, trajectoire. Tout cela n'est finalement qu'une des mille et une façons de mourir.

En l'occurrence, quel était le problème ? Eh bien voilà : Avram Ferris avait-il posé lui-même le pistolet sur sa tête ou quelqu'un d'autre lui avait-il fait ce plaisir ?

Le hic, c'était que les parties de crâne touchées par la balle ressemblaient aux pièces d'un puzzle qu'on vient de vider de sa boîte. Pour avoir une idée du biseautage de la perforation, je devais commencer par déterminer ce qui avait bougé de place et comment.

Après des heures passées à recomposer le puzzle que constituait le crâne de Ferris, j'ai découvert un trou anormal de forme ovale derrière son oreille droite, pas très loin de l'endroit où le pariétal, le temporal et l'occiput se rejoignent.

Un endroit que Ferris pouvait atteindre de son bras ? Oui, mais en l'étirant sacrément.

Autre problème : l'os était biseauté sur les deux côtés, sur la face endocrânienne et sur la face exocrânienne.

Mieux valait oublier le biseautage et passer à l'ordre d'apparition des fractures.

Un crâne est conçu pour loger un cerveau et une très petite quantité de liquide. C'est tout. Pas de place pour un autre invité, quel qu'il soit.

Une balle entrée dans la tête déclenche une succession de phénomènes, et chacun de ces phénomènes peut être combiné à un autre élément.

Tout d'abord, le trou est percé. Instantanément, des lignes de fractures partent en étoile de ce trou et se propagent sur tout le crâne. À mesure que la balle creuse un tunnel dans le cerveau, elle pousse la matière grise devant elle et l'écarte sur les côtés, créant ainsi un vide là où il ne devrait pas y en avoir. Résultat, la pression à l'intérieur du crâne augmente et d'autres lignes de fracture, concentriques celles-ci, apparaissent perpendiculairement à celles qui partaient en rayons du point d'entrée de la balle. Les parties d'os qui sont plates remontent alors vers l'extérieur comme si elles étaient soulevées par un levier. Quand par malheur les lignes de soulèvement croisent les rayons, la partie du crâne concernée explose en mille morceaux.

Autre scénario. Le crâne n'explose pas, la balle lui dit au revoir et ressort gentiment de l'autre côté. De l'endroit où la balle est ressortie, des lignes de fracture remontent à toute allure vers l'intérieur du crâne et percutent celles qui rayonnaient à vitesse grand V à partir du trou d'entrée. L'énergie produite se dissout le long des lignes de fracture créées en premier, à l'entrée de la balle. Les lignes de fracture secondaires, c'est-à-dire celles qui résultent de la sortie de la balle, ne se propagent pas plus loin.

Dites-vous ceci : une balle entrée dans un cerveau dégage une certaine énergie qui doit absolument s'évacuer. Or elle est emprisonnée. Comme nous tous, elle se cherche une issue, et en priorité la plus facile de toutes. Dans un crâne, ce sont les sutures ouvertes ou les fissures préexistantes. Par conséquent, les fractures créées par la balle en sortant ne croisent pas celles créées au moment où la balle est entrée. Il suffit donc de faire le tri, et vous avez l'ordre d'apparition des fractures.

Pour séparer les morceaux prometteurs de ceux qui mènent à l'impasse, il faut passer par l'étape de la reconstruction. Pas moyen d'y échapper.

J'allais devoir recoller tous les morceaux ensemble.

Traduire : m'armer d'une bonne dose de patience.

Et de colle en quantité.

J'ai préparé mes cuvettes en inox, mon sable et mon tube d'Elmer. Prenant les morceaux de crâne deux par deux, je les ai collés en les maintenant ensemble jusqu'à ce que le produit durcisse. Puis j'ai planté ces fragments reconstitués dans le sable de façon qu'ils finissent de sécher sans glisser ni se tordre.

La radiocassette des techniciens du labo s'est éteinte.

Les fenêtres se sont obscurcies.

Une sonnerie a retenti, indiquant que le standard passait en mode service de nuit.

J'ai continué à travailler, sélectionnant les morceaux, vérifiant qu'ils s'adaptaient bien les uns aux autres, les collant ensemble et les faisant tenir en équilibre. Le silence avait pris possession de l'espace autour de moi et, dans ce grand building désert, il était assourdissant. Quand j'ai relevé la tête, la pendule indiquait six heures et demie.

Et alors ? Où était le drame ?

Oh, il n'y en avait pas, sinon que Ryan était censé débarquer chez moi dans une demi-heure !

J'ai filé me laver les mains dans l'évier. Le temps d'arracher ma blouse et d'attraper mes affaires, et j'ai décampé.

Dehors, il tombait une pluie froide. Non, je suis trop bonne parce que, en vérité, c'était une neige mouillée qui s'accrochait à mon parka et me râpait les joues.

Il m'a bien fallu dix minutes pour arriver à entailler le glacier sur mon pare-brise, et trente de plus pour effectuer un trajet qui m'en prend quinze en temps normal.

Quand j'ai déboulé dans le couloir, Ryan poireautait, appuyé au mur à côté de ma porte, un sac de provisions à ses pieds.

Il existe une loi de la nature contre laquelle je ne peux rien et qui veut que je sois au comble de ma laideur chaque fois que je dois voir Andrew Ryan.

Et lui, il a tout de la star revue et bichonnée par le comité organisateur des rencontres idole-public. C'est systématique.

Ce soir, il portait un blouson d'aviateur, une écharpe en laine rayée et un jean délavé.

En me voyant harnachée comme je l'étais, le sac me tombant de l'épaule, l'ordinateur au bout du bras droit, la serviette au bout du bras gauche, il n'a pu retenir un sourire. J'avais les joues râpeuses, les cheveux trempés et plaqués sur le front. Le mascara qui avait coulé transformait mon visage en une étude impressionniste.

— Tes chiens de traîneau se sont perdus ?

— La route était glissante.

— Je crois que, dans ces cas-là, il faut hurler : « En avant l'attelage ! »

D'une main, il m'a soulagée de mon ordinateur, de l'autre, il a voulu écarter les cheveux qui me tombaient dans les yeux. Des mèches ont résisté, hirsutes, collées en paquet.

— C'est le résultat d'un corps à corps avec ton gel Dippity-do ?

— J'ai fait du collage, ai-je expliqué en introduisant ma clef dans la serrure.

Ryan s'est retenu pour ne pas me sortir une de ses pitreries dont il a le secret. Ramassant son sac par terre, il m'a suivie dans l'appartement.

— Cui-cui ?

— Charlie, mon garçon ! s'est exclamé Ryan.

— Cui-cui. Piou-piou. Piou-piou. Piou-piou. Piou-piou.

— Amuse-toi avec Charlie pendant que j'enlève toute cette colle.

— Le slip en satin ?

— Je ne l'ai même pas commandé, Ryan.

En l'espace de vingt minutes, j'ai pris une douche, me suis lavé les cheveux, les ai séchés et me suis refait une beauté. Maquillage discret mais raffiné. Pantalon en velours côtelé rose, haut moulant, soupçon d'Issey Miyake derrière les oreilles.

À défaut du slip en satin rouge, un string à vous tuer le bonhomme sur place. Vieux rose. Rien à voir avec les culottes de ma mère.

Ryan était dans la cuisine. L'appartement embaumait la tomate, l'anchois, l'ail et l'origan.

— Tu nous as fait tes pâtes puttanesca, célèbres dans le monde entier ?

Me haussant sur la pointe des pieds, j'ai posé un baiser sur sa joue.

— Ben, dis donc, ma p'tite dame !…

Il m'a prise dans ses bras et m'a embrassée sur la bouche tout en glissant ses doigts dans la ceinture de mon pantalon pour écarter le tissu et glisser un œil au bas de mon dos.

— Ce n'est pas le slip en satin rouge, mais bon, ça ira.

Je l'ai repoussé de mes deux mains à plat sur sa poitrine.

— C'est vrai que tu ne l'as pas commandé ?

— C'est vrai.

Sur ce, Birdie a fait son entrée. Il nous a considérés d'un air désapprobateur et s'est dirigé vers son bol.

Pendant le dîner, j'ai raconté à Ryan mes difficultés avec le crâne de Ferris.

Au dessert, servi avec le café, il m'a mise au courant de ses découvertes.

— Ferris importait des vêtements de culte. *Kippas*, *talliths*… C'est comme ça qu'on appelle le châle de prière, s'est-il empressé de me préciser en me voyant faire la moue, croyant à tort que je ne savais pas de quoi il s'agissait.

En fait, c'était parce qu'il m'en bouchait un coin. Car Ryan, voyez-vous, a été élevé dans la religion catholique, tout comme moi.

— Je ne te savais pas aussi savant.

— J'ai regardé dans le dictionnaire. Pourquoi tu as fait cette grimace ?

— Le marché ne doit pas être énorme.

— Il faisait aussi dans les objets rituels pour la maison. *Menorot*[1], *mezouzot*[2], bougies pour le sabbat, coupes pour le *qiddouch*[3], couvertures pour le *challah*[4]. Ça, il faut encore que je me renseigne.

Il m'a tendu le plat de pâtisseries. Il ne restait plus qu'un *millefeuille**. Je l'aurais bien pris. Mais j'ai secoué la tête, ligne oblige. Ryan n'en a fait qu'une bouchée.

— Ferris avait des clients dans tout le Québec, l'Ontario et les provinces maritimes. Ce n'était pas Wal-Mart, mais il gagnait bien sa vie.

— Tu as revu la secrétaire ?

— Il semble que cette Courtney Purviance soit bien plus qu'une simple secrétaire. Elle tient les comptes et l'inventaire, elle se rend en Israël et aux États-Unis pour évaluer les produits, elle discute les prix avec les fournisseurs.

— Israël, c'est pas facile-facile, ces temps-ci.

— Elle connaît. Elle a vécu un temps dans un kibboutz, dans les années quatre-vingt. Elle parle l'anglais, le français, l'hébreu et l'arabe.

— Impressionnant !

— Son père était français, sa mère tunisienne. Quoi qu'il en soit, elle s'en tient à son histoire. Les affaires marchaient bien. Pas un seul ennemi. Mais, quand

---

1. *Menorah* (pl. : *menorot*) : chandelier à sept branches. Toutes les notes relatives aux traditions juives sont tirées du *Dictionnaire encyclopédique du judaïsme* publié chez Robert Laffont dans la collection « Bouquins » (N.d.T.).

2. *Mezouzah* (pl. : *mezouzot*) : petit rouleau de parchemin contenant certains passages de la Bible, traditionnellement fixé sur les montants des portes dans les maisons juives (N.d.T.).

3. *Qiddouch* : prière récitée le sabbat et les jours de fête, en général sur une coupe de vin, afin de sanctifier la journée (N.d.T.).

4. *Challah* : petit pain (N.d.T.).

même, les jours qui ont précédé sa mort, Ferris était plus déprimé que d'habitude. Je lui donne encore un jour pour finir ce qu'elle a à faire à l'entrepôt. Après, j'aurai une petite conversation avec elle.

— Et Kessler, tu l'as retrouvé ?

Ryan est allé chercher un papier dans sa veste sur le divan. Revenu à table, il me l'a remis.

— C'est la liste des gens autorisés à assister à l'autopsie.

J'ai lu les noms.

> Mordecai Ferris
> Théodore Moskowitz
> Myron Neulander
> David Rosenbaum

— Pas de Kessler, ai-je fait bien inutilement puisque c'était l'évidence. Tu as retrouvé quelqu'un qui le connaisse ?

— Questionner la famille ? Autant parler à un bloc de béton. Ils font *aninout* [5].

— Qu'est-ce que c'est ?

— Le premier stade du deuil.

— Et ça dure longtemps ?

— Jusqu'à l'enterrement.

Je me suis représenté les morceaux de crâne plantés dans ma cuvette remplie de sable.

— Ça risque d'être long.

— La femme de Ferris m'a dit de revenir après la *chivah* [6], c'est-à-dire une semaine après l'enterrement. J'ai laissé entendre que je passerais peut-être avant.

— Elle doit vivre un cauchemar.

---

5. *Aninout* : période allant du jour de la mort jusqu'à l'enterrement, pendant laquelle la principale responsabilité des personnes en deuil consiste à organiser les funérailles (N.d.T.).
6. *Chivah* : période de sept jours à compter du jour de l'enterrement pendant lesquels les personnes en deuil sont censées respecter des règles très strictes (N.d.T.).

— Détail intéressant : Ferris avait une assurance-vie pour deux millions de dollars qui se transformaient en quatre en cas de mort accidentelle.

— Le bénéficiaire est Miriam ?

Ryan a hoché la tête.

— Oui, ils n'ont pas d'enfants.

À mon tour, j'ai rapporté à Ryan ma conversation avec Jake Drum.

— Je n'arrive pas à comprendre pourquoi il tient tant à venir.

— Tu crois qu'il va vraiment le faire ?

Je m'étais déjà posé la question.

— Le temps que tu mets à répondre me dit que tu as des doutes, a repris Ryan. C'est un farfelu ?

— Je ne dirais pas farfelu, juste un peu différent.

— C'est-à-dire ?

— C'est un archéologue brillant. Il a travaillé à Qumran.

Ryan m'a lancé un regard interrogateur.

— Les rouleaux de la mer Morte. Il peut traduire des millions de langues.

— De celles qu'on parle aujourd'hui ?

Je lui ai jeté ma serviette à la figure.

La table débarrassée, je me suis étendue sur le canapé avec Ryan. Birdie a préféré le coin du feu.

Nous avons abordé les sujets personnels.

Lily, la fille de Ryan qui vivait à Halifax. Elle avait un copain guitariste et envisageait de déménager à Vancouver. Ryan craignait que les deux événements ne soient liés.

Katy, ma fille à moi, qui terminait ses études à l'université de Virginie. Pour son douzième et dernier semestre, elle avait choisi la poterie, l'escrime et la mystique féminine dans le cinéma contemporain. Pour son mémoire, elle allait devoir interviewer des patrons de bistrot.

Birdie ronronnait. Ou ronflait.

Charlie glapissait à l'envi le refrain de *Hard-hearted Hannah*, la chanson de Ray Charles.

Le feu crépitait et dansait. Le grésil cliquetait contre les vitres.

Peu à peu, le silence s'est installé.

S'étirant en arrière, Ryan a tiré la chaînette de la lampe. Les objets de la maison se sont mis à danser dans une lumière ambrée.

Nous aussi nous dansions, enlacés comme pour un tango, ma tête nichée au creux de son épaule. Il sentait le savon et le bois à cause des bûches qu'il avait transportées pour faire le feu. Il me caressait les cheveux du bout des doigts. La joue. Le cou.

Je me sentais heureuse. Paisible. À un million de kilomètres des squelettes et des crânes brisés.

Ryan est tout en tendons et en lignes. Des lignes longues. Au bout d'un moment, j'ai senti l'une d'elles s'allonger encore.

Nous avons confié à Birdie la garde du foyer.

Chapitre 5

Le lendemain matin, Ryan est parti de bonne heure. Un truc à faire à propos de pneus toutes saisons et de jante déformée. À sept heures du matin, je ne suis pas l'auditrice la plus attentive, surtout que l'équilibrage des roues est loin de me fasciner. Ce qui n'est pas le cas des horaires des vols entre Charlotte et Montréal. Là, je suis incollable. US Airways ayant supprimé son vol direct quotidien, je savais donc que Jake n'arriverait pas à Montréal avant le milieu de l'après-midi. En conséquence, je pouvais me rendormir.

Bagel et café sur les coups de huit heures et départ pour le labo. J'allais bientôt devoir m'absenter pendant cinq jours et je me doutais bien que la famille Ferris attendait avec impatience la fin des analyses.

Et la remise du corps.

J'ai passé la matinée en tête à tête avec mon tube d'Elmer à recoller les douzaines de fragments reconstitués la veille. La partie reconstruite du crâne grandissait de minute en minute, à la façon dont les atomes s'unissent entre eux pour former des molécules, qui se regroupent ensuite pour donner les cellules.

La face, c'était une autre paire de manches. Les dégâts étaient étendus, que ce soit à cause des chats ou à cause de la fragilité des os, tout simplement. Reconstruire le côté gauche était impensable.

Tant pis. De toute façon, je commençais à percevoir un modèle dans le tracé des lignes de fracture.

Bien que ce tracé soit d'une grande complexité, a priori aucune ligne ne coupait celles qui partaient en étoile de la blessure située derrière l'oreille droite. Or cet orifice, si j'en croyais l'ordre d'apparition des fractures, avait tout lieu d'être l'endroit par où la balle était entrée.

Mais alors, comment expliquer que ce trou présente des arêtes biseautées vers l'extérieur ? Le biseautage est censé être tourné vers l'intérieur, au point d'entrée de la balle.

Il y avait bien une explication, mais, pour la valider, je devais reconstituer toute la zone située au-dessus et à gauche de l'orifice, et il me manquait des fragments d'os.

À deux heures, j'ai rédigé une note à l'intention de LaManche pour lui demander de me les fournir et lui rappeler aussi que je partais pour La Nouvelle-Orléans assister à la conférence annuelle de l'Académie américaine des sciences médico-légales et que je ne serais pas de retour à Montréal avant mercredi soir.

J'ai consacré les deux heures suivantes à faire différentes courses. Banque. Nettoyeur. Croquettes pour le chat, graines pour l'oiseau. Ryan avait accepté d'accueillir Birdie en plus de Charlie, mais il professe des opinions un peu spéciales sur la façon de s'occuper des animaux. Je préférais mettre toutes les chances du côté de l'alimentation rationnelle.

Jake a appelé alors que j'avais presque atteint ma place dans le stationnement. Il était dans l'immeuble, dans le sas entre porte extérieure et hall d'entrée. Je suis remontée en hâte du sous-sol. L'ayant fait entrer dans le vestibule, je l'ai précédé le long du couloir qui mène chez moi.

Tout en marchant, je me suis rappelé ma toute première rencontre avec lui. À l'époque, je venais d'arriver à l'université. Je ne connaissais encore que très peu de professeurs enseignant une autre discipline et personne appartenant au département des études religieuses. Depuis quelque temps, la radio de l'université claironnait sans relâche sur tout le campus des avis de mise en garde, car plusieurs étudiantes avaient été victimes d'une agression sexuelle.

On comprendra donc qu'en voyant un inconnu débarquer un soir dans mon labo j'aie autant paniqué qu'une souris enfermée avec un python dans une cage de verre. Mes craintes n'étaient pas fondées : Jake avait juste une question à me poser sur la conservation des os.

— Tu veux un thé ? lui ai-je proposé, aussitôt chez moi.

— Et comment ! Dans l'avion, je n'ai eu droit qu'à des bretzels et du Sprite.

— Les tasses sont derrière toi.

Je l'ai regardé sortir les tasses en me disant qu'avec son nez mince et busqué, ses sourcils en visière de casquette, son regard d'illuminé et sa boule tondue à zéro, il serait nul comme criminel. En effet, comment un témoin pourrait-il oublier cet escogriffe d'un mètre quatre-vingt-dix-sept pour moins de quatre-vingts kilos ? En tout cas, les gens doivent s'écarter quand ils le croisent sur le trottoir.

Pour l'heure, son agitation était palpable.

Nous avons bavardé de tout et de rien en attendant que l'eau frémisse.

Jake était descendu dans un petit hôtel, à l'ouest du campus de McGill. Il avait loué une voiture et comptait se rendre à Toronto dès le lendemain matin. Lundi, il devait partir pour Jérusalem rejoindre l'équipe israélienne avec laquelle il allait fouiller une synagogue du Ier siècle.

Il m'a réitéré sa proposition de participer au chantier. Je lui ai réitéré mes mercis et mes regrets habituels.

Quand le thé a été prêt, il s'est installé à la table en verre de la salle à manger. J'ai apporté la photo du squelette ainsi qu'une loupe et je les ai posées devant lui.

Jake a fixé la photo comme s'il n'en avait jamais vu de sa vie.

Une bonne minute s'est écoulée avant qu'il ne se décide à prendre la loupe. Ses gestes se sont faits plus lents, plus précis à mesure qu'il déplaçait le verre au-dessus de l'image.

En un sens, nous avons pas mal de points communs, Jake et moi. Quand je suis énervée, je perds facilement mes bonnes manières. Je parle sur un ton sec qui devient vite sarcastique. Au contraire, quand je suis en colère, je veux dire blême de fureur, je deviens d'un calme assassin.

Jake est pareil. Je le sais pour l'avoir côtoyé à des conseils de professeurs.

Face à la peur aussi, je réagis en restant de glace. Ce doit être également le cas de Jake, me suis-je dit en voyant son comportement changer du tout au tout. J'en ai eu froid dans le dos.

— Qu'est-ce qu'il y a ?

Il a relevé la tête et m'a regardée fixement, probablement perdu dans des souvenirs de fouilles anciennes, de truelles et de terre retournée. Sinon dans quoi ?

Au bout d'un moment, il s'est mis à tapoter la photo de son doigt long et mince.

Soit dit en passant, il pourrait avoir des mains de pianiste s'il n'avait pas autant de cals.

— Tu as parlé avec l'homme qui t'a donné cette photo ?

— Deux mots seulement. On essaie de lui mettre la main dessus.

— Qu'est-ce qu'il a dit, exactement ?

J'ai hésité, débattant en moi-même de ce que je pouvais moralement divulguer. Les journaux avaient fait état de la mort de Ferris, et Kessler ne m'avait pas demandé la confidentialité.

J'ai donc mentionné l'autopsie et l'homme qui prétendait s'appeler Kessler.

— La photo est censée venir d'Israël.

— C'est exact, a dit Jake.

— Tu dis ça par intuition ?

— Parce que c'est un fait.

J'ai froncé les sourcils.

— Tu en es certain ?

— Tu as entendu parler de Massada ? m'a-t-il demandé en se renversant en arrière sur son dossier.

— Je sais que c'est une montagne en Israël où beaucoup de gens sont morts.

Les lèvres de Jake ont esquissé quelque chose qui ressemblait à un sourire.

— Développez, je vous prie, madame Brennan.

J'ai fouillé ma mémoire. En remontant très loin dans le temps.

— Au 1er siècle avant J.-C…

— Politiquement incorrect. De nos jours, il faut dire : avant E.C. Avant l'ère commune. Poursuivez, je vous prie.

— Au 1er siècle avant l'ère commune, donc, toute la région qui va de la Syrie à l'Égypte, connue de toute l'Antiquité sous le nom de terre d'Israël mais appelée Palestine par les Romains, est passée sous le contrôle des Romains. Inutile de dire que les Juifs l'ont eue plutôt mauvaise. Au siècle suivant, ils ont fomenté un bon nombre de révoltes pour foutre à la porte ces salauds de Romains. Chaque fois, ça a raté.

— Je n'avais encore jamais entendu raconter les choses en ces termes, mais continuez, je vous prie.

— Vers 66 après J.-C., pardon, 66 de notre ère commune, une nouvelle rébellion des Juifs a mis le feu à la région. Une rébellion mahousse, au point que les Romains en perdaient leur latin. Du coup, l'empereur a envoyé des troupes colossales pour liquider les insurgés.

Je creusais de plus en plus loin pour faire remonter les dates à la surface.

— La rébellion durait depuis environ cinq ans quand le général romain Vespasien a finalement conquis Jérusalem, dévasté le temple et exilé les survivants.

— Et Massada dans tout ça ?

— C'est un piton rocheux qui se dresse au beau milieu du désert de Judée. Au début de la guerre, des zélotes en ont fait une forteresse. Un général romain… son nom m'échappe…

— Flavius Silva.

— Exact. Il n'a pas trouvé ça drôle du tout. Massada était une poche de résistance, un défi qu'on lui lançait. Pas question de tolérer ça. Il a planté ses tentes dans la plaine tout autour du rocher, puis il a commandé qu'on bâtisse une rampe gigantesque permettant de lancer les troupes à l'assaut de la forteresse. Finalement, quand les fantassins sont arrivés là-haut et ont ouvert une brèche, ils ont trouvé tout le monde mort.

Je n'ai pas mentionné mes sources. En fait, je me rappelais tout ça d'une série télé sur Massada, au début des années quatre-vingt. Avec Peter O'Toole en Flavius Silva ?

— Parfait. Cependant ton récit pèche un peu, côté grandeur. Car Silva ne s'est pas contenté d'envoyer quelques pelotons contre Massada, il a lancé une opération massive à laquelle a participé toute la dixième légion, renforcée de troupes auxiliaires et de milliers de prisonniers juifs, car Silva était bien décidé à mater les rebelles.

— Qui c'était, leur chef ?

— Eleazar ben Ya'ir. Cela faisait sept ans qu'il s'était réfugié là-haut avec des zélotes, et ils étaient aussi déterminés à demeurer sur leur piton que Silva l'était à les en déloger.

Nouveau flash de souvenirs tirés de la série télé : des dizaines d'années auparavant, Hérode avait lancé une campagne de grands travaux à Massada. Édification d'un mur d'enceinte et de miradors au sommet, construction d'entrepôts, de casernes, d'arsenaux ainsi que d'un réservoir pour récupérer l'eau de pluie. Soixante-dix ans après la mort du vieux roi, les entrepôts étaient toujours achalandés et les zélotes ne manquaient de rien.

— La principale source d'information sur Massada est Flavius Josèphe, a poursuivi Jake. Yosef ben Mattityahu, en hébreu. En 66, au début de la révolte, il était commandant dans l'armée juive de Galilée. Par la suite, il est passé à l'ennemi. Loyal ou pas, c'était un historien remarquable.

— Le seul journaliste de l'époque.

— On peut dire ça. Ses descriptions sont d'une précision étonnante. D'après ses récits, la nuit où les Romains percèrent la brèche, Eleazar ben Ya'ir réunit ses adeptes. Imagine la scène. La muraille est en feu. À l'aube, la place forte tombera. Tout espoir s'est évanoui. Ben Ya'ir harangue la foule : mieux vaut une mort glorieuse qu'une vie d'esclavage. On tire au sort. Dix hommes sont désignés pour tuer tous les autres. Un second tirage désigne lequel des dix tuera ses camarades avant de se donner la mort.

— Et personne ne s'y est opposé ?

— S'il s'est trouvé quelqu'un pour y redire, on n'a pas tenu compte de son avis. Cependant, deux femmes et des enfants qui s'étaient cachés ont survécu. C'est d'eux que Flavius Josèphe a tiré la plus grande partie de ses informations.

— Combien de gens sont morts ?

— Neuf cent soixante en tout, hommes, femmes et enfants, a répondu Jake d'une voix presque inaudible. Pour les Juifs, c'est l'un des épisodes les plus dramatiques de toute leur histoire. Surtout pour les Juifs d'Israël.

— Quel est le rapport entre Massada et cette photo ?

— Ce qu'il est advenu des restes de ces zélotes demeure un mystère. D'après Flavius Josèphe, Silva établit une garnison au sommet du piton, tout de suite après sa victoire.

— Le site a été fouillé, évidemment ?

— Pendant des années, aucun permis n'a été délivré. Tous les archéologues de la planète en bavaient d'envie, de creuser à Massada. Finalement, c'est un Israélien du nom de Yigael Yadin qui a reçu le feu vert. Il a dirigé deux chantiers, aidé de volontaires. La première mission, d'octobre 1963 à mai 1964 ; la seconde, de novembre 1964 à avril 1965.

— Et il a découvert des restes humains ? ai-je demandé, devinant enfin où Jake voulait en venir.

— Trois squelettes. Sur la terrasse inférieure du palais d'Hérode.

— Le palais d'Hérode ?

— Oui, ce tyran aimait ses aises. Et si sa terreur des révoltes incessantes l'avait incité à fortifier Massada pour le cas où il aurait besoin de se réfugier quelque part avec les siens, il avait fait aussi bâtir dans les neuf cours de véritables palais, avec colonnades, mosaïques, fresques, terrasses et jardins.

J'ai désigné la photo.

— Et ce squelette est l'un des trois découverts par Yadin ?

Jake a secoué la tête.

— Non. D'après le rapport de fouilles, le premier était celui d'un homme de vingt et quelques années. Le deuxième, retrouvé pas très loin, était une jeune femme chaussée de sandales dans un état de conservation hallucinant. Comme ses cheveux, d'ailleurs. Je ne rigole pas. J'ai vu les photos. On aurait cru qu'elle avait fait ses tresses le matin même.

— Un climat aride, rien de tel pour la conservation des corps.

— Oui. Mais ces restes-là diffèrent un peu de l'interprétation que Yadin en a donné.

— Qu'est-ce que tu veux dire ?

— Ce n'est pas très important. Quant au troisième squelette, c'était celui d'un enfant, toujours à en croire Yadin.

— Mais ce gars, là, sur ma photo, qui c'est, alors ?

— Eh bien…

Jake s'est interrompu. Ses mâchoires se sont crispées.

— Quelqu'un qui n'aurait pas dû se trouver là où on l'a découvert.

Chapitre 6

— Comment ça, il n'aurait pas dû s'y trouver ?
— C'est ma théorie.
— Partagée par beaucoup de gens ?
— Par quelques-uns.
— Alors, qui c'est ?
— Justement, c'est toute la question.

Je me suis laissée retomber sur mon dossier pour mieux écouter la suite du récit.

— Après leur victoire, les troupes de Silva auraient dû balancer les zélotes du haut de la falaise ou alors les enterrer dans une fosse commune, quelque part à l'intérieur de la citadelle. L'équipe de Yadin a pratiqué des sondages à différents endroits. Aucun d'eux n'a fait apparaître de tombe collective. Attends…

Jake a extirpé deux objets de sa vieille serviette en cuir et les a posés sur la table, l'un sur l'autre. Le premier était un plan du site de Massada.

J'ai rapproché mon siège. Nous nous sommes penchés sur le document.

— Massada a la forme d'un avion Stealth qui se dirigerait vers l'ouest, l'une de ses ailes indiquant le nord, l'autre le sud.

Moi, je voyais plutôt une amibe, version test de Rorschach, mais j'ai gardé ma remarque pour moi.

Jake a désigné l'extrémité de l'aile sud de son Stealth.

— Ici, au sommet de l'éperon rocheux, quelques mètres en dessous de la muraille percée de fenêtres, il y a tout un réseau de grottes.

Jake a sorti le deuxième objet de dessous son plan : une vieille photo en noir et blanc représentant des os humains et de la terre piétinée.

Du déjà-vu, pour moi. Une redite de la photo que m'avait remise Kessler.

Enfin, pas tout à fait.

Parce que, sur celle-là, il s'agissait d'ossements éparpillés çà et là et correspondant visiblement à un grand nombre d'individus. En plus, le nord y était indiqué par la flèche réglementaire. En haut à droite, il y avait un bras et un genou qui semblaient avoir été projetés là par une excavatrice. Les yeux fixés sur la photo, j'ai déclaré :

— Tu vas me dire que l'équipe de Yadin a découvert des restes humains dans l'une des grottes au sommet du flanc sud, et que cette photo a été prise pendant les fouilles.

— Oui.

Jake a désigné un endroit sur le plan de la forteresse.

— Cette grotte est indiquée sous le nom de locus 2001. Yadin en parle dans son rapport préliminaire sur Massada et il joint en annexe une brève description signée du responsable de cette partie du chantier, Yoram Tsafrir.

— Cette grotte renfermait combien de gens, au bas mot ? ai-je demandé, en ayant déjà repéré pas moins de cinq crânes.

— Ça dépend de la façon dont tu interprètes les chiffres que donne Yadin.

J'ai regardé Jake, étonnée.

— Ça ne devrait pas être très dur à savoir. La mission ne comptait pas d'anthropologue ?

— Si, le docteur Nicu Haas, de l'université hébraïque. En se fondant sur ses estimations, Yadin avance le chiffre de vingt-cinq individus dans son rapport sur sa première mission : quatorze hommes, six femmes, quatre enfants et un fœtus. Mais, si tu fais bien attention aux mots qu'il emploie, tu t'aperçois qu'il parle aussi d'un homme très âgé retrouvé à part des autres.

— Ce qui fait monter le total général à vingt-six squelettes.

— Exactement. Et dans un livre très célèbre, il…

— Celui qu'il a publié en 1966 ?

— Oui, *Masada, Herod's Fortress and the Zealots' Last Stand*. Il répète en gros la même chose. Il dit que Haas a répertorié quatorze hommes âgés de vingt-deux à soixante ans et un de plus de soixante-dix ans, ainsi que six femmes, quatre enfants et un fœtus.

— Tu veux dire qu'on ne sait pas bien si le total est de vingt-cinq personnes ou de vingt-six ?

— Tu comptes vite, toi !

— Plus vite que l'éclair. L'erreur a pu être faite en toute bonne foi.

— C'est possible, a admis Jake sur un ton laissant entendre qu'il n'y croyait pas.

— Quel âge, les femmes et les enfants ?

— Les enfants, de huit à douze ans. Les femmes, toutes jeunes : de quinze à vingt-deux ans.

Une idée m'est venue brusquement. Je me suis mise à tapoter ma photo du squelette.

— Et tu crois que notre copain ici pourrait être ce fameux septuagénaire ?

— J'y viens. Laisse-moi d'abord finir avec la grotte. Tsafrir, pas plus que Yadin, n'indique dans ses rapports les dates précises auxquelles cette grotte 2001 a été mise au jour puis excavée.

— Le travail bâclé, tu sais, c'est assez…

Mais Jake m'a coupé la parole.

— Cette découverte n'a jamais été annoncée à la presse.

— Peut-être par respect pour les morts.

— Tu rigoles ? En tout cas, ça ne l'a pas empêché de convoquer une conférence de presse quand il a découvert les trois squelettes dans le palais.

Il s'est interrompu et s'est mis à jouer avec ses doigts à la façon d'E.T.

— « Nous avons trouvé les restes des défenseurs de Massada ! » Tu imagines l'excitation. C'était à la fin du mois de novembre 1963. Or, la grotte 2001 avait été découverte et vidée en octobre, soit un mois avant la conférence de presse. Yadin connaissait parfaitement l'existence de ces ossements et il n'en a jamais fait état, a conclu Jake en plantant son index dans la photo.

— Si les dates n'ont pas été rendues publiques, comment sais-tu quand la grotte a été découverte et fouillée ?

— J'ai parlé avec un bénévole qui a travaillé sur le site. Un type digne de confiance et qui n'avait aucune raison de me raconter des histoires. Tu peux me croire, j'ai fait des recherches sur la façon dont la presse a couvert les fouilles de Massada. Il n'y a pas eu que cette conférence de presse. Tout au long des deux missions, les médias ont rendu compte des découvertes régulièrement. Le *Jerusalem Post* a des archives classées par thèmes. J'ai passé des heures à consulter le dossier sur Massada. Les articles font état de mosaïques, de rouleaux, de la synagogue, de *miqveh* [1], des trois squelettes exhumés dans le palais du nord. Pas un mot sur des restes découverts dans la grotte 2001.

Jake était lancé.

— Et je ne parle pas seulement du *Post*. En octobre 1964, l'*Illustrated London News* a publié tout un cahier sur Massada, avec images et tout. Les squelettes du palais y sont mentionnés et je te jure bien que personne ne s'est posé le problème du respect dû aux morts. Sur les os de la grotte, pas un mot.

Charlie a choisi ce moment pour démarrer ses vocalises.

— C'est quoi, ça ?

---

1. *Miqveh* : édifice, construit selon des règles strictes, pour la pratique des immersions rituelles (N.d.T.).

— Ma perruche. En général, elle ne fait ça que quand on lui donne de la bière.

— Tu veux rire ! s'est écrié Jake, l'air choqué.

— Évidemment. Que veux-tu, Charlie a le vin triste. Je te sers encore du thé ?

Jake m'a tendu sa tasse en souriant.

— Volontiers.

Quand je suis revenue dans la pièce, Jake triturait un pli de son cou entre ses doigts. Bizarrement, il m'a fait penser à une oie.

— Si je t'ai bien compris, Yadin a parlé sans la moindre gêne des squelettes du palais, alors qu'il n'a jamais mentionné en public les os de la grotte 2001. C'est bien ça ?

— Sa seule référence à cette grotte se trouve dans une interview donnée après sa conférence de presse de fin de mission et publiée dans le *Jerusalem Post* du 28 mars 1965, dans laquelle il déplore n'avoir découvert que vingt-huit squelettes à Massada.

— Les trois du palais du nord et les vingt-cinq de la grotte.

— S'ils étaient bien vingt-cinq.

J'ai retourné dans tous les sens cette pensée dans ma tête.

— D'après Yadin, qui étaient ces gens enterrés dans la grotte ?

— Des zélotes juifs.

— Et il se fonde sur quoi pour l'affirmer ?

— Sur deux preuves : les objets découverts à côté des restes et les crânes, qui sont du même type que d'autres, découverts dans les grottes de Bar Kochba, à Nahal Hever. À l'époque, on pensait que c'était les squelettes de Juifs tués au cours de la seconde révolte contre Rome.

— Et ce n'était pas le cas ?

— Non, ils dataient du chalcolithique.

Rapide défilé de mes connaissances dans ma tête, comme on feuillette les cartes d'un Rolodex. Période chalcolithique : outils en pierre et en cuivre ; quatrième millénaire avant J.-C. ; entre le néolithique et l'âge de bronze. Époque bien antérieure à Massada.

— Le type crânien, ce n'est pas une donnée considérée comme vraiment fiable par les anthropologues.

— Je sais. Mais telle a été la conclusion de Haas, le spécialiste de la mission, et Yadin a suivi.

Un long silence s'est installé, rempli d'interrogations. C'est moi qui l'ai rompu.

— Où se trouvent ces ossements, aujourd'hui ?

— Ils auraient tous été remis en terre à Massada, à ce que l'on prétend.

— Qu'est-ce que tu entends par là ?

Jake a heurté la table en reposant sa tasse.

— Pour te faire une bonne idée du tableau, tu dois encore savoir ceci : découvrant dans le livre de Yadin que des squelettes avaient été retrouvés dans la grotte 2001, un certain Shlomo Lorinez, député à la Knesset, est monté au créneau. C'était un ultra-orthodoxe, et il n'était pas au courant que la presse en avait parlé dès 1965. Il a protesté au parlement, traitant les archéologues et les chercheurs de cyniques, les accusant d'avoir violé la loi juive. Il a exigé d'être informé du lieu où étaient conservés les restes des défenseurs de Massada et a insisté pour que leur soient rendues des funérailles dignes de ce nom.

« La polémique est devenue une véritable affaire d'État. Le ministre des Affaires religieuses et les autorités rabbiniques ont proposé que les ossements de Massada soient enterrés tous ensemble dans un cimetière juif sur le mont des Oliviers. Yadin s'y est opposé pour ceux de la grotte. Il a proposé de les enterrer tous à Massada, les trois squelettes du palais et ceux de la grotte 2001, mais à l'endroit où ils avaient été trouvés. Il a été entendu en partie. En juillet 1969, tous ces restes ont été ensevelis dans la forteresse, près de la rampe bâtie par les Romains. »

Une histoire bien embrouillée. Pourquoi s'opposer à ce que les squelettes de la grotte soient enterrés au mont des Oliviers ? Pourquoi accepter que ceux du palais soient ensevelis en haut de Massada, mais pas ceux de la grotte ? Pourquoi empêcher que les individus découverts dans la grotte 2001 soient ensevelis en Terre sainte ? En quoi l'idée que les squelettes de la grotte et ceux du palais partagent une même tombe dérangeait-elle Yadin ?

Charlie a brisé net l'enchaînement de mes réflexions en lançant un chant tiré de *Hey, Big Spender*. J'ai demandé :

— Il y avait des choses dans la grotte, en dehors des ossements ?

— Des ustensiles domestiques en grand nombre. Des pots pour la cuisine, des lampes, des paniers.

— Tu veux dire, des choses donnant à penser que ces grottes auraient été habitées ?

Jake a hoché la tête.

— Habitées par qui ?

— Toutes sortes de gens ont pu fuir et se réfugier sur une éminence. C'était la guerre. Jérusalem était foutu. Des gens ont très bien pu vivre à l'écart de la communauté des zélotes.

Ah, ah…

— Tu veux dire que ces habitants de la grotte pourraient ne pas avoir été des Juifs ?

Jake a hoché la tête d'un air solennel. J'ai enchaîné :

— Et c'est une chose qu'Israël n'a pas vraiment envie de divulguer.

— Évidemment. Massada est l'un des emblèmes les plus sacrés du pays. Les Juifs se rebellant pour la dernière fois, préférant se suicider tous ensemble plutôt que se rendre. Pour le nouvel État, ce site était une métaphore. Il y a peu, les cérémonies célébrant l'entrée des nouvelles recrues dans les unités d'élite avaient encore lieu à Massada.

— Aïe.

— D'après Tsafrir, les os de la grotte gisaient pêle-mêle, mélangés à des morceaux de vêtement. Comme si les corps avaient été jetés là. Et ça, c'est tout sauf typique des sépultures juives.

Birdie a choisi ce moment pour bondir sur mes genoux.

J'ai fait les présentations. Jake lui a caressé l'oreille, avant de reprendre son récit.

— À l'heure qu'il est, la Société d'archéologie israélienne a publié cinq volumes sur les fouilles de Massada. Dans le tome trois, il est précisé que les grottes ont été étudiées et fouillées. Mais, en dehors de cette mention et d'une carte comportant un schéma général du locus 2001, il n'est fait nulle part état de la moindre découverte à cet endroit, qu'il s'agisse de squelettes ou d'objets.

Jake s'est penché pour reprendre sa tasse. L'instant d'après, il la reposait sans même l'avoir portée à ses lèvres.

— Non, ce n'est pas tout à fait vrai, car le tome quatre comporte un addendum : le rapport des analyses au carbone 14 pratiquées des années plus tard sur des textiles retrouvés dans la grotte. À part ça, néant.

J'ai déposé Birdie par terre pour m'emparer de ma photo du squelette à demi recouverte par le plan de Massada.

— Et mon bonhomme, comment tu le fais rentrer dans ton tableau ?

— C'est là que les choses deviennent vraiment bizarres. La grotte 2001 renfermait un squelette entier et intact, à l'écart des ossements mélangés. Il était allongé sur le dos, les mains croisées et la tête tournée sur le côté. Or…, a martelé Jake, ses yeux plantés dans les miens, pas un seul rapport ne parle de ce squelette.

— J'imagine que tu tiens ce renseignement de ce bénévole que tu as rencontré.

Il s'est contenté de hocher la tête.

— Et maintenant, tu vas me dire que ce squelette n'a pas été enseveli avec les autres.

— Exactement.

Il a fini sa tasse.

— Tous les articles de presse sans exception parlent de vingt-sept squelettes reportés en terre : les trois du palais du nord et les vingt-quatre de la grotte.

— Pas vingt-cinq ou vingt-six ? Peut-être qu'ils n'ont pas compté le fœtus.

— En ce qui me concerne, je suis absolument convaincu qu'ils n'ont pris en compte ni le fœtus ni le squelette entier.

— Attends, que je comprenne bien. Tu me dis qu'un bénévole qui a fouillé la grotte 2001 avec Tsafrir, autrement dit un témoin oculaire, t'a affirmé personnellement y avoir récupéré un squelette entier, complet et avec les articulations ; et tu me dis aussi que ce squelette n'est mentionné nulle part, ni dans les articles de presse, ni dans le compte rendu officiel des fouilles, ni dans l'ouvrage grand public publié par Yadin. C'est bien ça ?

Jake a hoché la tête.

— À ton avis, ce squelette n'aurait pas été enterré avec les autres ?

Jake a hoché la tête encore une fois.

— Ton bénévole, il se rappelle si on a pris des photos à l'époque ? ai-je demandé en tapant du doigt sur le cliché que m'avait donné Kessler.

— C'est lui-même qui les a prises.

— Ces squelettes sont restés sous la responsabilité de qui, pendant les cinq ans entre leur découverte et leur inhumation ?

— Sous celle de Haas.

— Il a publié quelque chose sur eux ?

— Pas une ligne. Pourtant il est connu pour avoir pondu des rapports approfondis avec schémas, tableaux, mesures et tutti quanti. Même avec des reconstructions faciales. Son analyse des sépultures de Giv'at ha-Mivtar, par exemple, est incroyablement détaillée.

— Il vit toujours ?

— Il a sombré dans le coma en 1975 à la suite d'une chute, et il est mort en 1987 sans avoir repris connaissance. Ni écrit son rapport.

— Donc, on ne peut pas compter sur lui pour expliquer le décompte des corps ou éclaircir le mystère du squelette entier.

— À moins de s'adresser aux esprits.

— *Hey, Big Spender...*

Visiblement, Charlie n'était pas près d'abandonner ses vocalises.

— Imagine que tu sois Yadin, a lancé Jake, en changeant radicalement de méthode. Tu as en ta possession d'étranges ossements retrouvés dans une grotte. Quelle est la première chose que tu fais ?

— Aujourd'hui ?

— Non, dans les années soixante.

— À l'époque, j'avais encore toutes mes dents de lait.

— Réponds à ma question.

— J'ordonne une datation au carbone 14.

— Je t'ai déjà dit qu'en ce temps-là ça ne se pratiquait pas en Israël. Mais ajoute encore un point au tableau : dans ses discours à la Knesset, Lorinez a affirmé que des squelettes de Massada avaient été expédiés à l'étranger.

— Lorinez, c'est l'ultra-orthodoxe qui insistait pour qu'on les réenterre ?

— Oui. Et ce qu'il dit n'est pas idiot. Évidemment, d'après Yadin, aucun ossement de Massada n'a jamais quitté le pays pour être analysé.

— Pourquoi ?

— Parce que ça n'entrait pas dans son boulot de réclamer ce genre de tests, comme il le dit dans une autre interview au *Post*. Et un anthropologue, cité dans le même article, incrimine le coût.

— Les analyses au radiocarbone, ce n'était pas si cher. (Durant les années quatre-vingt, si mes souvenirs étaient bons, ces analyses tournaient autour des cent cinquante dollars l'échantillon.) Vu l'importance du site, c'est quand même surprenant que Yadin n'ait pas fait faire de tests.

— N'est-ce pas ? a renchéri Jake. Et il est tout aussi surprenant que Haas n'ait pas mentionné ces ossements.

J'ai laissé toutes ces informations tourner dans ma tête pendant un moment.

— Tu dis que ces gens de la grotte pourraient ne pas être des zélotes ?

— Oui.

— Et lui ? ai-je demandé en désignant ma photo. C'est le fameux squelette entier passé sous silence, à ton avis ? Tu crois qu'on aurait pu ne pas le réenterrer avec les autres, mais l'expédier à l'étranger ?

— Oui.

— Pourquoi ?

— Ça, c'est la question à un million de dollars.

J'ai pris la photo en main.

— Et où il est maintenant, ce joyeux luron ?

— En répondant à cette question, vous empocherez un million de plus, docteur Brennan.

Chapitre 7

Chaque année, une ville différente a le malheur d'être élue par l'Académie américaine des sciences médico-légales pour qu'elle y célèbre sa grand-messe. Pendant toute une semaine, ingénieurs, psychiatres, dentistes, avocats, pathologistes, anthropologues et rats de laboratoire s'y précipitent par dizaines, comme des mites sur un tapis roulé. Cette année, c'est La Nouvelle-Orléans qui a tiré le gros lot.

Le programme est le suivant : du lundi au mercredi, réunions du conseil de l'ordre et des divers comités et, parallèlement, rendez-vous d'affaires ; jeudi et vendredi, colloques scientifiques où sont dispensés toutes sortes de conseils théoriques et pratiques sur l'art d'exercer le métier. Au temps où j'étais étudiante et même après, au début de ma carrière, j'assistais à ces débats avec un fanatisme religieux. Maintenant, je préfère les discussions entre amis en marge du colloque. C'est moins cérémonieux.

Cependant, quelle que soit la façon dont je suis cette conférence, j'en ressors toujours épuisée et cela par ma faute, car je me propose pour trop d'activités. Comprendre : je ne sais pas dire non quand on veut m'enrôler.

Cette fois-ci, j'ai passé le dimanche à aider un collègue à peaufiner un article destiné au *Journal of*

Forensic Sciences. Quant aux trois jours suivants, j'en garde un souvenir confus entre le guide Robert des assemblées générales et le céleri rémoulade. Marées d'alcool pour mes collègues capables de boire sans rouler sous la table, Perrier pour moi.

Deux sujets étaient au centre de nos conversations : les escapades des années précédentes et les cas bizarres rencontrés au cours de l'année. En tête de liste des curiosités : des calculs biliaires sclérosés gros comme des bouchées à la noix de coco, un détenu qui s'était supposément suicidé avec un fil de téléphone, et un policier somnambule qui se baladait avec une balle dans le crâne tirée par son propre revolver.

J'y suis allée de mon cas Ferris. Si le biseautage des os a laissé mes collègues divisés, le scénario que j'avais imaginé a reçu leur adhésion quasi unanime.

J'ai quitté le symposium le mercredi après-midi, mon programme ne me permettant pas d'assister aux colloques scientifiques. Mon taxi m'a déchargée à l'aéroport de La Nouvelle-Orléans comme un paquet. J'étais à ramasser à la petite cuiller.

Le décollage était reporté de quarante minutes en raison d'un problème mécanique. Vive le transport aérien aux États-Unis ! Quand vous arrivez avec une minute de retard, votre vol est déjà parti, mais si vous vous enregistrez avec une heure d'avance, votre vol est retardé. Problème de mécanique, problème d'équipage, problème de météo, problème de problème. Je connais ça par cœur.

J'ai profité du contretemps pour entrer dans mon ordinateur le compte rendu de la session du comité. Une heure plus tard, mon vol de cinq heures quarante était repoussé jusqu'à huit heures.

Fichue, ma correspondance à Chicago.

Frustrée, je suis allée faire la queue au bureau de la compagnie, où l'on m'a délivré un nouveau billet. Le bon côté de l'affaire, c'était que j'arriverais malgré tout à Montréal le soir même. Le mauvais, que j'atterrirais un peu avant minuit, après une escale à Detroit. Quand on dit que les malheurs n'arrivent jamais seuls…

Dans ce genre de situation, râler ne mène qu'à faire grimper la tension.

À la librairie de l'aéroport, le best-seller de l'année me barrait le chemin sous la forme d'une pyramide haute de plusieurs milliers d'exemplaires. J'en ai pris un. Le bandeau évoquait un mystère qui faisait voler en éclats une « antique vérité explosive ».

Comme Massada?

Pourquoi ne pas m'offrir ce bouquin? Le reste de l'univers le lisait bien.

Quand le train d'atterrissage est sorti, j'avais avalé quarante chapitres. D'accord, ils étaient courts. Et l'intrigue était bonne.

Je me suis demandé si Jake et ses collègues lisaient aussi ce livre et, si oui, ce qu'ils en pensaient.

Le jeudi matin, la sonnerie du réveil m'a procuré autant de plaisir qu'une crise de conjonctivite et presque autant de bienfait.

J'ai à peine eu le temps d'arriver au douzième étage de l'édifice Wilfrid-Derome, vaisseau amiral de la Sûreté du Québec qui abrite également mon labo, qu'il m'a fallu courir à la réunion de personnel.

Deux autopsies seulement. L'une a échu à Pelletier, l'autre à Emily Santangelo.

LaManche m'a informée qu'il avait donné suite à la demande exposée dans ma note. Lisa avait réexaminé la tête d'Avram Ferris et fait monter dans mon labo des fragments d'os supplémentaires. Il m'a demandé quand je comptais avoir fini l'analyse. J'ai répondu: «En début d'après-midi. »

Sept tessons m'attendaient dans mon labo, près du bac. Leur numéro LSJML montrait qu'ils provenaient bien du cadavre de Ferris.

J'ai enfilé ma blouse. Après avoir écouté mon répondeur et répondu à deux appels, je me suis installée devant mes cuvettes de sable pour examiner les nouveaux fragments et les insérer dans les parties de crâne déjà reconstruites.

Deux d'entre eux appartenaient sans aucun doute au pariétal. L'un d'eux, d'ailleurs, remplissait complètement un vide sur la droite de l'occiput. L'autre était orphelin.

Trois autres fragments s'adaptaient au bord du trou ovale. C'était suffisant, j'avais la réponse à ma question.

J'étais en train de me laver les mains quand mon cellulaire a gazouillé. Jake Drum. Liaison épouvantable.

— Tu appelles de Pluton ou quoi ?

— Pas raccordé… (Passage inaudible, crépitements et crachotements sur la ligne.) Pluton a été rétrogradé du rang de planète…

Et il est devenu quoi ? Un astre mort ?

— Tu es en Israël ?

— À Paris. … gé de programme… Musée de l'Homme.

J'ai laissé passer toute une série de *blops* et de *pfrrt* au-dessus de l'Atlantique avant de lui demander s'il m'appelait d'un cellulaire.

— … vé la cote… disparu depuis les années… antedix.

— Jake, rappelle-moi à partir d'un téléphone fixe. Je t'entends à peine.

— … tinue à chercher. … te rappelle.

Apparemment, il n'entendait pas mieux que moi.

Deux bips et la communication s'est coupée. J'ai raccroché.

Jake était à Paris. Pourquoi ?

Et au Musée de l'Homme, par-dessus le marché.

Deuxième pourquoi.

Évidemment : la photo de Kessler. J'ai eu l'impression d'avoir reçu une baffe.

J'ai pris la photo et l'ai placée à l'envers sous mon microscope pour examiner l'inscription au dos.

Octobre 1963. M de l'H.

Ce que j'avais pris pour le chiffre 1 était en vérité un *l* minuscule. Ce que j'avais cru être un *H* était en fait un *M* à demi effacé, comme Ryan l'avait deviné. «M de l'H» : Musée de l'Homme. Jake avait dû reconnaître l'abréviation, sauter dans le premier avion pour Paris et filer au musée rechercher la cote sous laquelle le squelette de Massada était conservé.

LaManche ne porte que des chaussures à semelle de crêpe et il n'a jamais de clefs ou de menue monnaie dans ses poches. Résultat : rien ne vous annonce sa venue, ni tintement ni crissement. Et il ne traîne pas non plus les pieds en marchant, au contraire. Pour un homme d'un volume comme le sien, il se déplace avec une légèreté extraordinaire.

Mon cerveau était en train de formuler un troisième pourquoi quand mes narines l'ont informé que du *Flying Dutchman* se consumait à proximité.

J'ai fait pivoter mon siège. LaManche se tenait derrière moi. Entré dans ma salle par le labo d'histologie.

— Vous avez fini ?

— Oui.

Nous nous sommes assis de part et d'autre du bac de sable contenant les morceaux de crâne reconstruits.

— Je vous fais grâce des préliminaires.

LaManche a eu un sourire miséricordieux. Je me suis mordu la langue.

Prenant le morceau qui correspondait à l'arrière droit du crâne, j'ai désigné le trou avec mon stylo.

— Trou ovale d'où rayonne tout un réseau de fissures.

J'ai indiqué la toile d'araignée visible sur ce segment ainsi que sur deux autres.

— Vous noterez les lignes concentriques et les soulèvements.

— Le point d'entrée de la balle se trouve donc à l'arrière, sous l'oreille droite ? a demandé LaManche sans dévier le regard des fragments.

— Oui. Mais c'est plus compliqué.

— Biseautage ?

D'un seul mot, il avait résumé le problème.

Revenant au premier fragment, j'ai pointé mon stylo sur le bord du trou ovale. Biseautage de l'intérieur vers l'extérieur. LaManche a aussitôt déclaré :

— Lorsque le canon du pistolet est en contact avec le crâne, le souffle arrière du gaz peut créer un biseautage partant vers l'extérieur. Cependant, je ne crois pas que ce soit le cas ici. Remarquez la forme du trou.

Il s'est penché plus près, tandis que je récitais :

— Une balle qui pénètre dans le crâne perpendiculairement à la surface produit en général un trou circulaire. En revanche, si elle entre en faisant une tangente par rapport à la surface, elle crée alors une perforation irrégulière, souvent de forme ovale.

— *Mais, oui**. Un trou de serrure.

— Exactement. Parce que la balle se cisaille et qu'une partie se perd hors du crâne. D'où le biseautage extérieur au point d'entrée.

LaManche a relevé les yeux.

— Autrement dit, la balle est entrée derrière l'oreille droite et ressortie par la joue gauche.

— Oui.

LaManche a considéré la question.

— Une telle trajectoire n'est pas fréquente dans les cas de suicide, mais elle est possible. M. Ferris était droitier.

— Il y a autre chose. Regardez de plus près.

Je lui ai passé une loupe. Il l'a soulevée et baissée plusieurs fois, tout en examinant l'orifice.

— Sur sa partie arrondie, on dirait que le bord est cranté…

Il a observé le trou trente secondes de plus.

— Comme si un cercle était venu se superposer à l'ovale.

— Ou inversement. À la surface externe du crâne, le cercle présente une bordure tout à fait nette. Mais regardez à l'intérieur.

Il a retourné le morceau de crâne reconstruit.

— Biseautage vers l'intérieur. Il y a donc deux points d'entrée.

En un coup d'œil, le patron avait tout compris. J'y suis allée de mon explication :

— La première balle est entrée dans le crâne tout droit. Facile, c'est comme dans les livres : bordure extérieure nette et sans bavure, bordure intérieure biseautée. La seconde balle est entrée au même endroit, sauf que l'angle de tir était légèrement différent.

— Résultat, nous avons un trou de serrure.

J'ai acquiescé d'un hochement de la tête.

Ou bien c'est Ferris qui avait bougé la tête, ou bien c'est le tireur qui s'était crispé.

— Avram Ferris a reçu deux balles dans l'arrière de la tête. C'est typique d'une exécution.

Fatigue ? Tristesse ? Résignation ? Quoi qu'il en soit, le patron s'est tassé en entendant mon horrible conclusion.

Ce soir-là, Ryan a fait la cuisine chez moi. Omble du Grand-Nord, asperges et ce que, à Dixie, nous appelons « pommes de terre écrasées ». Il a commencé par les cuire au four, puis les a épluchées et écrasées à la fourchette en y ajoutant des oignons et de l'huile d'olive.

Je l'ai regardé opérer, bouche bée d'admiration. Moi que l'on dit perspicace, brillante même, j'ai un horizon de poisson rouge dans son bocal dès qu'il est question de cuisine. Quand bien même on m'accorderait toute une ère pour concocter une recette de purée de pommes de terre, mon cerveau n'oserait jamais envisager une stratégie laissant de côté le stade ébullition.

Birdie a immensément apprécié le *poisson façon Ryan* : il a passé son temps à mendier. Le dîner terminé, il s'est installé sur le manteau de la cheminée et son ronronnement nous a prouvé qu'il n'y avait pas plus belle vie de félin que la sienne.

Pendant le dîner, j'ai fait part à Ryan de mes conclusions sur la mort de Ferris. Il était déjà au courant, l'enquête ayant été classée « homicide ».

— L'arme est un Jéricho 9 mm, m'a-t-il appris.

— Où est-ce qu'elle était cachée ?

— Au fond du cagibi, sous un chariot.

— Elle appartenait à Ferris ?

— Si oui, personne n'était au courant qu'il en possédait une.

J'ai tendu le bras vers le saladier.

— Le Service d'identité judiciaire a récupéré une balle de 9 mm dans l'armoire, a continué Ryan.

— Une seule ?

Ça ne collait pas avec mon scénario.

— Et une autre dans le plafond.

Ça non plus, ça ne collait pas. J'ai demandé :

— Comment est-ce qu'elle a fait pour se retrouver là-haut ?

— Peut-être que Ferris s'est bagarré avec le tireur et qu'un coup est parti.

— Ou peut-être que le tireur a placé le revolver dans la main de Ferris et a tiré.

— Faux suicide, alors ? a demandé Ryan.

— L'amateur de séries télé le plus bouché sait qu'il reste des résidus de poudre sur les mains de celui qui tire. LaManche n'en a pas trouvé sur celles de Ferris.

— Ça ne veut pas dire qu'il n'y en ait pas eu.

J'ai réfléchi tout en mastiquant.

LaManche avait récupéré un fragment de balle dans la tête de la victime ; le SIJ avait découvert une balle dans le plafond. Où étaient les autres preuves balistiques ? J'ai demandé :

— Tu m'as bien dit que Ferris était peut-être assis sur un tabouret quand la balle l'a atteint ?

Ryan a hoché la tête.

— Face à la porte ?

— Oui, et elle était probablement ouverte. Le SIJ s'occupe du bureau et du couloir. Tu devrais voir la quantité de merde entassée dans cet endroit.

— Et les douilles ?

Ryan a secoué la tête.

— Le tireur a dû les ramasser.

Autre point qui n'avait aucun sens.

— Pourquoi abandonner sur place le pistolet si c'est pour récupérer les douilles ?

— Question d'une haute pertinence, docteur Brennan.

Sauf que je n'avais pas de réponse pertinente à proposer. Uniquement de la salade. J'ai tendu le plat à Ryan. Il a refusé.

Là-dessus, il est passé à autre chose.

— J'ai revu la veuve aujourd'hui.

— Et alors ?

— Qu'elle ne compte pas sur ma voix aux élections de Miss Chaleur humaine.

— Elle est triste.

— Elle le dit.

— Tu n'y crois pas ?

— Mon intestin me dit qu'il y a un os à ronger caché là-dessous.

— Métaphore de mauvais goût, mais c'est assez bien vu, compte tenu des chats. Des suspects ?

— Une pléthore.

— Un bien grand mot. Ça fait sexy.

— Comme le slip rouge, a rétorqué Ryan du tac au tac.

— Paroles, paroles…

Au dessert, je lui ai rapporté ce que j'avais appris sur la photo de Kessler.

— Jake Drum a vraiment fait le détour par Paris ?

— Apparemment.

— Il est certain que cette photo représente le squelette de Massada ?

— Jake n'est pas de ces gens qui s'emballent pour un oui ou pour un non.

Ryan m'a lancé un drôle de regard.

— Tu le connais bien, ce gars-là ?

— Depuis plus de vingt ans.

— La question concernait la profondeur de ta connaissance, pas la durée.

— On est collègues.

— Uniquement ?

J'ai levé les yeux au ciel.

— Est-ce que tu ne serais pas un petit peu indiscret ?

— Mmm.

— Mmm ?

— Je trouve qu'il serait peut-être judicieux qu'on mette nos astuces en commun.

Je n'ai pas compris ce qu'il entendait par là. Je n'ai pas eu l'occasion de lui demander de développer, il enchaînait déjà :

— J'ai eu aussi une autre conversation avec Courtney Purviance. Une dame intéressante.

— Qui déborde de chaleur humaine ?

— Tant qu'on ne parle pas de Ferris ou de la boîte. Parce que là, elle se ferme plus sûrement qu'un coffre de banque.

— Elle protège son patron ?

— Ou elle a peur de se retrouver à la rue. J'ai comme le sentiment qu'elle n'a pas que de l'affection pour Miriam.

— Qu'est-ce qu'elle dit ?

— Ce n'est pas tant son discours, plutôt son comportement.

Ryan a gardé le silence un moment.

— Enfin… J'ai découvert aussi que Ferris faisait dans les objets d'art, de temps en temps.

— Des objets provenant de Terre sainte ?

— Acquis et transportés en toute légalité, naturellement.

— Le trafic d'antiquités est un marché énorme.

— Colossal, a renchéri Ryan.

Synapse.

— Tu penses que Ferris aurait pu être mêlé à un trafic de squelettes en provenance de Massada ?

Comme Ryan levait les épaules en signe d'ignorance, j'ai insisté :

— Et qu'il se serait fait tuer pour ça ?

— C'est ce que ton Kessler avait l'air de croire.
— À propos, tu lui as mis la main dessus, à celui-là ?
— Oh, il ne perd rien pour attendre.
— Ce n'est peut-être qu'une coïncidence.
— Possible.
À vrai dire, je n'y croyais pas.

Chapitre 8

Ryan m'a réveillée peu après six heures pour une séance de « resserrage des liens » avant le lever du soleil. Birdie s'est éclipsé de la chambre. Dans le vestibule, Charlie beuglait une phrase tirée de *Strokin'* de Clarence Carter.

Tandis que je prenais ma douche, Ryan a préparé le café et fait griller des bagels. Nous avons pris le petit déjeuner en débattant du grave problème de la rééducation de la perruche.

Le répertoire peu orthodoxe de Charlie était un sujet qui n'avait pas été abordé lors de notre convention de partage. Hélas, je n'avais pas tardé à découvrir le pot aux roses. À force de le pousser dans ses retranchements, Ryan avait fini par avouer qu'avant d'aboutir entre ses mains, notre chéri à plumes avait passé un certain temps à la brigade des mœurs, qui en avait elle-même hérité à la suite d'un raid sur une entreprise féminine. Ces dames étant portées sur la lubricité, l'oiseau avait attrapé le virus.

Depuis des mois je m'échinais à diversifier ses talents musicaux et oratoires. Avec des résultats moyennement convaincants.

À huit heures, j'ai mis en marche un CD d'éducation des perruches et suis partie pour l'édifice Wilfrid-Derome dans la voiture de Ryan. Il est monté au premier, à la salle du peloton des *Crimes contre la personne**. Pour ma part, j'ai pris l'ascenseur jusqu'au douzième. Direction, le LSJML.

Après avoir pondu un compte rendu succinct de mes analyses du crâne de Ferris accompagné des gros plans idoines, j'ai prévenu LaManche que les restes en ma possession pouvaient être restitués à la famille. Comme l'enterrement avait eu lieu pendant mon voyage à La Nouvelle-Orléans, il avait été convenu que les fragments du crâne seraient ensevelis dans une tombe à côté, de la taille d'un cercueil.

À dix heures et demie, j'ai appelé Ryan. Il m'a demandé de le retrouver dans le hall, d'ici cinq minutes. Je l'ai attendu dix. Pour tromper mon ennui, je me suis offert un Coke Diète à la cafétéria. Au moment de payer, prise d'une impulsion subite, j'ai acheté aussi des biscuits sablés. On ne sait jamais.

En apercevant Ryan dans le hall, j'ai dissimulé en vitesse les biscuits dans mon sac à bandoulière avant de m'avancer vers lui en me battant ostensiblement avec la languette de mon Coke.

Vingt-sept ans durant, Avram Ferris avait dirigé son affaire d'importation d'objets de culte depuis un entrepôt situé dans un parc industriel en bordure de l'autoroute des Laurentides, à mi-chemin entre l'île de Montréal et l'aéroport de Mirabel.

Construit durant les années soixante-dix pour devenir le fleuron de l'aviation des temps modernes et à venir, Mirabel devait être desservi par un train express partant du centre-ville de Montréal, à cinquante kilomètres de là. Le temps de cracher par terre, et vous seriez devant la porte d'embarquement !

Sauf que cette ligne n'a jamais vu le jour.

Au début des années quatre-vingt-dix, les embouteillages allaient en empirant, rendant le trajet intolérable. Soixante-neuf dollars en taxi.

Les autorités ont fini par jeter l'éponge et ranger Mirabel dans de la naphtaline pour valoriser son rival, plus sympathique du point de vue géographique. De nos jours, Mirabel n'accueille plus que les charters et le fret. Tous les autres vols — qu'ils soient domestiques, nord-américains ou internationaux —, décollent et se posent à Dorval, rebaptisé récemment aéroport international Pierre-Elliott-Trudeau.

La situation n'avait fait ni chaud ni froid à Avram Ferris. Il avait démarré ses Imports Ashkenazim près de Mirabel, il n'avait pas l'intention de les déménager ailleurs.

Et c'est là qu'il était mort.

Il habitait à Côte-des-Neiges, un quartier résidentiel proche du Jewish General Hospital, tout près du centre-ville, au nord-ouest.

Pour s'y rendre, Ryan a emprunté l'autoroute Décarie, puis coupé vers l'est par la rue Van Horne et repris au nord dans la rue Plamondon, direction : Vézina. Au moment de se rabattre vers le trottoir, il m'a désigné un cube en brique rouge de deux étages parmi d'autres cubes en brique rouge de deux étages.

J'ai balayé des yeux le pâté de maisons.

Des bâtiments tous identiques, celui de droite étant la copie conforme de son voisin de gauche, et ainsi de suite. Portes en bois en saillie, balcons aux fenêtres du haut. Allées parfaitement dégagées à la pelle et arbustes emmaillotés contre le froid. Le long des contre-allées, des Chevrolet et des Ford sous des auvents en plastique.

— Ce n'est pas ici qu'on trouvera des Jaguar ou des 4 x 4, ai-je fait remarquer.

— À croire que les propriétaires ont voté l'interdiction de peindre les cadres de fenêtres et de portes autrement qu'en blanc.

Ryan a désigné du menton l'immeuble en face de nous.

— Ferris habitait en haut à gauche. Son frère au rez-de-chaussée. Sa maman et sa sœur, dans la maison d'à côté.

— Se taper la route jusqu'à Mirabel tous les matins a dû être un enfer.

— Probable qu'il aimait le quartier pour sa fantaisie en matière d'architecture.

— Tu dis qu'il n'a pas d'enfant ?

Ryan a secoué la tête.

— Sa première femme, de santé fragile, est décédée en 1989. Il s'est remarié sur le tard, en 1997, avec Miriam. Et toujours pas de rejeton.

— Ce n'est pas contraire à la loi ?

Ryan m'a lancé un regard interrogateur.

— Les *mitsvot*[1].

Son regard s'est fait plus pesant.

— Les commandements à respecter : avoir des bébés, ne pas gaspiller sa semence.

— Je vois. L'Almanach du fermier.

Nous nous sommes avancés jusqu'au petit perron.

Arrivé en haut des marches, Ryan a appuyé sur la sonnette du haut.

Attente.

Il a resonné.

Re-attente.

Une dame âgée est passée sur le trottoir, poussant un panier d'épicerie qui cliquetait au même rythme que ses talons.

— La veuve n'est pas censée rester calfeutrée chez elle ? s'est étonné Ryan.

Et de sonner pour la troisième fois.

— La *chivah* ne dure qu'une semaine.

— Et après ?

— Tu récites le *kaddish* chaque jour. Tu ne fais pas la bamboula, tu ne te rases pas, tu ne te sers pas de ciseaux ni de tondeuse pendant un certain temps. À part ça, en gros, tu vis ta vie.

---

1. *Mitsvah* (pl. *mitsvot*) : devoir religieux commandé par la Torah et défini par le Talmud comme étant d'origine biblique, même s'il en existe aussi d'origine rabbinique (N.d.T.).

— Comment tu sais tout ça ?

— Mon premier petit ami était juif.

— Un amour maudit ?

— Il a déménagé à Altoona.

Ryan a ouvert la double porte et a tambouriné sur le battant intérieur.

La femme au panier s'est retournée et nous a dévisagés sans vergogne par-dessus ses trois tours d'écharpe.

Sur la droite, un rideau a bougé. J'ai donné un coup de coude à Ryan en lui désignant le fait du menton.

— Dora est là.

Ryan m'a fait un large sourire.

— Avram était un bon garçon juif tout gentil, qui est resté huit ans sans se remarier. Peut-être qu'il était proche de sa maman.

— Peut-être qu'il lui a dit des choses.

— Ou qu'elle en a remarqué toute seule, comme une grande.

Brusquement, prise d'une idée subite, j'ai sorti mes petits sablés.

— Les vieilles dames aiment beaucoup les douceurs, à ce qu'on dit.

— Absolument.

— Peut-être que celle-ci nous trouvera sympathiques, et qu'elle se sentira portée aux confidences.

— Ben voyons ! Surtout qu'on est plutôt bons dans ce domaine, non ?

Sauf que ce n'est pas Dora qui a ouvert la porte, mais Miriam. Pantalon noir, chemisier noir, cardigan noir et rang de perles.

Comme la première fois, j'ai été frappée par l'admirable couleur de ses yeux, même s'ils étaient creusés et entourés de cernes sombres. Un mauve à vous faire tomber en arrêt.

Conscient de leur pouvoir sur les hommes, Miriam n'a pas cherché à croiser mon regard, elle a fixé Ryan, légèrement penchée en avant, une main serrée autour de sa taille, l'autre remontant son cardigan contre son cou.

— Monsieur le détective.

Prononcé tout bas, d'une voix un peu haletante.

— Bonjour, madame Ferris. J'espère que vous vous sentez mieux.

— Merci.

Elle était pâle comme un fantôme et plus mince que dans mon souvenir.

— J'aimerais éclaircir certaines choses avec vous, a enchaîné Ryan.

Le regard de Miriam s'est stabilisé sur un point entre Ryan et moi, mais au-delà. La dame au panier a pressé le pas.

Miriam a reporté les yeux sur Ryan, la tête à peine inclinée.

— Ça ne peut pas attendre ?

Ryan a laissé la question flotter en suspens au-dessus du triangle que nous formions à nous trois.

— Qui est-ce ? a lancé une voix chevrotante de l'intérieur de la maison.

Miriam s'est retournée pour répondre. En yiddish ou en hébreu.

— Ma belle-mère ne se sent pas bien.

— Votre mari est mort, a rétorqué Ryan sur un ton qui ne cherchait pas à être aimable.

— Il n'y a pas un instant de la journée où je n'y pense pas.

— Je ne peux pas reporter une enquête sur un meurtre uniquement pour satisfaire au confort de ceux qui restent.

— Vous croyez donc que c'est un meurtre ?

— Comme vous-même, je suppose. Est-ce que vous chercheriez à m'éviter, madame Ferris ?

— Non.

Joute du bleu roi et du mauve. Ni l'un ni l'autre ne voulait céder.

— Je voudrais vous poser d'autres questions sur ce monsieur Kessler.

— Je vous répondrai encore que je ne connais personne de ce nom.

— Et votre belle-mère ?

— Non plus.

— Comment pouvez-vous en être certaine, madame Ferris ? Kessler a prétendu connaître votre mari. Avez-vous parlé de ce monsieur avec votre belle-mère ?

— Non, je ne l'ai jamais entendue prononcer ce nom. Mon mari était en contact avec beaucoup de gens du fait de ses affaires.

— Et l'un d'eux a pu lui tirer deux balles dans la tête.

— Vous cherchez à me choquer, détective ?

— Étiez-vous au courant que votre mari s'occupait d'antiquités ?

Les sourcils de Miriam se sont froncés d'une façon presque imperceptible.

— De qui tenez-vous cela ?

— De Courtney Purviance.

— Je vois.

— Et c'est faux ?

— Mme Purviance a tendance à exagérer son rôle dans les affaires de mon mari, a lâché Miriam d'une voix aussi coupante qu'un rasoir.

— Vous voulez dire qu'elle ment ?

— Je veux dire qu'elle n'a pas grand-chose pour peupler sa vie en dehors de son travail.

— Mme Purviance a laissé entendre que votre mari avait changé de comportement depuis quelque temps.

— C'est ridicule. Si Avram avait été préoccupé, je l'aurais forcément remarqué.

— Est-il vrai que votre mari faisait commerce d'antiquités ? a insisté Ryan.

— Les antiquités n'étaient qu'une toute petite partie de ses affaires.

— C'est une chose que vous savez ?

— Que je sais.

— Pourtant vous m'avez dit que vous saviez très peu de choses sur ses affaires.

— Eh bien ça, je le sais.

Le temps était limpide, la température juste au-dessus de zéro.

— Est-ce que ces antiquités auraient pu comprendre des restes humains ? a demandé Ryan.

Les yeux violets se sont élargis.

— Grands dieux, non !

La plupart des gens se sentent mal à l'aise lorsqu'il y a un creux dans la conversation. Ils éprouvent aussitôt le besoin de remplir le silence, c'est comme une impulsion. Ryan utilise souvent ce procédé pour obtenir une réponse. Il l'a fait maintenant. Devant son manque de réaction, Miriam a développé d'elle-même sa pensée.

— Ce serait *chet* !

Ryan a prolongé l'attente.

Miriam s'apprêtait à en dire davantage quand la voix dans la maison a refait entendre son gazouillis. Un bref échange s'est établi, Miriam parlant par-dessus son épaule. Quand elle s'est retournée vers nous, une fine moiteur sur sa lèvre supérieure a brillé dans la lumière du soleil.

— Il faut que j'aide ma belle-mère à se préparer pour le sabbat.

Ryan lui a tendu sa carte.

— Je vous appellerai sans faute si quelque chose me revient. Croyez bien que je tiens vraiment à ce que le tueur d'Avram soit jugé.

Elle avait prononcé ces mots les yeux grands ouverts.

— Au revoir, a rétorqué Ryan.

J'y suis allée de mon *Shabbat shalom*.

Nous faisions demi-tour pour partir quand Miriam a retenu Ryan en posant la main sur son bras.

— Sachez que j'aimais mon mari, détective, contrairement à ce que vous pouvez penser.

Sa voix avait quelque chose de désespéré et d'effrayant.

Nous avons regagné la voiture sans échanger un mot.

— Alors ? a demandé Ryan, une fois installé au volant.

— Je ne sais pas quoi en penser.

Nous sommes restés un moment plongés dans nos pensées.

— *Chet* ? a fini par demander Ryan.

— « Péché », peut-être ?

— Elle n'est pas franchement portée à fraterniser avec ses congénères.

— Elle faisait comme si je n'étais pas là.

— Sauf que tu y étais bel et bien.

— C'est également mon impression.

— Le moins qu'on puisse dire, c'est qu'elle n'est pas fanatique de la secrétaire.

— Ça non !

— Tout bien considéré, je ne suis pas si nul pour analyser les gens, a déclaré Ryan en démarrant.

— Tout bien considéré, je crois que tu dis vrai.

— Pourtant, avec cette Miriam, je n'arrive pas à me faire une idée. Tantôt elle est complètement refermée sur elle-même, tantôt elle t'envoie poliment te faire foutre. Tu crois qu'elle nous cache quelque chose ?

— Elle transpirait.

— Et le temps est plutôt frisquet.

Ryan a roulé jusqu'à l'arrêt au coin de la rue.

— Et maintenant, quoi ?

— C'est toi, le détective.

— Le pistolet est orphelin. Aucune piste à remonter de ce côté-là. Chou blanc également auprès des voisins de Ferris, dans le parc industriel de son entreprise. Idem pour les interrogatoires de la famille ou des relations d'affaires. Toujours rien sur Kessler, les recherches continuent dans les synagogues de la ville. Et je n'ai pas reçu de réponse du fisc ni des compagnies de téléphone.

— Je vois que tu n'as pas chômé.

— J'ai beau me fendre le cul, ça stagne sur tous les fronts.

— Alors, qu'est-ce qu'on fait, maintenant ?

— Si le SIJ poursuit la fouille et la secrétaire ses vérifications, je propose qu'on s'offre un hamburger.

Quelques instants plus tard, au moment précis où j'ouvrais la bouche pour faire sa fête à mon Whopper, mon cellulaire a sonné. Connexion parfaite, cette fois. «Jake Drum…», ai-je chuchoté à Ryan, avant d'enchaîner dans l'appareil :

— Tu as vraiment fait le détour par Paris ?

— Oh, ce n'était pas si compliqué. Au lieu de me taper des heures de route pour attraper le vol Toronto–Tel-Aviv, je suis parti de Montréal et j'ai fait escale à Charles-de-Gaulle.

— Et ce chef de chantier que tu devais voir ?

— Je connais des gens avec qui il a travaillé. Je l'ai engagé par téléphone.

— Tu t'en donnes, du mal. Tu crois que ce squelette en vaut vraiment la peine ?

— Ça pourrait être énorme.

Ryan a défait en partie le papier entourant mon hamburger. J'en ai découpé un morceau avec les doigts.

— Je ne m'étais pas trompé, continuait Jake. Un squelette en provenance de Massada est bien arrivé au Musée de l'Homme en novembre 1963. J'ai retrouvé son dossier et sa cote. Tu es en train de manger ?

— Un Whopper.

— De la bouffe industrielle dans une ville comme Montréal ? Mais c'est un sacrilège !

— C'est plus rapide.

— Méfie-toi, la pente est savonneuse !

Je l'ai rendue encore plus glissante à l'aide d'une rasade de Coke Diète.

— Alors, tu l'as vu, ce squelette ?

— Ben non, justement ! s'est exclamé Jake d'une voix tremblante de frustration.

— Comment ça ?

J'ai mordu dans mon Whopper. Du ketchup a dégouliné sur mon menton. Ryan l'a essuyé avec une serviette en papier.

— Je suis tombé sur une dame du nom de Marie-Nicole Varin, qui a travaillé à l'établissement de l'inventaire des collections, au début des années soixante-dix, expliquait Jake. Elle se souvient très bien de l'avoir vu à l'époque. Mais il n'est plus au musée. On a cherché partout.

— Personne ne l'a vu depuis les années soixante-dix ?

— Non.

— Ils ne gardent pas trace du mouvement des collections ?

— Si, en principe. Mais là, toute une partie du dossier a disparu.

— Ils expliquent ça comment ?

— Par une pirouette. *C'est la vie**. De tous les gens qui travaillent au musée aujourd'hui, il n'y en a plus tellement qui y étaient déjà dans ce temps-là. Mme Varin se souvient d'un étudiant qui l'a aidée pour l'inventaire, un certain Yossi Lerner qui devrait toujours être à Paris. Américain ou Canadien, selon elle.

La dernière phrase de Jake a figé mon geste. Le Whopper est resté suspendu à mi-chemin de ma bouche.

— J'essaie de lui mettre la main dessus, a-t-il ajouté.

— *Bonne chance**.

— Il va m'en falloir une sacrée dose.

J'ai rapporté à Ryan ce que Jake venait de me dire. Il m'a écoutée sans faire de commentaire.

Nous avons fini nos frites.

Rue Van Horne, nous sommes tombés sur un homme en redingote noire, chapeau noir, knickers et bas clairs, qui marchait d'un pas vif. Nous l'avons suivi des yeux tandis qu'il doublait un enfant en jeans et veste Blue Jays.

— Le sabbat va bientôt commencer.

— Ce n'est pas ça qui nous fera mieux aimer du quartier, a déclaré Ryan.

— Probablement pas.

— Tu as déjà fait une filature ? m'a lancé Ryan de but en blanc.

J'ai secoué la tête.

— Ça donne des palpitations.

— Ouais, c'est ce qu'on dit.

— Miriam risque de sortir.

— En laissant Dora toute seule.

— Justement. Je ne serais pas mécontent de lui dire deux mots, à celle-là. Entre quatre z'yeux.

— Si on lui apportait des fleurs ?

Aussitôt dit, aussitôt fait.

Il ne s'était pas écoulé quarante minutes depuis le moment où nous avions quitté la rue de Ferris que nous y revenions, un bouquet dans les bras.

Une heure plus tard, Miriam sortait de chez elle.

Chapitre 9

Dora a répondu au deuxième coup de sonnette. Dans la lumière éclatante du soleil, sa peau ridée paraissait presque translucide.

Ryan a fait les présentations.

La vieille femme nous considérait avec une telle absence de réaction que je me suis demandé si elle n'était pas abrutie par les calmants.

Ryan lui a montré son insigne.

Dora l'a regardé sans rien manifester. Il était évident qu'elle ne savait pas qui nous étions.

Je lui ai offert le bouquet et les biscuits en lui souhaitant *Shabbat shalom*.

— *Shabbat shalom*, a-t-elle répondu, plus par réflexe que pour nous saluer.

Dora a pris mes cadeaux et s'est penchée pour sentir les fleurs. S'étant redressée, elle a inspecté les biscuits et me les a rendus.

— Je vous remercie, mademoiselle. Mais ils ne sont pas kascher.

J'ai remis les biscuits dans mon sac en me sentant complètement idiote.

Les yeux de Dora ont glissé vers Ryan, puis sont revenus sur moi. Des yeux petits et humides, blanchis par l'âge.

— Vous avez assisté à l'autopsie de mon fils ?

Un léger accent. Européen, peut-être moyen-oriental.

— Oui, madame.

— Il n'y a personne à la maison.

— C'est à vous que nous voudrions parler, madame Ferris.

— À moi ?

Surprise mêlée d'un peu de crainte.

— Oui, madame.

— Miriam est allée au marché.

— Ce ne sera pas long.

Après une hésitation, elle nous a conduits de l'entrée aux murs tapissés de miroirs fumés jusqu'à un petit salon ensoleillé aux sièges recouverts de housses en plastique transparent.

— Je vais chercher un vase. Asseyez-vous, je vous prie.

Elle a disparu dans un couloir à droite de l'entrée. J'ai inspecté les lieux.

L'endroit était un monument au mauvais goût des années soixante. Rideaux en satin blanc et fauteuils assortis. Tables en chêne stratifié. Papier peint gaufré. Tapis doré à longs poils.

Une douzaine d'odeurs se battaient entre elles pour attirer l'attention. Javel, ail, parfum d'ambiance. Et aussi une senteur de cèdre sortant d'une armoire ou d'un buffet.

Dora est revenue en traînant les pieds, et nous avons passé un petit moment à chercher le meilleur endroit où poser les fleurs.

Enfin, elle s'est laissée tomber dans un fauteuil à bascule rembourré de coussins attachés au siège et au dossier, et elle s'est mise à lisser sa robe sur ses jambes tendues. Des espadrilles bleues ont pointé le bout du nez sous son ourlet.

— Les enfants sont avec Roslyn et Ruthie à la synagogue.

Il devait s'agir de la fille et de la belle-fille qui habitaient à côté.

Dora a croisé les mains sur ses genoux et baissé les yeux.

— Miriam est retournée chez le boucher, elle avait oublié quelque chose.

D'un signe de la tête, Ryan m'a indiqué de commencer.

— Madame Ferris, je sais que vous avez déjà parlé au détective Ryan.

Le regard givré s'est planté dans mes yeux sans ciller.

— Nous sommes désolés de vous déranger à nouveau, mais nous voudrions savoir si rien ne vous est revenu à l'esprit depuis le dernier entretien.

Elle a secoué la tête lentement.

— Est-ce que votre fils a reçu des visites inhabituelles dans les semaines qui ont précédé sa mort ?

— Non.

— Est-ce qu'il s'est disputé avec quelqu'un ? S'est plaint de quelqu'un ?

— Non.

— Est-ce qu'il était engagé dans un mouvement politique ?

— Pour Avram, sa famille et ses affaires étaient toute sa vie.

Je savais que je posais les mêmes questions que Ryan l'autre jour. Mais parfois le stratagème fonctionne. Il déclenche des souvenirs ou des détails oubliés jusque-là ou considérés comme inintéressants.

De plus, c'était la première fois que Dora était interrogée seule.

— Votre fils avait-il des ennemis ? Quelqu'un qui aurait pu lui vouloir du mal ?

— Nous sommes juifs, mademoiselle.

— Je voulais dire : quelqu'un en particulier.

— Non.

Changement de tactique.

— Connaissez-vous les messieurs qui ont assisté à l'autopsie de votre fils ?

— Oui.

Dora a tiré sur une de ses oreilles tout en produisant un drôle de glouglou.

— Qui les a choisis ?

— Le rabbin.

— Pourquoi est-ce qu'ils n'ont été que deux à revenir l'après-midi ?

— C'est le rabbin qui a dû en décider ainsi.

— Vous connaissez quelqu'un du nom de Kessler ?

— J'ai connu un Moshe Kessler dans le temps.

— A-t-il assisté à l'autopsie de votre fils ?

— Il est mort pendant la guerre.

Mon cellulaire n'a rien trouvé de mieux que de retentir. J'ai regardé le nom à l'écran. Numéro inconnu. J'ai ignoré l'appel.

— Saviez-vous que votre fils faisait commerce d'antiquités ?

— Avram vendait toutes sortes de choses.

Mon téléphone a redonné de la voix.

J'ai coupé la sonnerie en marmonnant un mot d'excuse.

Impulsion, frustration, inspiration ? Toujours est-il qu'un nom résonnait dans ma tête comme une ritournelle lancinante. Sans bien savoir pourquoi, j'ai lancé comme ça :

— Vous connaissez un certain Yossi Lerner ?

Les sillons sous les yeux de Dora se sont creusés. Ses lèvres fripées se sont rétractées.

— Ce nom vous dit quelque chose, madame Ferris ?

— Mon fils avait dans le temps un ami qui s'appelait comme ça.

— Vraiment ?

Je me suis efforcée de conserver un visage impassible, une voix égale.

— Oui, quand il faisait ses études à McGill.

— À quelle époque ? ai-je demandé sans regarder Ryan.

— Oh, il y a des années.

— Et ils sont restés en contact ?

Ton le plus neutre possible.

— Je ne saurais pas vous le dire. Ah, Seigneur ! (Elle a pris une grande respiration.) Est-ce que Yossi est mêlé à tout ça ?

— Naturellement pas. Je ne fais que lancer des noms. Vous savez où il habite maintenant ?

— Je ne l'ai pas vu depuis des années.

La porte d'entrée s'est ouverte et refermée. Quelques secondes plus tard, Miriam faisait son apparition dans le salon.

Dora lui a souri.

Miriam nous a regardés fixement, le visage à ce point dénué d'expression qu'elle aurait aussi bien pu être en train de contempler un parterre de mousse dans la forêt. Quand elle s'est décidée à parler, c'est à Ryan qu'elle s'est adressée.

— Pourquoi tracassez-vous ma belle-mère ? Je vous ai dit qu'elle ne se sentait pas bien.

— Mais je me sens très b…, a commencé Dora.

Miriam l'a interrompue.

— Elle a quatre-vingt-quatre ans. Elle vient de perdre son fils.

Dora a émis un *t-tt* agacé.

Comme tout à l'heure, Ryan a gardé le silence, attendant que Miriam le remplisse.

Ce qu'elle n'a pas fait. C'est Dora qui s'en est chargée.

— C'est vrai. Nous avions une aimable conversation, a-t-elle insisté en agitant une main aux veines bleutées.

— Et de quoi discutiez-vous ?

Le regard de Miriam était resté braqué sur Ryan, comme si Dora n'avait rien dit.

— D'Euripide, a dit Ryan.

— C'est censé passer pour de l'humour, détective ?

— De Yossi Lerner.

Je regardais Miriam attentivement. J'en suis restée pour mes frais, car elle n'a pas exprimé la moindre réaction.

— Qui est-ce ?

— Un ami de votre mari.

— Je ne le connais pas.

— Un ami d'université.

— Oh, c'était bien avant moi.

J'ai regardé Dora. Son regard semblait perdu dans les limbes ou des souvenirs très lointains.

— Pourquoi posiez-vous des questions sur ce Yossi Lerner ? a demandé Miriam en retirant ses gants.

— Son nom a émergé.

— Dans l'enquête ?

Les yeux violets exprimaient une très légère surprise.

— Oui.

— Dans quel contexte ?

Dehors, une alarme de voiture s'est déclenchée. Dora n'a pas bougé. Ryan m'a regardée. J'ai hoché la tête.

Il a raconté à Miriam l'épisode de Kessler et de la photo.

Elle a écouté sans que rien ne transparaisse sur ses traits. Impossible de deviner la moindre de ses émotions.

— Et ce squelette a un rapport avec la mort de mon mari ?

— Je prends des gants ou pas ?

— Dites tout carrément.

Ryan a énuméré les divers éléments sur ses doigts.

— Un : un homme est assassiné. Deux : un type produit une photo de squelette en prétendant que c'est la raison pour laquelle l'homme a été abattu. Trois : ce type a maintenant disparu. Quatre : certains indices nous incitent à penser que le squelette sur la photo viendrait de Massada.

Le petit doigt de Ryan avait rejoint les trois autres. Son pouce s'est levé, le compte ayant débuté par l'index.

— La victime faisait commerce d'antiquités israé-liennes… Or, ce squelette est passé entre les mains d'un certain Yossi Lerner qui, autrefois, était copain-copain avec votre mari…

— L'autre, il était prêtre, a lancé tout haut Dora, toujours plongée dans ses souvenirs.

D'un même mouvement, nous nous sommes tous les trois tournés vers elle.

— L'autre garçon était prêtre, a-t-elle répété. Mais c'était après… Après ou avant ?

Elle parlait sans s'adresser à personne.

— Quel autre garçon ? lui ai-je demandé doucement.

— Avram avait deux amis. Yossi et, plus tard, cet autre garçon.

Elle s'est tapé le menton de son poing.

— Il était prêtre. Je suis sûre de ça.

Miriam s'est rapprochée de sa belle-mère, mais en maintenant une certaine distance. Comme l'autre fois à la morgue où les deux femmes étaient assises l'une à côté de l'autre sans s'effleurer et sans s'étreindre. Sans que la plus jeune cherche à partager sa force avec la plus âgée. Sans que la plus âgée cherche du réconfort auprès de la plus jeune.

— Ils étaient très proches, continuait Dora.

— Votre fils et ses amis ? ai-je demandé pour l'encourager à poursuivre.

Elle a souri, le premier sourire que je voyais sur ses traits.

— Si curieux d'esprit. Toujours en train de lire. Toujours en train de poser des questions, de débattre. La nuit entière, parfois.

— Comment s'appelait ce prêtre ?

Dora à secoué la tête nerveusement.

— Il venait de la Beauce. Ça, je m'en souviens. Il nous appelait Zayde et Bubbe.

— Où votre fils l'avait-il connu ?

— À l'université de la Yeshiva.

— À New York ?

Dora a hoché la tête.

— Avram et Yossi venaient de passer leur diplôme à McGill. En ce temps-là, Avram était beaucoup plus porté sur les choses spirituelles. Il voulait être rabbin.

Ce prêtre suivait des cours sur les religions orientales ou quelque chose comme ça. Ils ont été attirés l'un vers l'autre. Parce qu'ils étaient tous deux canadiens, je suppose.

Dora a détourné les yeux.

— Est-ce qu'il était déjà prêtre alors, ou est-ce qu'il l'est devenu plus tard ?

Encore une fois, elle parlait plus pour elle-même que pour nous. Ses doigts se sont crispés. Sa main a tremblé.

— Oh, Seigneur ! Oh, mon Dieu.

Miriam s'est approchée de Ryan.

— Détective, je dois vraiment m'interposer.

Ryan a croisé mon regard. Nous nous sommes levés en chœur.

L'adieu de Miriam à Ryan a été la copie carbone de ses précédents adieux.

— Découvrez le coupable, détective, mais soyez gentil de ne plus importuner ma belle-mère quand elle est seule.

— Premièrement, elle n'était pas importunée, mais plongée dans ses rêveries. Deuxièmement, je n'admets aucune restriction dans ma façon de mener l'enquête. Cependant, je ferai de mon mieux pour rester dans les limites de l'amabilité.

Miriam n'a pas prononcé un mot à mon adresse.

Dans la voiture, Ryan a voulu savoir comment j'avais eu l'idée de mentionner Lerner. J'ai répondu que je n'en savais rien.

— Bonne idée, en tout cas.

Je suis tombée d'accord avec lui.

Et d'accord aussi pour estimer que le sujet Lerner méritait d'être approfondi.

J'ai profité du trajet pour écouter mes messages.

Il y en avait trois.

Tous de Jake Drum.

« Je sais comment contacter Yossi Lerner. Rappelle-moi. »

« J'ai eu Lerner au téléphone. Rappelle-moi ! »

« Des nouvelles ahurissantes. Rappelle-moi ! »

Des « Rappelle-moi » de plus en plus excités.

J'en ai fait part à Ryan.

— Eh bien, qu'est-ce que tu attends pour le rappeler ? S'il peut nous donner des renseignements sur Lerner…

— Bien sûr, mais la communication sera meilleure si je l'appelle de la maison. D'ailleurs, on est presque arrivés. De cellulaire à cellulaire, c'est pire qu'avec la Zambie.

— Parce que tu téléphones souvent en Zambie ?

— Ben non, justement ! Impossible d'avoir la ligne.

Dix minutes plus tard, Ryan me déposait chez moi.

— Je dois faire une filature ce week-end, je suis déjà en retard, a-t-il dit en prenant mon menton entre ses mains. Et d'ajouter, en martelant mes joues avec ses pouces :

— Ne laisse pas tomber pour Lerner. Et tu me dis tout ce que Jake a découvert, je compte sur toi.

— Ta filature, elle va te donner des palpitations ?

— Y a qu'une chose qui me fout des palpitades, et tu sais très bien quoi.

— Je ne crois pas que ce mot existe.

Il m'a embrassée.

— Je te revaudrai ça.

— J'y compte bien.

Il est reparti pour l'édifice Wilfrid-Derome, tandis que j'entrais dans mon immeuble.

Ce n'est qu'après les salutations de rigueur avec Birdie et Charlie et après avoir passé un jean plus confortable que je me suis installée sur le canapé avec le téléphone et une tasse d'Earl Grey.

Jake a répondu à la première sonnerie.

— Tu es toujours en France ?

— Oui.

— Tu vas arriver après tout le monde sur ton chantier.

— Ils ne peuvent pas commencer sans moi, je suis le patron.

— J'avais oublié.

— Ce que j'ai mis au jour ici est beaucoup plus important.

Birdie a sauté sur mes genoux. Je lui ai caressé la tête. Il a étiré une patte et commencé à se lécher entre les griffes.

— J'ai parlé à Yossi Lerner.

— C'est ce que j'ai cru comprendre…

— Il habite toujours à Paris. Il est québécois.

Ce devait être le Yossi Lerner dont Dora se souvenait.

— Il travaillait au Musée de l'Homme quand le squelette de Massada s'y trouvait. Un job à mi-temps pendant qu'il faisait des recherches pour sa thèse de doctorat. Tu es assise ?

— Épargne-moi le pathos, Jake.

— Je te demande ça parce que ça va t'asseoir.

Et, de fait, heureusement que j'étais assise.

Chapitre 10

— Je te raconte dans l'ordre, a enchaîné Jake. Un drôle d'oiseau, ce Lerner, si tu veux que je te dise : pas de famille et un furet en guise de toutou. Le genre pigiste de l'archéologie qui fouille au gré des subventions qu'il reçoit. Il supervise des fouilles tantôt en Israël, tantôt en Égypte ou en Jordanie, publie un rapport sur ses découvertes et passe au chantier suivant. En majorité des travaux de sauvegarde.

— Sauver le max avant que les bulldozers écrasent tout.

— Exactement.

— Il travaille pour une institution ?

— Ça lui est arrivé, mais il ne veut pas avoir de boulot permanent. Il trouve ça trop restrictif.

— Un salaire qui tombe régulièrement, c'est vrai que ça peut être lourd à gérer.

— Ce qui est sûr, c'est qu'il se fiche du fric. Il habite une maison du XVIIe siècle, construite pour servir de logement aux mousquetaires. Son appartement tout entier tiendrait dans une Buick. Pas d'ascenseur, un escalier de pierre en colimaçon et une vue pas mal sur Notre-Dame.

— Parce que tu y es allé ?

— Au téléphone, il m'a dit que je pouvais passer tout de suite parce qu'il travaillait la nuit. On est restés deux heures à chanter les louanges du Roi-Soleil.

— C'est-à-dire ?

— On a calé une bouteille de Martell VSOP Médaillon.

— Il a quel âge, ce bonhomme ?

— Dans les cinquante-cinq, soixante, je dirais.

Avram Ferris en avait cinquante-six.

— Il est juif ?

— Moins ardent que dans sa jeunesse.

— C'est quoi, son histoire ?

— L'histoire de Lerner ?

— Non, Jake. De Louis XIV.

Je me suis laissée aller contre le dossier du canapé. Birdie est remonté le long de ma poitrine.

— Au début, il était un peu sur ses gardes. Au quatrième verre, il était plus bavard qu'un repenti au sortir de chez Betty Ford [1]. Je te raconte ses histoires de pianiste et d'amours contrariées ?

— Non.

— Tant pis. De 1971 à 1974, il a travaillé au Musée de l'Homme tout en faisant des recherches pour sa thèse.

— C'était quoi, son sujet ?

— Les rouleaux de la mer Morte.

— Quatre fois plus de temps qu'il n'en a fallu aux Esséniens pour les écrire, j'imagine.

— Lerner est un homme qui fait les choses lentement et à fond. À l'époque, il prenait le judaïsme très au sérieux.

— C'est la pianiste qui a changé ça ?

— Qui t'a dit qu'il s'agissait d'une demoiselle ?

— Reviens aux ossements de Massada.

— En 1972, le musée lui a proposé de participer à la vérification des inventaires de plusieurs collections. Et là, il est tombé sur un dossier contenant la photo d'un squelette et sa facture d'expédition.

---

1. Centre de réhabilitation pour drogués et alcooliques (N.d.T.).

— Facture qui laissait entendre que le spécimen provenait de Massada ?

— Exactement.

— Elle était datée ?

— Oui, de novembre 1963.

Une légère excitation m'a parcourue, fugitive comme une étincelle. La grotte 2001 sur le flanc sud de Massada, en dessous du mur fortifié ; les os pêle-mêle ; le squelette enseveli à part ; l'excavation de cette grotte achevée en octobre 1963, à en croire l'informateur de Jake. Un mois avant la date portée sur la facture du musée.

— La facture était signée ?

— Oui, mais Lerner ne se rappelle pas le nom. En fouillant dans les collections, il a retrouvé le squelette. Il a indiqué dans le dossier s'y rapportant l'endroit exact où il était entreposé, comme il est de mise de le faire, et il est passé au spécimen suivant. Mais une question le tourmentait : pourquoi ces ossements avaient-ils été expédiés à ce musée ? Pourquoi les gardait-on dans les réserves au lieu de les exposer ? Mais tu ronronnes, ma parole !

— C'est mon chat.

— Et voilà qu'un an plus tard, il tombe sur le bouquin d'un journaliste australien, Donovan Joyce, qui pose comme postulat que Jésus aurait survécu à sa crucifixion.

— Et pris sa retraite quelque part sous les cocotiers ?

— Il aurait vécu jusqu'à l'âge de quatre-vingts ans et serait mort à Massada, en se battant contre les Romains.

— C'est du roman.

— Attends la suite. À Massada, Jésus aurait laissé par écrit ses dernières volontés.

— Il se fonde sur quoi, ton Joyce, pour produire ce joyau ?

— Sur une rencontre qu'il a faite en décembre 1964, alors qu'il se trouvait en Israël pour des recherches en vue d'un livre. Il prétend avoir été contacté par un certain Max Grosset qui lui a demandé de l'aider à faire sortir du pays un rouleau antique qu'il avait subtilisé à Massada à l'époque où il y travaillait comme volontaire sous la direction de Yigael Yadin. Un rouleau d'une valeur inestimable, à l'en croire, ne serait-ce qu'en raison de la personne qui en était l'auteur. Joyce a refusé d'être mêlé à ça, mais il jure ses grands dieux qu'il a vu de ses yeux et tenu dans ses mains le rouleau en question.

— Et ensuite, il a écrit un livre pour raconter ça.

— En fait, Joyce était allé en Terre sainte pour visiter Massada. Mais les Israéliens ne l'ont pas autorisé à monter au sommet. Obligé d'abandonner sa première idée de livre, il s'est rabattu sur le rouleau de Grosset et a entrepris de vérifier si cette théorie était plausible. Abasourdi par ce qu'il découvrait, il a consacré huit années de sa vie à creuser le sujet. Il n'a jamais revu Grosset, mais il prétend avoir recueilli d'autres informations ahurissantes sur Jésus et sa famille : sur son père, sur son état civil, sur sa crucifixion et sur sa résurrection.

— Ah, ah !

— Dans son livre, Joyce fait état des squelettes découverts dans la grotte 2001.

— Tu rigoles.

— Selon lui, ces vingt-cinq squelettes sont ceux de gens qui n'auraient rien à voir avec les zélotes. Dans sa conclusion, il affirme qu'après la chute de Massada le général Silva ordonna à ses soldats de laisser ces gens vivre tranquilles dans leur grotte, par respect pour eux.

— Parce qu'il se serait agi des restes de Jésus et de ses disciples ?

— C'est ce qu'il sous-entend.

— C'est une théorie de cinglé ! Lerner y a cru ?

— J'ai réussi à mettre la main sur un exemplaire de ce livre, bien qu'il soit épuisé. Je dois admettre que les arguments présentés sont assez probants pour quelqu'un d'ouvert et qui veut bien écouter des théories inattendues.

— *Jesus.*

— Je ne te le fais pas dire ! Pour en revenir à Lerner, après avoir lu le bouquin de Joyce, il s'est dit qu'il y avait de bonnes chances pour que les ossements du Musée de l'Homme soient effectivement ceux de Jésus.

— Le Christ et ses disciples auraient vécu dans le lieu le plus sacré du judaïsme ?

— Exactement. Cette possibilité a bien sûr bouleversé le jeune et pieux scientifique qu'était Lerner.

— Elle bouleverserait Israël, pour ne rien dire de la chrétienté. Qu'est-ce qu'il a fait ensuite, ton gars ?

— Principalement, il s'est angoissé. Et si c'était Jésus ? Et si c'était, peut-être pas Jésus, mais un personnage important ayant vécu à l'aube de la chrétienté ? Et si ces ossements tombaient aux mains de gens malveillants ? Et si la presse avait vent de l'affaire ? La sainteté de Massada en serait ébranlée. Quant au monde chrétien, il serait ivre de rage et crierait à la sale blague juive. Bref, il s'est torturé pendant des nuits entières.

« Après des semaines et des semaines passées à se tourmenter, il est arrivé à la conclusion que ce squelette devait disparaître. Du coup, il a consacré ses journées à concocter toutes sortes de moyens pour s'en emparer et le détruire. En le brûlant. En l'écrabouillant avec un marteau. En le lestant et le jetant à la mer.

« Mais alors, sa conscience revenait à la charge. Parce que voler, c'est voler. Qu'il s'agisse ou non de Jésus, ce squelette était quand même celui d'un Juif et d'un saint homme. Bref, Lerner n'en dormait plus : il lui était tout aussi impossible de le détruire que de vivre dans la crainte qu'une personne mal intentionnée ne lui mette la main dessus. Il a donc résolu de le faire disparaître, pour préserver à la fois la culture et la tradition religieuse.

— Et c'est lui qui l'a volé et a détruit son dossier ?

— Oui, il les a sortis du musée dans un sac de sport.

— Et ensuite ? ai-je demandé en me redressant si brusquement que Birdie a sauté par terre et, se retournant, m'a dévisagée de ses yeux jaunes et ronds.

— Et c'est là que les Massadéens se massent ! Comment s'appelle ta victime autopsiée l'autre jour, déjà ?

— Avram Ferris.

— C'est bien ce que je pensais. Eh bien, c'est à ce Ferris que Lerner a remis les os et la photo.

À cette nouvelle, j'ai eu l'impression d'exploser comme un cocktail Molotov.

— Son copain de jeunesse.

— Ferris retournait à Montréal après deux ans passés dans différents kibboutz en Israël, et il faisait escale à Paris.

— Merde !

— C'est le mot qui convient.

À peine avais-je raccroché que j'ai appelé Ryan. Pas de réponse. Il devait avoir commencé sa filature.

De mon côté, j'avais trop de « palpitades » pour avaler quoi que ce soit. J'ai pris le chemin de ma salle de gymnastique. Et tandis que le nombre d'étages gravis augmentait sur le compteur du StairMaster, j'ai fait de mon mieux pour classer logiquement les questions qui repassaient en boucle dans ma tête.

La photo que m'avait remise Kessler représentait-elle effectivement le fameux squelette de la grotte 2001 ? Qui, en dehors de Lerner, pouvait savoir que ce squelette était entreposé chez Ferris ?

Ferris l'avait-il toujours en sa possession quand il avait été tué ? Avait-il eu l'intention de s'en débarrasser ? De le détruire ? De le vendre au marché noir ? Mais à qui ? Et pourquoi maintenant, après tant d'années ?

Et qui l'aurait acheté ? Des juifs ? Des chrétiens ?

Si ce n'était pas parce qu'il cherchait à monnayer ce squelette, pour quelle raison avait-il été abattu ?

Où était ce squelette, aujourd'hui ?

Où était Kessler ?

Qui était Kessler ?

Quel motif avait bien pu pousser Ferris à s'encombrer d'un squelette volé ?

Pour cette question-là, il y avait plusieurs réponses possibles : la fidélité à un ami ; la crainte, partagée avec Lerner, de voir piétinée une légende sacrée, d'être à l'origine d'une bataille colossale entre juifs et chrétiens en des temps où le soutien de ces derniers était une question de survie pour l'État d'Israël ? À en croire sa mère, Avram était extrêmement pieux ces années-là… Que Jésus ait pu survivre à sa crucifixion et trouver la mort pendant le siège de Massada était une abomination ! Autant pour les chrétiens que pour les juifs.

Une abomination, vraiment ? Après tout, Jésus était juif. En ces temps de troubles, pourquoi ne se serait-il pas réfugié à Massada avec ses disciples ?

Non. Jésus avait beau être juif, c'était avant tout un hérétique. Qui avait outragé les grands prêtres.

Et de nouveau, la farandole de questions.

Qu'est-ce que Ferris avait bien pu faire de ce squelette ?

Logiquement, il aurait dû le conserver dans son entrepôt. Sauf que voilà : le SIJ n'avait rien retrouvé qui ressemble de près ou de loin à un ossement.

L'aurait-il si bien caché qu'on ne puisse jamais plus le retrouver ?

Mais où ça ?

Je me suis dressé mentalement une liste de questions à poser à diverses personnes. À Ryan. À Courtney Purviance, la secrétaire de Ferris. J'ai essuyé la sueur de mon visage et suis repartie pour une nouvelle série d'étages.

Il y avait quelque chose qui ne collait pas dans cette idée de garder le squelette à l'entrepôt.

La Torah interdit de conserver un corps sans l'ensevelir. *Cf.* le Deutéronome ou un prophète quelconque. S'il avait conservé des restes humains sur son lieu de travail, Ferris se serait sans doute senti sali. Sinon sali, pour le moins mal à l'aise.

Du StairMaster, je suis passée à la machine à muscler les abdos.

Peut-être que Ferris n'avait fait que jouer les transporteurs et avait aussitôt remis le squelette à quelqu'un.

Mais à qui ?

Oui, à qui ?

À quelqu'un qui partageait ses angoisses et celles de son ami Lerner ?

Mais tous les juifs de la Terre sont censés respecter les interdits de la Torah.

D'autres personnes auraient-elles eu des raisons de vouloir faire disparaître ce squelette ? Des raisons liées à la foi ? Les chrétiens ?

Que Jésus ait survécu à son supplice et que son squelette réapparaisse soudain dans les réserves du Musée de l'Homme avait de quoi ébranler le Vatican. Et faire trembler aussi les protestants. Pour les chrétiens, ce cas de figure ne devait se présenter sous aucun prétexte, sinon le principe le plus fondamental de leur foi se trouverait réduit à néant. Plus de tombeau vide. Plus d'ange. Plus de résurrection. Plus de Pâques. Enquête et polémique feraient la une des journaux du monde entier, et ce, pendant des mois. Que dis-je ? Des années. Il en résulterait des débats sans précédent. La rage et la passion seraient dévastatrices.

Je me suis arrêtée au beau milieu d'un mouvement.

Le prêtre originaire de la Beauce, cet autre ami de Ferris ! Si proche de lui, avait dit Dora.

Les prêtres ne sont soumis à aucun interdit en ce qui concerne la conservation des restes humains. Ils révèrent les reliques, les portent sur eux, les scellent dans la pierre des autels. Les exhibent dans les églises d'un bout à l'autre de l'Europe.

Subitement, je ne tenais plus en place. Il fallait que je retrouve ce prêtre dans l'instant.

Six heures et demie. Minuit et demi à Paris.

Attrapant ma serviette, j'ai regagné les vestiaires.

Réception quasi nulle, indiquait mon cellulaire. Le temps de sauter dans mon survêtement et j'étais dans la rue.

Jake a répondu au bout de quatre sonneries, la voix lourde de sommeil.

Tout en marchant le long de la rue Sainte-Catherine, je lui ai fait part de mes déductions à propos de Ferris, de Lerner et du prêtre.

— Il me faut son nom, Jake.

— Il est largement plus de minuit, ici.

— Tu ne m'as pas dit que Lerner travaillait la nuit ?

— Si.

J'ai entendu un bâillement.

— Je veux que tu découvres tout ce qu'il est possible de savoir sur ce prêtre. S'il a participé au vol du squelette. Où il habitait en 1973. Et aujourd'hui.

— S'il préfère les boxers aux caleçons ?

— Exactement.

— Si je l'appelle aussi tard, ça risque de le refroidir.

— Je ne doute pas un instant de tes talents de persuasion.

— Ni de mon charme masculin.

— Non plus.

Je mettais le pied hors de la douche quand le téléphone a sonné.

M'enveloppant dans une serviette, j'ai dérapé sur le carrelage et foncé dans ma chambre attraper le combiné.

— Sylvain Morissonneau.

— Tu es un as, Jake !

J'ai inscrit le nom au dos d'un relevé bancaire.

— Est-ce que Morissonneau est mêlé au vol du squelette ?

— Non.

— Il est où, maintenant ?

— Lerner ne l'a rencontré qu'une fois ou deux. Quand il est parti pour Paris, Avram venait tout juste de faire sa connaissance. Il ne lui a pas parlé depuis 1971.

— Ah…

— Mais j'ai quand même appris quelque chose.

J'ai attendu la suite.

— C'est un moine cistercien.

— Un trappiste ?

— Si tu le dis.

Après un dîner composé de poulet et de riz thaï surgelé, j'ai allumé mon ordinateur.

Charlie n'arrêtait pas de piailler *Get Off of my Cloud*; Birdie ronronnait, couché sur le bureau à ma droite.

Ma recherche sur le Net m'a permis de combler plusieurs lacunes. J'ai appris, notamment, qu'en 1098 après J.-C. un mouvement de renouveau s'était développé au sein d'une congrégation bénédictine du centre de la France, très précisément au monastère de Cîteaux. Le but était de revenir à une observance plus stricte de la règle de saint Benoît. Comme Cîteaux se dit Cistercium en latin, les adeptes de cette réforme ont été appelés Cisterciens.

Aujourd'hui, cette congrégation regroupe divers ordres, dont l'un est l'OCSO : l'Ordre cistercien de la stricte observance. Son surnom de « la Trappe » lui vient d'une autre réforme, survenue, elle, au XVIIe siècle dans un autre monastère de France.

C'est fou la quantité de mouvements religieux qui prônent des réformes. Ça se comprend, j'imagine. Les moines ont beaucoup de temps pour réfléchir aux moyens de mieux faire.

J'ai découvert aussi qu'il y avait trois monastères cisterciens au Québec. L'un à Oka, près du lac des Deux-Montagnes, un autre à Mistassini, près du lac Saint-Jean, un dernier dans la région de la Montérégie, près de Saint-Hyacinthe. Chacun d'eux avait un site Web.

Malgré toute ma bonne volonté et deux heures de navigation dans le cyberespace à avaler des textes interminables sur le déroulement d'une journée dans ces lieux de prière, la quête spirituelle, le sens des vocations, l'histoire des différents ordres, je n'ai pas trouvé une seule feuille d'adhésion pour l'un ou l'autre de ces monastères.

J'allais abandonner quand je suis tombée sur une courte notice.

Le 17 juillet 2004, les moines de l'abbaye Sainte-Marie-des-Neiges, réunis sous la présidence du frère Charles Turgeon, de l'OCSO, ont élu pour huitième abbé le frère Sylvain Morissonneau, cinquante-neuf ans. Élevé en Beauce, au Québec, le frère Morissonneau a fait ses études à l'Université Laval. Ordonné prêtre en 1968, il a poursuivi ses études aux États-Unis avant d'entrer au monastère, en 1972. Responsable depuis huit ans de l'activité commerciale, il apportera au monastère ses talents pratiques d'organisateur et ses connaissances universitaires.

Ainsi, Morissonneau avait embrassé la vie contemplative… De quelques clics, j'ai quitté le site du monastère pour MapQuest Canada.

Désolée, mon père, votre solitude est sur le point de se briser en mille morceaux.

Chapitre 11

Située entre Montréal et les États-Unis et délimitée par le Saint-Laurent, la Montérégie est une région appréciée des touristes pour ses paysages de collines, ses produits agricoles, ses terrains de golf et ses innombrables possibilités de randonnées à bicyclette ou à ski. Traversée de part en part par la rivière Richelieu, elle regorge de parcs nationaux et d'espaces verts : parc national des îles de Boucherville, parc national du mont Saint-Bruno, Centre de la nature du mont Saint-Hilaire, et j'en passe.

La Montérégie regorge aussi de saints patrons. Jugez-en vous-même : l'abbaye de Sainte-Marie-des-Neiges, par exemple, au nord de Saint-Hyacinthe, s'élève au cœur d'un trapèze formé par les villages de Saint-Simon, Saint-Hugues, Saint-Jude et Saint-Barnabé-Sud.

À neuf heures vingt, le lendemain matin, je quittais l'autoroute pour m'engager sur une route de campagne qui serpentait parmi des vergers. Huit cents mètres plus loin, après un virage en épingle à cheveux, une inscription discrète au sommet d'un haut portail en pierre m'a indiqué que j'étais arrivée chez les moines.

Le monastère se dressait au-delà d'une vaste pelouse, à l'ombre d'ormes colossaux. Trois corps de bâtiments flanqués d'annexes réparties en épi s'agençaient, telles des métastases, autour de l'église en pierre grise. Côté est, à la jonction avec l'église proprement dite, une tour ronde de quatre étages contrebalançait le campanile carré et ornementé érigé tout au bout à l'ouest. Certaines fenêtres étaient en ogive, d'autres rectangulaires et fermées par des volets. L'espace entre le bâtiment principal et les champs de maïs en bordure de la rivière était parsemé de petites constructions.

J'ai pris un moment pour évaluer les lieux.

De ma visite dans le cyberespace, j'avais retenu qu'un bon nombre de monastères, sacrifiant à la nécessité économique, vendaient leur production aux visiteurs en quête de renouveau spirituel : fromages, chocolat, vin, légumes et plats cuisinés au feu de la piété.

Visiblement, les moines d'ici n'admettaient pas ces méthodes : pas le moindre bureau d'accueil à l'horizon, pas de boutique cadeaux, pas une seule voiture garée devant le bâtiment principal.

J'ai roulé jusqu'au perron. Personne n'est sorti pour me souhaiter la bienvenue ou me prier de dégager.

Ayant appris aussi, grâce au Net, que les moines de Sainte-Marie-des-Neiges se levaient à quatre heures du matin pour effectuer plusieurs séries de prières, puis travaillaient de huit heures à midi, j'avais fait en sorte d'arriver pendant les heures ouvrables.

En plein mois de février, le travail ne consistait pas à cueillir des pommes ou à récolter du maïs, on s'en doute. Hormis quelques écureuils et moineaux, aucun signe de vie n'était perceptible.

Descendue de voiture, j'ai fermé ma portière en prenant soin de ne pas faire de bruit. Les lieux appelaient au silence. Une porte orange, à droite de la tour ronde, m'a paru l'endroit indiqué pour obtenir des renseignements. Je m'y dirigeais quand un moine en robe brune à capuchon et chaussé de sandales, le crâne orné d'une large tonsure, a débouché de derrière le campanile, venant dans ma direction.

En me voyant, il a ralenti le pas, comme pour se donner le temps de réfléchir à l'opportunité de m'aborder.

Arrivé à trois mètres de moi, il s'est arrêté. J'ai pu constater qu'il avait été très grièvement blessé à un moment de sa vie : tout le côté gauche de son visage avait l'air de pendre ; la paupière tombait et la joue, coupée en deux par une cicatrice blanche, se terminait sur un menton abrupt. Décharné et creusé, ce visage évoquait les représentations d'écorchés.

Le moine me dévisageait sans prononcer une parole. Je me suis présentée.

— Docteur Temperance Brennan. Je voudrais voir le père Sylvain Morissonneau.

Pas de réaction.

— C'est urgent.

Pas plus de résultat.

J'ai produit ma carte du labo médico-légal.

Le moine y a jeté un coup d'œil impassible.

Je m'attendais à être reçue fraîchement. J'ai sorti de mon sac une enveloppe fermée et l'ai tendue au moine. Elle contenait une photocopie de la photo que m'avait remise Kessler.

— Vous voulez bien donner ceci au père Morissonneau, s'il vous plaît ? Je suis sûre qu'il acceptera de me voir.

Une main d'épouvantail a fourragé sous le tissu pour finalement s'extraire de la robe. Ayant saisi l'enveloppe, le moine m'a signifié sans mot dire de le suivre.

Lui emboîtant le pas, j'ai franchi la porte orange, puis traversé un petit vestibule et un hall rehaussé de lambris. L'odeur qui régnait en ces lieux — mélange de laine, de désinfectant, de bois humide et de cire — m'a rappelé les lundis matin dans mon école religieuse.

M'ayant précédée dans une bibliothèque, il m'a indiqué de m'asseoir d'un signe de la main avant de s'éclipser.

J'ai examiné la pièce.

On se serait cru transporté dans un décor de Harry Potter : panneaux de bois sombre, rayonnages protégés par des vitres, échelles à roulettes permettant d'accéder aux étagères du haut. De nos jours, l'abattage d'une telle quantité de bois aurait réduit la Colombie-Britannique à l'état de désert.

J'ai dénombré huit longues tables et douze casiers aux tiroirs munis de minuscules poignées en laiton, vraisemblablement des cartothèques. Pas l'ombre d'un ordinateur à l'horizon.

Un deuxième moine s'est matérialisé devant moi sans que je l'aie entendu entrer.

— Docteur Brennan ?

Je me suis levée.

Il portait une aube blanche sans capuche et un surtout brun constitué de deux pans rectangulaires, un devant et un derrière.

— Père Sylvain Morissonneau, abbé de cette communauté.

— Excusez cette visite à l'improviste, ai-je répondu en lui tendant la main.

L'abbé s'est contenté de me sourire sans la saisir. Il paraissait plus âgé que son acolyte mais mieux nourri.

— Vous travaillez pour la police ?

— Pour le laboratoire médico-légal de Montréal.

— Veuillez me suivre, je vous prie, a-t-il répondu dans un anglais teinté d'un fort accent québécois, et il a accompagné sa phrase du même geste que le moine avant lui.

L'abbé m'a reconduite par le couloir principal jusqu'à une cour que nous avons traversée pour emprunter un autre couloir, long et étroit, sur lequel donnaient une douzaine de portes fermées. Tout au bout, nous sommes entrés dans ce qui semblait être un bureau.

La porte refermée, l'abbé m'a indiqué, toujours par signe, de m'asseoir.

J'ai obtempéré.

Comparée à la bibliothèque, la pièce était spartiate. Des murs blancs, un dallage gris, une table en chêne, des meubles de classement en fer, modèle standard. Seuls éléments de décor, un crucifix sur le mur derrière le bureau et un tableau au-dessus d'une commode représentant Jésus conversant avec des anges. Un Jésus en bien meilleure forme que celui sur la croix, cela dit, et qui vous faisait venir involontairement à l'esprit l'« avant et après » des slogans publicitaires. J'ai eu l'impression de commettre un sacrilège.

Le père Morissonneau a pris place derrière le bureau sur une chaise à dossier droit. Ayant posé la photocopie devant lui, il a croisé les doigts.

J'ai attendu qu'il parle.

Il a attendu que je parle.

J'ai prolongé l'attente.

C'est moi qui ai gagné.

— Je suppose que vous avez vu Avram Ferris.

Voix basse et égale.

— En effet.

— C'est lui qui vous envoie ?

Il n'était pas au courant.

— Non.

— Que veut-il ?

J'ai pris une profonde respiration. La situation dans laquelle je me retrouvais n'était pas des plus réjouissantes.

— Je suis désolée d'être porteuse de mauvaises nouvelles, mon père, mais Avram Ferris a été assassiné il y a deux semaines.

Les lèvres du prêtre ont marmonné une prière silencieuse, le regard baissé sur ses mains. Quand il a relevé les yeux, j'ai pu lire sur ses traits une émotion que je ne connais que trop bien.

— Qui a fait ça ?

— La police mène l'enquête.

— Elle est sur une piste ? a-t-il demandé en se penchant sur son bureau.

J'ai désigné la photocopie.

— Cette photo m'a été remise par un certain Kessler.

Aucune réaction.

— Connaissez-vous ce monsieur ?

— Pouvez-vous me le décrire ?

Je me suis exécutée de mon mieux.

— Excusez-moi, mais cette description correspond à un grand nombre de gens.

Derrière les lunettes à monture dorée, le père Morissonneau avait un regard impassible.

— De gens ayant accès à cette photo ?

Il a ignoré ma question.

— Comment se fait-il que vous vous adressiez à moi ?

— J'ai eu votre nom par Yossi Lerner.

Ce qui était assez proche de la vérité.

— Comment va-t-il ?

— Bien.

J'ai répété ce que Kessler m'avait dit à propos de la photo.

— Je vois, a répondu l'abbé.

Il s'est mis à tapoter sur son sous-main de ses doigts arrondis. Pendant un moment, son regard s'est concentré sur le tableau au-dessus de la commode.

— Avram Ferris a été abattu d'une balle dans l'arrière du crâne, ce qui est typique des exécutions.

— Cela suffit.

Il s'est levé.

— Attendez, je vous prie.

Il a refait son geste du plat de la main. Je commençais à me sentir comme une petite fille. Il a quitté la salle d'un pas rapide.

Cinq minutes ont passé.

Quelque part, une horloge a égrené ses coups dans le silence général.

Dix minutes ont passé.

Je commençais à m'ennuyer ferme. Je me suis approchée du tableau pour l'examiner. J'avais eu raison et tort à la fois. La peinture et le crucifix constituaient bien une séquence « avant et après », mais dans l'ordre inverse.

La peinture représentait le matin de Pâques. Quatre personnages auprès d'un tombeau : deux anges assis sur le sarcophage ouvert, une femme debout entre eux, probablement Marie-Madeleine. Plus loin à droite, Jésus debout.

Comme auparavant dans la bibliothèque, je n'ai pas entendu entrer l'abbé. Je n'ai senti sa présence que lorsqu'il est passé derrière moi. Il portait dans ses bras une caisse en bois d'un mètre de long sur soixante centimètres de large. En me découvrant devant le tableau, son visage s'est adouci.

— C'est beau, n'est-ce pas ? Tellement plus délicat que la plupart des représentations de la Résurrection.

Sa voix n'avait plus rien à voir avec celle de tout à l'heure. C'était celle d'un grand-père montrant des photos à ses petits-enfants.

— Oui, très.

La peinture possédait en effet une légèreté éthérée remarquablement belle.

— Edward Burne-Jones. Vous connaissez ?

J'ai secoué la tête.

— C'est un peintre anglais de l'époque victorienne, un élève de Rossetti. Bon nombre de ses œuvres ont un caractère presque idyllique. Celle-ci a pour titre : *Au matin de la Résurrection*. Elle date de 1882.

Le regard du père Morissonneau s'est attardé un moment sur le tableau, puis sa mâchoire s'est contractée et ses lèvres se sont pincées. Il a déposé la caisse sur le bureau avant de regagner son siège.

Il gardait le silence, rassemblant ses pensées. Quand il a pris la parole, son émotion était encore perceptible.

— La vie monastique est toute de solitude, de prière et d'étude. C'est celle que j'ai choisie.

Il parlait lentement, en s'arrêtant là où l'on ne marque pas de pauses habituellement.

— En prononçant mes vœux, j'ai renoncé à toute implication dans la politique et les soucis de ce monde. Cependant, a-t-il poursuivi en posant sur la caisse une main constellée de taches brunes, je n'ai pu ignorer certains événements et tourner le dos à l'amitié.

Il regardait sa main fixement, engagé dans une forme de lutte intérieure qui n'avait pas encore trouvé son terme. Taire la vérité ?

Non. La dire.

— Ces ossements proviennent du Musée de l'Homme.

Une étincelle vive comme une flamme d'allumette a illuminé mon cœur.

— C'est le squelette volé par Yossi Lerner ?

— Oui.

— Depuis combien de temps l'avez-vous en votre possession ?

— Depuis beaucoup trop longtemps.

— C'est à la demande d'Avram Ferris que vous avez accepté de le conserver ?

Hochement de tête contraint.

— Pourquoi ?

— Il y a tant de pourquoi. Pourquoi Avram a-t-il insisté pour que je le prenne ? Pourquoi y ai-je consenti ? Pourquoi ai-je persisté dans cette action malhonnête ?

— Commencez par Ferris.

— Avram a accepté de conserver le squelette de Yossi par fidélité envers lui et parce que Yossi l'avait convaincu que sa découverte risquait de déclencher un cataclysme. Au Canada, Avram l'a caché dans son entrepôt. Les années passant, il s'est senti de plus en plus mal à l'aise. Pire que ça : hanté.

— Comment cela ?

— Avram est juif, et il s'agit de restes humains, a expliqué le père Morissonneau en caressant la boîte. De plus…

Il a relevé la tête avec brusquerie. Un verre de ses lunettes a accroché la lumière.

— Qui est là ?

Un léger frôlement de tissu m'est parvenu.

— Frère Marc ? a lancé l'abbé d'une voix coupante.

Je me suis retournée. Une silhouette comblait la porte demeurée ouverte : le moine au visage balafré. Il avait un doigt sur les lèvres et un sourcil relevé.

L'abbé a secoué la tête.

— *Laissez-nous**.

Le moine s'est incliné et s'est retiré.

Vacillant, le père Morissonneau s'est levé pour aller fermer la porte.

— Avram se sentait de plus en plus mal à l'aise, disiez-vous ? ai-je repris lorsqu'il s'est rassis, pour l'inciter à poursuivre.

— Il partageait la crainte de Yossi.

Il parlait maintenant sur un ton étouffé.

— Que le squelette soit celui de Jésus-Christ ?

Le regard du père Morissonneau a effleuré la peinture et s'est reposé sur la table. Il a hoché la tête lentement.

— Vous l'avez cru ?

— Le croire ? Non, mais je ne savais pas. Je ne sais toujours pas. Pourtant je ne pouvais prendre ce risque. Et si Yossi et Avram avaient raison et que Jésus ne soit pas mort sur la croix ? Cela sonnerait le glas du christianisme puisqu'il a pour fondement la résurrection de notre Sauveur. La passion du Christ est un pivot à partir duquel un milliard d'âmes façonnent leur mode de vie. Un milliard d'âmes, docteur Brennan. Détruire cette foi aurait des conséquences inimaginables.

Le père abbé a fermé les yeux, se représentant peut-être lesdites conséquences. Les ayant rouverts, il a repris d'une voix plus ferme :

— Avram et Yossi se trompaient probablement. Personnellement, je ne crois pas qu'il s'agisse des ossements de Jésus-Christ. Mais qu'adviendrait-il si la presse s'emparait de cette histoire ? Si les médias, qui sont devenus un bourbier, s'engageaient dans l'un de leurs shows nauséabonds, prêts à vendre leur âme pour une plus grande audience ?

Il ne m'a pas laissé le temps d'exprimer un point de vue.

— Je vais vous dire ce qui se produirait. La polémique qui s'ensuivrait serait à elle seule une catastrophe. Un milliard de vies se verraient arrachées à leurs gonds. On assisterait à une dévastation spirituelle effrénée du monde chrétien, et la crise ne s'arrêterait pas au spirituel, docteur Brennan. Car le christianisme est une force politique et économique majeure, qu'on le veuille ou non. L'effondrement de l'Église chrétienne aboutirait au bouleversement général. À l'instabilité. Au chaos mondial.

L'abbé a levé son index.

— La civilisation occidentale se retrouverait privée de racines. Voilà ce que je croyais autrefois. J'y crois avec encore plus d'ardeur aujourd'hui, lorsque je vois les islamistes professer une nouvelle religion fondée sur le fanatisme.

Il s'est penché en avant.

— Je suis catholique, mais j'ai étudié la religion musulmane. J'ai suivi de près l'évolution du Moyen-Orient. Il y a bien longtemps que j'ai vu naître le malaise et pressenti la crise. Vous vous rappelez les Jeux olympiques de Munich ?

— Oui. Les onze athlètes israéliens pris en otage et tués par des terroristes palestiniens.

— Les kidnappeurs appartenaient à une faction de l'OLP appelée Septembre noir. Trois d'entre eux ont été capturés. Un mois plus tard, d'autres terroristes exigeaient la libération des tueurs de Munich en détournant un avion de la Lufthansa. Les Allemands ont cédé. Nous étions en 1972, docteur Brennan. À l'époque, en voyant les reportages, j'ai compris que ce n'était que le début. C'était un an avant que Yossi dérobe le squelette et le remette à Avram.

« Je suis un homme tolérant. J'ai le plus grand respect pour mes frères musulmans. Ce sont généralement des gens travailleurs qui aiment leur famille et la paix, des gens qui partagent les valeurs qui me sont chères. Mais, parmi eux, il existe une minorité de gens mus par la haine et décidés à tout détruire. »

— Les partisans du djihad.

— Vous connaissez le wahhabisme, docteur Brennan ?

Les connaissances que j'en avais étaient plutôt vagues.

— C'est une forme austère de l'islam. Elle s'est développée dans la péninsule arabique et, pendant plus de deux siècles, a été la religion dominante de l'Arabie Saoudite.

— En quoi le wahhabisme se distingue-t-il de l'islam traditionnel ?

— Il prône une interprétation rigoriste du Coran.

— Cela me rappelle notre cher intégrisme chrétien.

— Cela y ressemble en effet par bien des aspects. Mais le wahhabisme va beaucoup plus loin. Il rejette en bloc tout ce qui ne se fonde pas sur les enseignements originaux de Mahomet et en exige la destruction complète. Dans les années 1970, ce mouvement a connu une croissance explosive quand des organisations caritatives saoudiennes ont entrepris de financer des écoles de théologie appelées *medersa* et des mosquées d'obédience wahhabite partout dans le monde, d'Islamabad à Culver City.

— Ce mouvement est-il vraiment malfaisant ?

— À votre avis, comment était la vie en Afghanistan aux temps des talibans ? Ou en Iran sous l'ayatollah Khomeiny ?

Le père Morissonneau n'a pas attendu ma réponse.

— Les wahhabites ne s'intéressent pas simplement aux esprits et aux âmes, ils ont un programme politique ambitieux. Et celui-ci vise à remplacer les dirigeants laïcs des pays musulmans de toute la planète par des adeptes du fondamentalisme religieux.

Je me suis demandé si l'abbé ne tombait pas dans la paranoïa.

— Les wahhabites, poursuivait-il, travaillent à infiltrer les gouvernements et l'armée dans tout le monde musulman. Ils se faufilent dans des positions stratégiques en vue du jour où les dirigeants laïcs auront tous été écartés ou assassinés.

— Vous croyez vraiment à cela ?

— À quoi a abouti la destruction du Liban moderne, si ce n'est à son occupation par la Syrie. Et l'Égypte ? Prenez le meurtre d'Anouar el-Sadate. Voyez toutes les tentatives d'assassinat auxquelles a échappé Moubarak par la suite. Et Hussein en Jordanie ? Et Musharraf au Pakistan ? Regardez comment les dirigeants laïcs ont été liquidés en Iran.

Le père Morissonneau a de nouveau levé la main, cette fois le doigt pointé sur moi. Il tremblait.

— Oussama Ben Laden est wahhabite, comme l'étaient les commandos du 11 septembre. Ces fanatiques se sont lancés dans leur « troisième grand djihad », comme ils disent, leur guerre sainte, et tout est bon, je dis bien « tout », du moment que cela fait progresser leur cause.

L'abbé a laissé retomber sa main sur la caisse. Comprenant où il voulait en venir, j'ai conclu pour lui :

— Y compris les ossements du Christ.

— Y compris de prétendus ossements du Christ. Pour atteindre leur but, pour manipuler la presse, ces fous utiliseront tous les moyens, quitte à truquer ou falsifier les faits. Une folie médiatique à propos d'un squelette ayant peut-être été celui de Jésus serait pour ces fanatiques l'occasion idéale de saper les fondements de cette Église qui est ma vie. Afin d'empêcher cela, je me suis senti obligé de faire tout ce qui était en mon pouvoir.

« La raison première qui m'a convaincu d'accepter ces ossements a été le souci de protéger mon Église bien-aimée. Au départ, ma crainte de voir s'étendre l'extrémisme islamique n'était que secondaire. Mais au fil des ans, cette crainte s'est amplifiée, et aujourd'hui… »

Il s'est laissé retomber sur le dossier de son siège en exhalant un long soupir par les narines.

— Aujourd'hui, c'est devenu la raison principale pour laquelle je les garde.

— Où ça ?

— Nous avons une crypte, au monastère. Aucune loi chrétienne n'interdit que les morts soient enterrés parmi les vivants.

— Vous n'avez pas jugé qu'il était de votre devoir de prévenir le musée ?

— Comprenez-moi bien, docteur Brennan. Je suis un homme de Dieu. La morale est une chose qui compte énormément pour moi. Il ne m'a pas été facile de prendre cette décision. J'ai lutté. Je lutte encore chaque jour.

— Mais vous l'avez prise et vous avez caché le squelette.

— J'étais encore bien jeune quand cette affaire a débuté. Dieu me pardonne. J'y ai vu l'une de ces duperies de notre temps auxquelles on ne peut échapper. Ensuite, à mesure que les années passaient sans que personne, à commencer par le musée, ne semble s'intéresser à ces reliques, je me suis dit qu'il valait mieux ne plus y toucher.

Le père Morissonneau s'est levé.

— À présent, c'est terminé. Un homme est mort, un homme de bien, un ami. Mort, éventuellement, pour ce qui n'est peut-être qu'une caisse remplie de vieux os et pour une folle théorie exposée dans un livre aberrant.

Je me suis levée à mon tour.

— Je vous fais confiance pour que cette affaire demeure confidentielle, a-t-il ajouté.

— Je n'ai pas la réputation d'être à tu et à toi avec les journalistes.

— C'est ce que je me suis laissé dire.

J'ai dû paraître étonnée, car il a précisé :

— J'ai téléphoné à des gens.

Cloîtré, le père Morissonneau ? Peut-être pas tant que cela.

Je l'ai informé des dispositions que je comptais prendre.

— Je contacterai les autorités israéliennes. Il est probable que ces ossements leur reviennent de droit. Je doute qu'elles aient envie de convoquer une conférence de presse.

— Ce qui se produira maintenant est entre les mains du Seigneur.

J'ai soulevé la caisse. Un bruit mou a répondu à mon geste.

— Je souhaiterais que vous me teniez informé, a dit le père abbé.

— Je n'y manquerai pas.

— Je vous remercie.

— Je ferai de mon mieux pour que votre nom ne soit pas cité, mon père, mais je ne peux rien garantir.

L'abbé a ouvert la bouche, puis s'est ravisé.

À quoi bon expliquer ses choix, se chercher des excuses ?

Chapitre 12

J'ai été loin de respecter la vitesse autorisée, et mon dé-passement était bien supérieur aux 15 kilomètres à l'heure communément admis, mais la chance était de mon côté, les policiers pointaient leurs radars sur d'autres routes.

Arrivée à l'édifice Wilfrid-Derome, je me suis garée dans le stationnement réservé aux policiers. Au diable ! On était samedi. Et peut-être que Dieu était avec moi dans la Mazda.

Le temps s'était réchauffé. La température atteignait les quatre degrés Celsius et la neige annoncée com-mençait à tomber sous forme d'une bruine épaisse. De la neige fondue s'entassait déjà entre les pavés et dans les fissures des trottoirs.

J'ai sorti du coffre la caisse contenant les ossements et me suis dépêchée de gagner l'immeuble. Pas un chat dans le hall, excepté les gardes.

Idem au douzième étage.

La caisse déposée sur la table de mon bureau, j'ai retiré mon parka et appelé Ryan.

Pas de réponse.

Appeler Jake ?

Non, d'abord jeter un coup d'œil à ces os.

J'ai enfilé ma blouse, le cœur battant.

Pourquoi ? Croyais-je vraiment avoir reçu le squelette de Jésus ?

Évidemment pas.

Mais si ce n'était pas lui, qui était-ce ?

Quelqu'un avait tenu à ce que les restes de cet individu sortent d'Israël. Yossi Lerner les avait dérobés au musée. Ferris les avait transportés en secret jusqu'à Montréal et cachés dans son entrepôt. Puis, le père Morissonneau en avait hérité et les avait conservés contre son gré.

Était-ce à cause d'eux que Ferris était mort ?

Un comportement obsessionnel peut se nourrir de ferveur religieuse. Qu'il demeure dans la limite du rationnel ou qu'il touche à la folie dépend complètement du sujet et de sa façon de voir les choses. Cela, je le savais. Ce que je ne comprenais pas, c'était cette obsession à cacher ces os au lieu de les détruire.

L'abbé Morissonneau avait-il raison quand il affirmait que les adeptes du djihad tueraient père et mère pour mettre la main dessus ? Sa virulence à l'égard de ces philosophies religieuses et politiques n'était-elle pas plutôt le signe qu'il considérait sa foi comme étant menacée ?

Impossible à dire. Quoi qu'il en soit, j'étais fermement décidée à déployer toute la vigueur dont j'étais capable pour résoudre ces questions.

Je suis allée chercher une pince dans l'armoire à outils.

Le bois de la caisse était sec, les clous étaient vieux. Ils sont sortis facilement.

En tout, seize clous se sont alignés à côté de la caisse. Abandonnant mon marteau, j'ai soulevé le couvercle.

De la poussière. Des os desséchés. Des odeurs aussi, datant d'aussi loin que le premier vertébré fossilisé.

Les os longs reposaient au fond, placés bien parallèlement l'un à côté de l'autre, les creux entre eux étant remplis par les rotules et les os des mains et des pieds jetés en vrac. Le reste du squelette constituait une couche intermédiaire servant de support au crâne et à la mâchoire inférieure, placés côte à côte. Avec ses orbites évidées qui semblaient fixer le ciel, ce squelette ressemblait aux centaines que j'avais eus sous les yeux au cours de ma vie, trouvés par un fermier dans son champ, découverts par un promeneur en forêt ou mis au jour par un bulldozer sur un chantier de démolition.

J'ai déposé le crâne sur un rond en liège pour l'empêcher de basculer. Lui ayant adapté sa mâchoire, je l'ai observé.

Un visage dépourvu de chair. À quoi avait-il pu ressembler de son vivant ? À qui avait-il appartenu ?

Arrête, ma vieille. Trêve de spéculations.

L'un après l'autre, j'ai positionné chaque os à la place qui était la sienne.

Quarante minutes plus tard, j'avais sur ma table un squelette anatomiquement correct. Rien n'y manquait, si ce n'est un os minuscule de la gorge appelé l'hyoïde et des phalanges aux mains et aux pieds.

Je glissais un formulaire sous la pince de mon écritoire quand le téléphone a sonné. Ryan.

Je lui ai raconté ma matinée.

— *Holy shit*, a-t-il lâché.

— Peut-être bien.

— Ferris et Lerner y croyaient.

— Morissonneau n'est pas aussi catégorique.

— Et toi, tu en penses quoi ?

— Je commence à peine l'analyse.

— Et alors ?

— Je ne fais que commencer.

— Pour le moment, je ne peux pas bouger le cul de là où je suis, la filature se poursuit. Mais je suis peut-être sur une piste pour l'homicide de Ferris. Un coup de fil que j'ai reçu ce matin.

— Sans blague ?

— Dès que j'en ai fini ici, je me mets sur le coup.

— C'est quoi, ta piste ?

— Dès que j'en aurai fini ici, je me mettrai sur le coup.

— OK, c'est de bonne guerre.

— Ben, voyons ! On est professionnel ou on ne l'est pas.

— On évite les spéculations.

— On ne se permettrait jamais une déduction hâtive.

Sur cette conclusion de Ryan, je suis descendue à la cafétéria et me suis jetée sur un sandwich au thon que j'ai fait passer au Coke Diète.

Retour au labo, d'attaque pour aborder les questions de fond.

Mais attention, en respectant le protocole.

Gants.

Lumière.

Formulaire.

Profonde inspiration.

J'allais commencer par le sexe.

Bassin : encoche sciatique étroite ; pelvis étroit ; os pubien volumineux et formant à l'avant un V renversé.

Crâne : arcades sourcilières renflées ; bords des orbites émoussés ; arêtes larges, attaches des muscles et mastoïdes volumineuses.

Pas de doute sur la question : j'avais là un garçon.

Son âge, maintenant.

Ayant penché la lampe selon l'angle adéquat, j'ai étudié la partie gauche du pelvis là où il avait effectué sa jonction avec la partie droite, du vivant de ce monsieur. La surface, ovale, était piquetée et légèrement creusée par rapport au pourtour. Celui-ci présentait en haut et en bas des excroissances osseuses.

Mêmes caractéristiques sur la symphyse pubienne de droite.

Je suis allée me chercher un verre d'eau à la fontaine du couloir.

Je l'ai bu.

J'ai respiré à fond.

Retour auprès du squelette dans un état un peu moins agité.

J'ai pris les côtes trois, quatre et cinq de gauche et de droite. Pour deux seulement, la partie se rattachant au sternum était encore en bon état. Reposant les autres, je me suis concentrée sur cette paire.

Les deux côtes se terminaient par des indentations profondes en forme de U, entourées de petits murs minces à l'arête pointue. Sur chaque arête, en haut comme en bas, des petits spicules osseux en saillie.

J'ai reposé mon crayon et me suis calée dans mon siège.

Qu'est-ce que je ressentais ? Du soulagement ? De la déception ? Je n'aurais pas su le dire.

Pour déterminer l'âge, il existe un standard, le système Suchey-Brooks, établi à partir de l'analyse des pelvis de plusieurs centaines d'adultes morts à un âge connu. Selon ce barème, mes symphyses pubiennes correspondaient à la phase 6. C'est-à-dire à un âge moyen de soixante et un ans.

Sur l'échelle d'âge Iscan-Loth, basée sur la quantification des changements morphologiques observés sur les côtes d'adultes autopsiés, mes côtes à moi donnaient un résultat correspondant à la phase 6. Ce qui équivaut pour les hommes à une fourchette entre quarante-trois et cinquante-cinq ans.

Bon. Il est vrai que les porteurs de chromosomes Y sont loin de se ressembler tous. Il est vrai aussi que je devais encore étudier les os longs ainsi que les racines des molaires. Néanmoins, j'étais d'ores et déjà certaine que ces nouveaux résultats ne feraient que confirmer ma conclusion préliminaire.

Je l'ai reportée sur le formulaire, dans la case prévue.

Âge au moment de la mort : entre quarante et soixante ans. Impossible que ce type ait vécu seulement jusqu'à la trentaine.

Comme Jésus de Nazareth.

Si Jésus de Nazareth était bien mort à trente-trois ans, car, pour Donovan Joyce par exemple, il était mort aux alentours de quatre-vingts.

Ce qui n'était certainement pas le cas de ce type-là.

Il n'y avait d'ailleurs aucune chance pour qu'il ait seulement atteint soixante-dix ans.

Autrement dit, le monsieur sur ma table n'avait pas non plus le profil de l'individu âgé retrouvé dans la grotte 2001.

Restait à savoir si cet individu âgé mentionné par Yadin était bien ce fameux squelette retrouvé à l'écart des autres dont l'archéologue bénévole avait parlé à Jake. Ce n'était pas forcément le cas. Le septuagénaire de Yadin pouvait très bien avoir été reconstitué à partir des ossements mélangés. Dans ce cas-là, le squelette isolé était celui de quelqu'un d'autre. De quelqu'un ayant entre quarante et soixante ans.

Comme l'homme que j'avais sous les yeux.

Je suis passée à la page suivante du formulaire.

Ascendance.

Ouais.

La plupart des systèmes permettant d'établir l'ascendance se fondent sur des différences de forme relatives au crâne, à l'architecture du visage et aux dents et sur les mesures crâniennes. D'habitude, je m'appuie surtout sur ces dernières. Dans le cas présent, je tombais sur un os, si je puis dire.

En effet, si je mesurais mon individu sous toutes ses coutures et comparais les données obtenues à celles répertoriées dans la base de données Fordisc 2.0, mon inconnu serait comparé à des Blancs, à des Noirs, à des Amérindiens, à des Hispaniques, à des Japonais, à des Chinois et à des Vietnamiens.

Vous parlez d'une aide pour un gars d'Israël ayant vécu il y a de ça deux mille ans !

J'ai passé en revue les caractéristiques que j'avais recopiées sur mon formulaire. Os du nez proéminent. Ouverture du nez étroite. Profil aplati. Pommettes prenant tout le visage. Etc.

Tous ces résultats suggéraient l'ascendance caucasienne, ou du moins européenne. En aucun cas négroïde ou mongole.

J'ai pris les mesures du crâne et comparé avec la base de données. Tous les résultats donnaient « blanc ».

Bon, mes yeux d'être humain et l'ordinateur étaient d'accord.

Et alors ? Ça ne me disait pas si ce type était originaire du Moyen-Orient ou de l'Europe du Sud. Si c'était un Juif ou un gentil. Aucun moyen de faire le tri. Et les tests d'ADN ne m'apporteraient rien de plus.

Je suis passée à la taille.

Dans ma sélection des os de la jambe, j'ai éliminé tous ceux qui avaient des extrémités abîmées ou usées. J'ai mesuré les autres et reporté les résultats sur une planche ostéométrique. Puis je les ai rentrés dans l'ordinateur et j'ai demandé à Fordisc 2.0 de calculer la taille du détenteur de ces jambes à partir des éléments concernant tous les hommes de race inconnue, contenus dans la base de données.

Résultat : entre un mètre soixante-deux et un mètre soixante-douze.

J'ai passé les heures suivantes à étudier à la loupe toutes les facettes des os et toutes les articulations, le moindre rebord, le moindre creux, la moindre arête, le dernier millimètre carré de surface corticale. Sans rien trouver. Ni variation génétique, ni lésion ou signe de maladie. Pas plus que de traumatisme, guéri ou non. Aucune blessure dans les mains ou les pieds résultant d'une pénétration.

Coupant la lampe à fibre optique, je me suis étirée en arrière, les bras levés en l'air, avec l'impression d'avoir les épaules et le cou en feu.

Le début de la vieillesse ?

Ah, non !

Retournée à mon bureau, je me suis laissée tomber dans mon fauteuil.

Six heures moins cinq. Minuit à Paris.

Trop tard pour appeler ?

Jake a décroché. D'une voix endormie il m'a priée d'attendre.

— Quoi de neuf ? a-t-il demandé un instant plus tard.

J'ai entendu le bruit d'une boisson gazeuse qu'on débouche.

— Ce n'est pas Jésus.

— Qui ça ?

— Le squelette du Musée de l'Homme.

— Quoi, le squelette du Musée de l'Homme ?

— Je l'ai là, sous les yeux.

— Quoi ?

— C'est un homme de race blanche, de taille moyenne et de plus de quarante ans.

— Quoi ?

— Tu pourrais faire des efforts pour varier les répliques, Jake.

— Tu as le squelette de Lerner ?

— Oui, celui qu'il a volé. Je l'ai ici, dans mon labo.

— *Christ !*

— Sauf que ce n'est pas lui.

— Tu es sûre ?

— Ce type a vu surgir et s'enfuir la quarantaine au complet. Au mieux, je dirais qu'il avait au moins cinquante ans le jour de sa mort.

— Pas quatre-vingts ?

— En aucun cas.

— Il aurait pu en avoir soixante-dix ?

— J'en doute fortement.

— Dans ce cas, ce n'est pas l'homme âgé trouvé à Massada dont Yadin et Tsafrir ont parlé.

— Est-ce qu'on a la certitude que le vieux de Yadin est effectivement le squelette retrouvé à l'écart des autres ?

— En fait, non. Ses restes ont très bien pu avoir été extraits du tas général. Ce qui voudrait dire que ce squelette à part est l'un des quatorze individus âgés de vingt-deux à soixante ans.

— Ou alors complètement oublié dans le décompte.

— Oui.

Il y a eu une longue pause.

— Tu peux me dire comment tu as obtenu le squelette ?

Je lui ai raconté ma visite au monastère.

— *Holy shit.*

144

— C'est exactement ce que Ryan a dit.

Quand Jake a repris la parole, il chuchotait presque.

— Qu'est-ce que tu comptes faire ?

— Tout d'abord prévenir mon patron. Il s'agit de restes humains retrouvés au Québec. Cela relève du coroner. De plus, ce squelette pourrait être une pièce à conviction dans une enquête sur un homicide.

— Celui de Ferris ?

— Oui.

— Ensuite ?

— Mon patron me dira très certainement de contacter les autorités israéliennes compétentes.

Une nouvelle pause s'est installée. Les flocons de neige fondue frappaient la vitre au-dessus de mon bureau et glissaient en rigoles le long de la fenêtre. Douze étages plus bas, il y avait un embouteillage. Les voitures traversaient le pont Jacques-Cartier à la vitesse d'un escargot et leurs feux arrière faisaient de longs rubans rouges scintillants sur l'asphalte humide.

— Tu es certaine qu'il s'agit bien du squelette sur la photo de Kessler ?

Bonne question. Surtout, une question que je ne m'étais même pas posée.

— Je n'ai rien vu qui m'oblige à écarter cette possibilité.

— Quelque chose qui t'oblige à l'admettre, alors ?

— Non plus, ai-je répondu sur un ton mal assuré.

— Ça vaudrait la peine que tu y rejettes un coup d'œil ?

— Je le fais de ce pas.

— Tu voudras bien m'appeler avant d'entrer en contact avec les autorités israéliennes ?

— Pourquoi ?

— Promets-moi seulement de me téléphoner en premier, tu veux bien ?

Pourquoi pas ? Sans Jake, je n'aurais jamais rien su de toute cette affaire.

— D'accord, Jake.

À la fin de l'appel, je suis restée un moment immobile, la main sur l'appareil.

Jake m'avait paru gêné quand je lui avais fait part de mon intention d'informer les autorités israéliennes. Pourquoi ? Parce qu'il voulait toucher des droits en tant que premier auteur à publier un rapport sur la découverte et l'analyse de ce squelette ? Parce qu'il craignait de se le voir retiré ? Parce qu'il se méfiait de ses collègues israéliens ? des autorités israéliennes ?

Je n'en avais pas la moindre idée. Pourquoi ne pas lui avoir posé la question ?

J'avais faim. J'avais le dos en compote. J'avais envie de rentrer chez moi, de dîner tranquillement avec mon chat et mon oiseau et de me coucher de bonne heure avec un bon livre.

Au lieu de cela, j'ai sorti la photo que Kessler m'avait remise et l'ai placée sous le microscope. Je l'ai parcourue de haut en bas, lentement, en commençant par le sommet du crâne.

Le front ne présentait aucune marque spécifique.

Les yeux, rien.

Le nez, rien. Les pommettes, rien.

J'ai effectué des rotations de la tête dans l'espoir de soulager ma douleur au cou.

Retour à l'œilleton.

La mâchoire est entrée dans le champ de vision, je me suis concentrée.

J'ai relevé les yeux et regardé le crâne de l'autre côté de ma table.

Il y avait quelque chose qui ne collait pas.

J'ai augmenté le grossissement.

Les dents étaient bombées.

Ayant fait le point sur l'incisive, j'ai parcouru la mâchoire du milieu jusqu'au fond.

J'ai senti comme un nœud à l'estomac.

Je suis allée prendre ma loupe. Retournant le crâne entre mes mains de manière à avoir une bonne vue du palais, j'ai examiné les dents.

Là, mon estomac s'est crispé encore plus.
J'ai fermé les yeux.
Qu'est-ce que cela pouvait bien signifier ?

Chapitre 13

J'ai retiré la photo du microscope pour l'emporter près du crâne afin de comparer l'implantation des dents.

Armée d'une loupe, j'ai compté à droite à partir du milieu : deux incisives, une canine, deux prémolaires, un vide, deux molaires.

Sur la mâchoire supérieure, côté droit, le squelette en photo n'avait pas de première molaire.

Le crâne sur ma table en avait une.

Cela voulait-il dire que ce crâne n'était pas celui de la photo ?

Revenue au microscope, j'ai placé le crâne sous l'objectif et redirigé la lumière à fibre optique sur les molaires de droite.

Le grossissement me permettait de constater qu'elles avaient des racines plus apparentes que la normale. Les bords de l'alvéole étaient piquetés et poreux. Périodontose. Mais sans gravité.

Ce qui était grave, en revanche, en ce qui concernait la première molaire en haut à droite, c'était le bon état de la surface de mastication. Elle avait des tranchants relevés et arrondis alors que sur les molaires voisines ils étaient complètement élimés.

Bizarre, bizarre.

J'ai fait bouger la mâchoire pour vérifier l'occlusion.

Cette première molaire entrait en contact avant toutes les autres. Autrement dit, c'est elle qui aurait dû être la plus usée. M'étant redressée, j'ai réfléchi au problème.

Il y avait deux possibilités.

A. Ce squelette n'était pas celui de la photo que m'avait remise Kessler.

B. Ce squelette était bien celui de la photo, sauf qu'on lui avait ajouté la molaire qui lui manquait.

Deux suppositions découlaient de cette éventualité.

A. C'était la vraie dent du bonhomme. Les dents tombent souvent quand le tissu de la gencive se décompose.

B. Il s'agissait de la dent de quelqu'un d'autre, insérée par erreur dans sa mâchoire à lui. Ce qui expliquait la différence d'usure du tranchant.

Maintenant : à quelle époque cette dent avait-elle été insérée ? Trois cas de figure semblaient possibles.

A. À l'époque de l'enterrement. B. À l'époque de la découverte du squelette. C. À l'époque de son séjour au Musée de l'Homme.

Mon instinct me soufflait : « solution B ».

D'accord. Si quelqu'un avait remplacé la dent pendant les fouilles de Massada, de qui s'agissait-il ? Les possibilités ne manquaient pas. A. Yadin. B. Tsafrir. C. Haas. D. Un bénévole travaillant sur le site.

Mon idée personnelle ?

Un travailleur du chantier avait trouvé la dent près du squelette et, voyant qu'elle semblait s'adapter à la mâchoire, il l'y avait collée. Les ossements retrouvés dans la grotte 2001 étaient tous mélangés et les rapports des fouilles n'avaient pas été conservés. Ce genre d'erreur se produit constamment avec les étudiants et les travailleurs non qualifiés.

Donc de quoi s'agissait-il ? D'un rite funéraire ? D'une erreur toute simple ? Ni de l'un, ni de l'autre parce que ce squelette n'était pas celui de la photo ?

Sans l'aide d'un odontologiste, j'étais bien incapable de répondre à cette question.

Il était maintenant dix-sept heures passées, et l'on était samedi. Je savais ce que Marc Bergeron, l'expert dentaire de notre laboratoire, m'aurait dit : « Fais déjà des radios du sommet de la dent. »

Mais voilà, impossible de faire ces radios avant lundi. De quoi rager.

Résultat, c'est dans un sentiment de frustration que j'ai passé l'heure suivante à étudier au microscope le squelette de la photo.

Sur le plan anatomique, je n'ai rien repéré qui puisse me prouver de façon absolue qu'il ne faisait qu'un avec le squelette reconstitué sur ma table.

Rien qui apaise ma frustration.

Le match de basket de la NCAA que j'ai regardé à la télé en compagnie de Birdie, une fois rentrée chez moi, ne m'a pas soulagée davantage. Je soutenais les Duke, Birdie les Tigers — solidarité féline, je suppose.

Le dimanche matin, il ne m'a pas fallu une demi-heure pour repérer le livre de Donovan Joyce sur le Net. *The Jesus Scroll*. « L'ouvrage le plus inquiétant jamais écrit sur le christianisme », disait la pub. Pas mal. Dommage seulement qu'il soit épuisé.

Toutes les heures et quelques, j'appelais Jake. Son cellulaire était coupé. À une heure, j'ai cessé de lui laisser des messages pour appeler son hôtel. Il l'avait quitté.

Ryan s'est pointé à six heures, les yeux cernés, les cheveux encore mouillés après sa douche. Sa filature s'était soldée par trois arrestations et la saisie d'un camion de cigarettes. J'ai pris un Perrier, lui une Moosehead. Ensuite nous avons marché jusque chez Katsura, rue de la Montagne.

La partie du centre-ville que j'habitais était tranquille. Peu d'étudiants aux alentours de l'Université Concordia et seulement quelques fêtards, rue Crescent. Le dimanche, l'atmosphère est particulière.

Peut-être était-ce la température. Pendant la nuit, la bruine verglacée de samedi avait cédé la place à un ciel clair et à un froid arctique.

Tout en dégustant des sushis, j'ai fait part à Ryan de mes découvertes à propos du squelette : un homme blanc, mort entre quarante et soixante ans.

— Mon estimation de l'âge élimine donc toute possibilité qu'il s'agisse du septuagénaire de la grotte 2001, du Jésus de la Bible mort à trente-trois ans ou encore du Jésus de Donovan Joyce qui aurait vécu jusqu'à quatre-vingts ans.

— Et tu es sûre que le squelette de la photo est bien celui qui était enseveli à part dans la grotte 2001 ?

— Jake en est convaincu, à cause d'une conversation qu'il a eue avec un bénévole qui a participé aux fouilles de la grotte 2001. Pour ma part, je n'ai pas trouvé une seule marque qui me permette de l'affirmer en toute certitude. Et il y a aussi un problème avec une dent, une molaire.

J'ai expliqué à Ryan ce qui me tracassait.

— Tu envisagerais donc que ce ne soit pas le même squelette ?

— Ça peut être le même squelette, mais avec une molaire en plus, ajoutée après la photo.

— Quelqu'un aurait retrouvé sa dent plus tard au cours des fouilles et l'aurait replacée dans l'alvéole ?

— Possible.

— Tu n'as pas l'air convaincue.

— Les tranchants semblent moins usés.

— Ce qui tendrait à indiquer que cette molaire proviendrait de quelqu'un de plus jeune ?

— Oui.

— Tu en déduis quoi ?

— Je ne sais pas. Elle a pu être insérée dans la mâchoire par erreur. Il n'y avait pas que des spécialistes dans l'équipe de Yadin. Quelqu'un a pu la recoller en croyant bien faire.

— Tu demanderas son avis à Bergeron ?

— Lundi.

De son côté, Ryan m'a mise au courant de la piste qu'il avait levée dans l'affaire Ferris. Elle concernait Kessler.

— Quand j'ai lancé des vérifications à partir du nom, y a pas eu foule au portillon.

— On manquerait de criminels d'origine juive ?

— Il y a toujours Meyer Lansky, a rétorqué Ryan.

— Tiens, je l'avais oublié, celui-là. *Once*.

— Et Bugsy Siegel.

— Mes excuses encore. *Twice*.

— Pour ne rien dire de David Berkowitz.

— Et *thrice*. Je suis nulle.

— Élégante.

— Shakespearienne.

— En revanche, pendant que je pianotais à l'ordinateur, un nom est apparu. Hershel Kaplan.

Ce quatrième monsieur me mettait KO.

— Un petit débrouillard, celui-là, poursuivait Ryan. Deux ans pour escroquerie. Fraude à la carte de crédit et chèques falsifiés. Il utilise les pseudonymes de Hershel Cantor et Harry Kester.

— Ça va, j'ai compris. Kessler est aussi l'un de ses noms d'emprunt.

— Hirsch Kessler, a fait Ryan en sortant une photocopie de sa poche arrière. C'est ton garçon ?

J'ai étudié la photo : lunettes, cheveux noirs, menton glabre.

— Peut-être.

Est-ce qu'ils se ressemblaient tous ? J'avais l'impression d'être une imbécile.

J'ai fermé les yeux pour mieux me remémorer le Kessler à qui j'avais parlé.

Les ayant rouverts, j'ai fixé la photo.

Mon subconscient sonnait l'alarme.

Cou démanché… paupières tombantes… Et un mot qui me revenait en ritournelle… L'image qui s'était présentée à moi quand Kessler m'avait barré la route devant la salle des familles : une tortue. Détail que j'avais complètement oublié.

— Mon Kessler à moi portait la barbe, mais j'ai l'impression que c'est lui. Désolée, je ne peux pas faire mieux.

J'ai rendu sa photo à Ryan.

— C'est déjà un début.

— Il est où, maintenant, ce Kessler ? Je veux dire : ce Kaplan ?

— C'est ce que je cherche à découvrir.

De retour à la maison, Ryan a fait la causette avec Charlie pendant que je prenais ma douche. J'étais debout près de ma commode dans le plus simple appareil quand il est entré dans la chambre à coucher.

— Pas un geste !

Je me suis retournée, une nuisette en dentelle dans une main, une robe de chambre en satin dans l'autre.

— Je dois savoir ce que vous êtes en train de faire, madame.

— Vous êtes policier ?

— C'est pour ça que je pose les questions.

J'ai levé en même temps les sourcils et les mains.

— Lâchez ce que vous tenez et éloignez-vous de la commode !

Je me suis exécutée.

Le lendemain, au labo, ça a été la folie habituelle des lundis matin. Quatre victimes dans l'incendie d'une maison, plus un homme abattu par balle, un pendu, deux hommes passés à l'arme blanche et les restes d'un bébé.

Le bébé, c'est moi qui en ai écopé. Des résidus bizarroïdes avaient été retrouvés au fond d'un bac à eau dans la cave d'un gratte-ciel de Côte-Saint-Luc. La police craignait qu'il ne s'agisse des os du crâne d'un nourrisson ou d'un enfant en bas âge.

À la fin de la réunion, j'ai demandé à LaManche de m'accompagner dans mon labo pour voir le squelette que m'avait remis le père abbé.

Informé de son histoire et de sa provenance supposée, le patron, comme je m'y attendais, lui a attribué un numéro LSJML en me disant de le traiter selon la procédure habituelle, comme ses analyses effectuées à la demande du coroner. Quant à la suite à donner à cette affaire, il m'en laissait seule juge, m'octroyant toute liberté de remettre ces os aux autorités archéologiques compétentes, s'il s'agissait effectivement d'antiquités.

LaManche parti, j'ai demandé à Denis, mon technicien de laboratoire, de radiographier la dentition du squelette pendant que je m'occupais du bébé.

Je me dois de reconnaître qu'à première vue les spécimens soumis à mon examen ressemblaient fortement à des pariétaux n'ayant pas encore atteint leur forme définitive. Les surfaces concaves présentaient un tracé vasculaire comme c'est le cas lorsqu'il y a contact avec la surface externe du cerveau.

Un simple nettoyage a résolu l'énigme : fragments de noix de coco. Ce dessin veineux n'était autre que des dégoulinades d'eau sur la coque recouverte de boue desséchée.

Je revenais du secrétariat où j'avais porté mon rapport à taper, quand Denis m'a remis une petite enveloppe brune contenant des radios. Je les ai réparties sur ma boîte lumineuse.

Un premier regard m'a renforcée dans l'idée que la molaire avait été insérée dans la mâchoire du squelette après coup. Et pas très adroitement, à voir l'angle qu'elle formait avec le maxillaire, et à voir ses racines, qui n'étaient pas parfaitement positionnées dans les alvéoles.

Un second regard m'a appris que les choses ne s'arrêtaient pas là.

Le tranchant de la dent n'est pas la seule caractéristique à évoluer en fonction de l'âge. Il y a aussi la dentine, qui diminue dans la pulpe et dans le canal à mesure que l'on vieillit.

Je n'avais pas besoin d'être dentiste pour constater que cette première molaire du maxillaire droit présentait à la radio une opacité moindre que ses voisines.

J'ai appelé Marc Bergeron. La réceptionniste m'a mise sur attente. Je me suis retrouvée à écouter les Thousand Strings massacrer un morceau qui ambitionnait d'être *Sweet Caroline*, ravie de ne pas être le patient allongé dans le fauteuil de Bergeron, des tuyaux aspirants plein la bouche.

Marc a décroché alors que je commençais à m'assoupir, bercée par un ersatz d'*Uptown Girl* qui, ensuite, ne m'a plus lâchée de la journée. Nous avons convenu d'un rendez-vous en début d'après-midi.

Jake m'a appelée pile au moment où j'empaquetais le crâne.

— Tu as reçu mes messages ?

— J'ai quitté Paris samedi par le vol de minuit.

— Pour Israël ?

— Jérusalem. Quoi de neuf, de ton côté ?

J'ai commencé par lui dire ce qui ne collait pas entre le squelette de la photo et les os présentement sur ma paillasse, puis je lui ai décrit ce que cette molaire avait d'anormal à mon avis.

— Tu en conclus quoi ?

— Je dois voir l'odontologiste du labo cet après-midi.

Il y a eu une longue, très longue pause. Suivie d'un ordre.

— Je veux que tu retires cette molaire et une ou deux autres dents.

— Pour quoi faire ?

— Des tests d'ADN. Je veux aussi que tu me découpes des segments dans les fémurs. Tu peux faire ça ?

— Tu sais, ces os ont presque deux mille ans d'âge si l'on en croit les déductions de Lerner et de Ferris.

— On peut extraire de l'ADN mitochondrial à partir d'os anciens, n'est-ce pas ?

— Éventuellement, mais tu en feras quoi ? L'analyse médico-légale se fonde sur la comparaison d'un échantillon d'ADN donné avec un autre échantillon prélevé sur la victime ou sur quelqu'un de sa famille. Au cas où l'extraction et l'amplification de l'ADN mitochondrial s'avèrent possibles, tu en tireras quoi ?

Longue pause, côté Jake. Puis :

— On fait de nouvelles découvertes tous les jours. Comment savoir ce qu'on découvrira, et si cette découverte sera importante ou pas dans l'avenir ? Je dispose de fonds qui m'ont été alloués spécifiquement pour ce type de recherches… Et la race ?

— Quoi, la race ?

— Est-ce qu'il n'y a pas eu récemment un cas où un laboratoire a permis de découvrir que l'assassin, catalogué Blanc par tous les profileurs, était en réalité un Noir ?

— Tu veux parler de l'affaire Derrick Todd Lee, à Baton Rouge ? Ce test a été pratiqué à partir d'ADN nucléique.

— Et ce n'est pas possible d'extraire de l'ADN nucléique à partir d'un os antique ?

— Des chercheurs prétendent y être parvenus. Il y a de plus en plus d'études sur l'ADN ancien. Des savants de Cambridge et d'Oxford étudient la façon d'extraire de l'ADN nucléique à partir de matériaux archéologiques. Au Canada, il y a même un labo à Thunder Bay qui ne fait que ça, le Paleo-DNA Laboratory. Une équipe française a extrait de l'ADN nucléique et mitochondrial de squelettes vieux de deux mille ans découverts dans une nécropole de Mongolie, ai-je ajouté, me rappelant un article publié récemment dans l'*American Journal of Human Genetics*. Cependant, même en obtenant de l'ADN nucléique, les possibilités de déterminer la race restent très limitées.

— Vraiment ?

— Il y a bien une société en Floride qui propose un test consistant à transposer les marqueurs génétiques en

signaux capables de déterminer les métissages pro-
bables... À ce qu'ils disent, ils seraient en mesure de
calculer le pourcentage actuel des populations d'ascendance indo-européenne, amérindienne, est-asiatique et
sub-saharienne.

— C'est tout ?

— Pour l'instant.

— Ce n'est pas d'une grande aide pour les ossements
d'un Palestinien mort dans l'Antiquité, a soupiré Jake.

— Non, en effet.

J'ai attendu patiemment qu'il veuille bien mettre un
terme à l'une de ses longues pauses dont il a le secret.

— Mais le test d'ADN, qu'il s'agisse d'ADN mitochondrial ou nucléique, pourrait montrer, n'est-ce pas,
que cette molaire provient de quelqu'un d'autre, si tel
était le cas ?

— C'est un moyen plus que détourné d'aborder le
problème.

— Mais elle le pourrait ?

— Oui, ai-je répondu du bout des lèvres.

— Tu connais un labo qui pratique ces essais ?

Je lui ai donné le nom.

— Bon, eh bien, va chez ton dentiste, écoute attentivement ce qu'il te dira sur cette molaire et prélève-moi
des échantillons. Prélèves-en suffisamment pour qu'on
fasse aussi une analyse au carbone 14.

— Ton coroner acceptera la facture ?

— J'utiliserai ma subvention.

Je remontais la fermeture éclair de mon parka quand
Ryan s'est encadré dans ma porte. Ce qu'il m'a annoncé
a obligé mes pensées à effectuer un virage à cent quatre-
vingts degrés.

Chapitre 14

— Tu me dis que Miriam Ferris est apparentée à Hershel Kaplan ?

— Oui, par lien affinal.

— Tu en connais de ces mots !

C'était surtout la nouvelle qui m'épatait.

— C'est un terme qui signifie : « apparenté par mariage », m'a expliqué Ryan en me décochant son sourire le plus taquin. Je l'employais en hommage à ton passé d'anthropologue.

— Tu veux dire que Miriam Ferris a été mariée au frère de la femme d'Hershel Kaplan ? ai-je répété en m'efforçant de visualiser le graphique illustrant cette relation.

— De l'ex-femme.

— Mais Miriam prétendait ne pas connaître de Kaplan.

— Nous avons parlé d'un Kessler quand nous l'avons interrogée.

— Si Kaplan avait été de sa famille, Miriam aurait su de qui il s'agissait.

— Vraisemblablement, a convenu Ryan.

— Elle l'aurait reconnu le jour de l'autopsie.

— Au cas où elle l'ait vu.

— Tu crois vraiment que Kaplan et Kessler ne font qu'un, Ryan ?

— La photo du squelette t'a bien convaincue, a-t-il répliqué.

Il a jeté un regard en coin à la caisse sur ma table.

— Et le frère de la femme de Kaplan, il vit toujours ?

— De l'ex-femme. Ce qui fait que Miriam a été pour Kaplan la femme de son beau-frère jusqu'à ce qu'il divorce. Pour répondre à ta question, ce gars-là est mort de complications diabétiques en 1995.

— Je résume : Kaplan divorce de sa femme, ce qui fait de lui un célibataire. Le premier mari de Miriam meurt et elle se retrouve célibataire à son tour.

— C'est ça. Pour une veuve affligée, avoir son second mari assassiné, ça a un petit goût de réchauffé. On aurait souhaité qu'elle s'en sorte mieux la fois d'après. Qu'est-ce qu'il y a dans ta boîte ?

— Le crâne du squelette que m'a remis le père Morissonneau. Je l'emporte chez Bergeron pour qu'il me donne son avis sur les dents.

— Ses patients seraient enchantés de le savoir.

Ryan a étiré les lèvres en une grimace de vampire. À quoi bon réagir à ses mimiques bébêtes ? Mieux valait revenir au sujet précédent.

— Quand est-ce que Miriam s'est mariée avec Avram Ferris ?

— En 1997.

— Assez vite après la mort de son premier mari.

— Il y a des veuves qui rebondissent tout de suite.

Miriam ne m'avait pas donné l'impression d'être de ces gens qui rebondissent très vite, mais j'ai gardé mon opinion pour moi, préférant demander à Ryan depuis combien de temps Kaplan était divorcé.

— Sa dame l'a prié de lui rendre sa liberté pendant qu'il séjournait à la prison de Bordeaux pour une deuxième fois.

— Oups.

— J'ai regardé son dossier pénitentiaire. Prisonnier modèle, libéré avant terme, qui donnait vraiment l'impression de vouloir repartir du bon pied. Il n'a fait que la moitié de son temps.

— Il est en probation ?

— Oui. Son agent est un certain Michael Hinson.

— Quand est-ce qu'il a été libéré ?

— En 2001. Depuis, il se conduit en homme d'affaires consciencieux, d'après Hinson.

— Il est dans quel domaine ?

— Poissons exotiques et toutous. Je te jure, a ajouté Ryan devant mon air moqueur. L'animalerie Kaplan.

— Il tient un magasin d'animaux de compagnie ?

Ryan a hoché la tête.

— Ouais. Il est même propriétaire des lieux. Les toutous en bas, le maître en haut.

— Il voit toujours son agent de probation judiciaire ?

— Tous les mois. Un vrai ex-détenu modèle.

— Admirable.

— Il n'a pas manqué un seul de ses rendez-vous, sauf il y a deux semaines. Le 14 février, il ne s'est pas pointé et il n'a pas non plus téléphoné.

— Le lundi qui a suivi le week-end où Avram Ferris a été tué.

— Ça te dit d'aller caresser des loulous de Poméranie ?

— J'ai rendez-vous chez Bergeron à une heure.

Ryan a regardé sa montre.

— Je te prendrai en bas à deux heures et demie.

— J'apporterai des croquettes.

Bergeron a son cabinet dans un gratte-ciel de la Place-Ville-Marie, au coin du boulevard René-Lévesque et de la rue University. Il le partage avec un associé du nom de Bougainvillier que je m'imagine, sans jamais l'avoir vu, sous les traits d'un abondant pied de vigne affublé de lunettes.

Je me suis garée dans un stationnement souterrain. Dans le hall de l'immeuble, un ascenseur m'a emportée jusqu'au dix-septième étage.

Bergeron étant occupé avec un patient, je me suis installée dans la salle d'attente, ma boîte avec le crâne par terre, à côté de mes pieds. Une grande femme, assise en face de moi, feuilletait un numéro de *Châtelaine*. Me voyant tendre le bras pour attraper un magazine, elle a relevé les yeux de sa page et m'a souri. Pour elle, sa visite chez le dentiste n'était pas du luxe.

Cinq minutes après mon arrivée, elle a été invitée à pénétrer dans l'un des deux saints des saints. Certainement pour y rester un bon bout de temps.

Quelques instants plus tard, un homme en bras de chemise, la cravate desserrée, est sorti d'un pas rapide de l'autre lieu sacré.

Bergeron, apparu à sa suite, m'a fait entrer dans son bureau. Un gémissement haut perché m'est parvenu du bout du couloir. La lectrice de *Châtelaine*, sans aucun doute.

Tout en déballant le crâne, j'ai résumé succinctement les faits à Bergeron. Il m'a écoutée, debout dans la lumière du soleil, ses longs bras croisés sur son torse maigre, la tête entourée d'une étincelante auréole de cheveux blancs tout frisés.

Il a attendu que j'aie fini de parler pour prendre le crâne dans ses mains. Après avoir examiné les dents du haut, il a fait jouer la mâchoire en observant attentivement l'occlusion au niveau de la molaire.

Il a tendu la main vers moi. J'ai déposé dans sa paume la petite enveloppe brune contenant les radios des dents. Bergeron les a accrochées au négatoscope et s'est penché vers elles d'un air concentré. Dans ce contre-jour de lumière fluorescente, ses cheveux ressemblaient maintenant à une boule duveteuse de pissenlit.

Des secondes ont passé. Toute une minute.

— *Mon Dieu**, ça ne fait aucun doute.

De son doigt squelettique, il a tapé sur les deuxième et troisième molaires supérieures droites.

— Regardez-moi ces alvéoles et ces canaux. Ce bonhomme avait cinquante ans. Pour ne pas dire plus.

Son doigt s'est déplacé sur la première molaire de la rangée.

— Il y a nettement moins de dentine sur cette dent-ci. C'est incontestablement la dent de quelqu'un de plus jeune.

— C'est-à-dire ?

Bergeron s'est redressé.

— Bof ! a-t-il lâché, soufflant l'air par la bouche. Dans les trente-cinq, quarante. Pas plus.

Revenu près du crâne, il a poursuivi :

— L'usure du tranchant est minime. Probablement dans les taux les plus bas pour cette tranche d'âge.

— Vous pouvez me dire quand la molaire a été réinsérée ?

Il m'a regardée comme si je lui demandais de résoudre sans papier une équation du second degré. Je me suis empressée d'ajouter :

— À peu près.

— La colle est jaunie et s'écaille.

— Attendez ! Vous me dites que cette dent a été collée ?

— Oui.

— Elle n'a donc pas été réinsérée il y a deux mille ans ?

— Certainement pas. Tout au plus, il y a quelques dizaines d'années.

— Dans les années soixante ?

— C'est très possible.

Option B ou C : insertion effectuée lors des fouilles ou alors au Musée de l'Homme. Mon instinct continuait de me souffler que la première hypothèse était la bonne.

— Ça vous embêterait d'extraire ces trois molaires du haut ?

— Pas du tout.

Ayant renfermé le crâne dans sa boîte, Bergeron a regagné son bureau d'un pas rapide, déplaçant son mètre quatre-vingt-dix-sept avec une grâce de planche à repasser.

J'ai récupéré les radios. Est-ce que je n'étais pas en train de me faire toute une montagne pour rien ? La dent différente provenait d'un individu plus jeune. Quelqu'un l'avait simplement collée dans la mauvaise mâchoire, que ce soit un bénévole du chantier, Haas ou quelqu'un du musée.

De l'autre côté de la porte, les plaintes avaient repris.

Sur un chantier de fouilles, les situations au cours desquelles peuvent survenir des défaillances humaines se comptent par milliers. Et, en plus des fouilles elles-mêmes, il y a le transport des objets, le tri, le nettoyage. L'erreur avait pu se produire dans la grotte aussi bien que dans le labo de l'anthropologue ou, plus tard, à Paris.

Bergeron est revenu avec la boîte et un sachet en plastique étanche.

— Vous avez autre chose à me dire ?

— Celui qui a posé cette dent était un incompétent fini.

L'animalerie Kaplan était un magasin de deux étages à façade en verre, planté au milieu d'une série de magasins de deux étages à façade en verre, rue Jean-Talon. Des panneaux dans la vitrine vantaient les bienfaits de la gamme d'aliments Nutrience pour chiens et chats, d'autres annonçaient un arrivage de poissons tropicaux et une promotion sur les perroquets, cages comprises.

Du trottoir, deux portes permettaient d'entrer dans l'immeuble, l'une en bois, l'autre en verre. Ryan a poussé cette dernière, qui donnait sur le magasin. Un carillon a retenti.

L'endroit était saturé d'odeurs et de sons. Glouglous des aquariums alignés contre un mur, piaillements montant des cages réparties le long d'un autre mur et occupées par des oiseaux au plumage allant du plus terne au plus flamboyant. Aux poissons succédaient divers représentants de la hiérarchie de Linné : des grenouilles, un serpent enroulé sur lui-même, une petite boule de fourrure.

L'avant du magasin accueillait les lapins et les chats, ainsi qu'un lézard dont la gueule s'ornait d'un barbillon digne de rivaliser avec celui de ma grand-tante Minnie. Plus loin, des chiots somnolaient dans des cages. Un chien agitait la queue, debout sur ses pattes arrière, le museau collé au grillage. Un autre grignotait un canard en caoutchouc rouge.

Deux longs présentoirs occupaient le centre du magasin. Au milieu de la rangée, à hauteur des oiseaux, un jeune d'environ dix-sept ans était en train de suspendre des colliers de chien.

Il s'est retourné au bruit du carillon, mais n'a pas dit un mot.

— *Bonjour**, a lancé Ryan.

— *Yo*, a répondu le gamin.

— J'ai besoin d'aide, s'il vous plaît.

Le jeune a posé son carton par terre pour s'avancer vers nous.

Ryan a présenté son badge.

— Des polices ? *Cool*.

— Super *cool*. Et tu es ?

— Bernie.

Jeans sur les hanches, braguette à hauteur des genoux, chemise déboutonnée sur un t-shirt grunge. Visiblement, Bernie mettait un point d'honneur à suivre les diktats du style gangsta. Hélas, sur son corps maigrichon ses tentatives d'élégance ne portaient pas de fruits.

— Je suis le détective Ryan, madame est le Dr Brennan.

Les yeux de Bernie ont dévié vers moi. Des yeux noirs et petits, surplombés de sourcils qui se rejoignaient. Une peau à faire grimper en flèche les actions Clearasil.

— Nous sommes à la recherche d'Hershel Kaplan.

— L'est pas là.

— Ça lui arrive souvent de s'absenter ?

Bernie a haussé une épaule en tassant le cou.

— Tu sais où il est allé aujourd'hui ?

L'autre épaule s'est levée à hauteur de la première.

— Mes questions sont trop compliquées, Bernie ?

Le jeune a écarté la mèche qui lui barrait le front.

— Je recommence ? a demandé Ryan de la voix idéale pour conserver glacées les margaritas sorties du frigo.

— Fais pas chier, *man*. Je suis juste un employé.

Un chiot a jappé. Une envie pressante de promenade, probablement.

— Écoute-moi bien : est-ce que M. Kaplan est venu au magasin aujourd'hui ?

— C'est moi qui ai ouvert.

— Il a téléphoné ?

— Non.

— Est-ce qu'il est chez lui, en haut ?

— L'est en vacances. D'accord ? a jeté Bernie en se dandinant d'une jambe sur l'autre.

— Ç'aurait été bien que tu nous dises ça dès le départ, Bernie.

Le jeune s'est mis à fixer le plancher.

— Tu sais où M. Kaplan est allé ?

Il a secoué la tête.

— Quand il doit rentrer ?

Même réponse.

— Y a quelque chose de pas normal, Bernie. J'ai comme l'impression que t'as pas envie de me parler.

Bernie a continué d'étudier la boue sur ses godasses.

— T'as peur de perdre le bonus que Kaplan t'a promis ?

— Puisque je vous dis que j'sais rien !

Puis, relevant la tête :

— M'sieur Kaplan, y m'a dit d'faire tourner la boîte et d'pas crier sur les toits qu'il s'était tiré.

— Tiré, quand ça ?

— Y a peut-être une semaine.

— Tu as une clef de son appartement ?

Bernie n'a pas répondu.

— Tu vis toujours chez tes parents, Bernie ?

— Ouais.

Ton méfiant.

— On pourrait se pointer là-bas et voir avec ta mère comment clarifier tout ça.

— *Man*…

Les pleurnicheries, à présent.

— Bernie ?

— Sa clef est peut-être avec le trousseau.

Ryan s'est tourné vers moi.

— Tu ne sens pas le gaz ?

— Peut-être bien.

J'ai humé l'air. Les odeurs se catapultaient.

— Peut-être bien, oui.

— Et toi, Bernie ? Tu sens le gaz ?

— C'est le furet.

— Moi je dis que c'est du gaz, a insisté Ryan, et de faire quelques pas à gauche, puis à droite, le nez en l'air. C'est dangereux, le gaz… Tu veux qu'on vérifie ? Toutes ces petites bêtes, t'aurais pas envie qu'il leur arrive des bobos, hein, Bernie ?

Ryan, dans son rôle de bon type raisonnable.

— Ben non, sûr, *man*.

Bernie est allé jusqu'au comptoir sortir des clefs de dessous la caisse enregistreuse.

— Le citoyen nous a demandé de vérifier s'il n'y avait pas une fuite de gaz, a déclaré Ryan en se tournant vers moi, le trousseau dans les mains.

J'ai haussé les épaules dans un geste que Bernie aurait pu m'envier. Sur ce, j'ai quitté le magasin sur les talons de Ryan.

Porte en verre, à gauche toute. Porte en bois.

Un escalier étroit et raide menait au premier. Nous l'avons grimpé.

Ryan a frappé. Pas de réponse.

Nouveaux coups à la porte, plus forts.

— Police, monsieur Kaplan.

Toujours pas de réponse.

— On entre.

Ryan a essayé plusieurs clefs du trousseau. La quatrième était la bonne.

L'appartement de Kaplan comportait une petite cuisine, une salle de séjour, une chambre à coucher, une salle de bains carrelée noir et blanc et une baignoire écartée du mur. Les fenêtres étaient masquées par des stores vénitiens ; les murs, décorés d'abominables paysages de rêve, version grand public.

On notait cependant certaines concessions à l'évolution des techniques : la baignoire calée à l'aide d'un pommeau de douche, par exemple, le micro-ondes dans la cuisine, le téléphone de la chambre branché à un répondeur. À part ça, l'endroit avait tout du décor de film à petit budget des années trente.

— Ça a de la classe, a fait Ryan.

— Une certaine discrétion, ai-je renchéri.

— Je déteste quand les décorateurs se laissent aller à leur folie.

— Perdre tout sens de la mesure pour du linoléum !

Nous sommes entrés dans la chambre à coucher.

Une table pliante supportait des annuaires téléphoniques, des dossiers et des piles de papiers. J'ai commencé à farfouiller dans le tas. Derrière moi, Ryan ouvrait les tiroirs de la commode. Plusieurs minutes se sont écoulées.

— Tu as trouvé quelque chose ? ai-je demandé.

— Un bon nombre de chemises élimées, a répondu Ryan, avant de s'intéresser à la table de nuit.

Nous avons tous les deux fait une découverte au même moment.

Chapitre 15

Ryan a enclenché le répondeur en même temps que je m'emparais de la lettre.

Je l'ai lue tandis qu'une voix sucrée dévidait son message : *À l'intention d'Hershel Kaplan. Votre réservation du samedi 26 février est confirmée sur le vol joint Air Canada-El Al n° 9580. Il décollera de Toronto, aéroport international Pearson, à vingt-trois heures cinquante. Nous vous rappelons qu'en raison des mesures de sécurité renforcées la compagnie El Al exige que les passagers s'enregistrent trois heures au moins avant l'heure du départ. Nous vous souhaitons un bon voyage.*

— Kaplan s'est tiré en Israël, a dit Ryan.

— Il est possible qu'il ait bien mieux connu Miriam Ferris qu'on ne le pensait. Lis ça.

Ryan s'est avancé vers moi. Je lui ai remis une carte couleur or pâle.

Hersh,

Tu considères le bonheur comme un rêve impossible. Je l'ai vu dans tes yeux. Le plaisir et la joie ont émigré vers un lieu qui n'est plus à la portée de ton imagination.

Tu es fâché ? Honteux ? Effrayé ? Ne le sois pas. Nous progressons, mais lentement, comme des nageurs qui avancent dans une mer déchaînée. Les vagues finiront par reculer. Nous vaincrons.

Je t'aime, M.

— M. F., ai-je déclaré en désignant les initiales gravées en relief sur le carton.

— Un acronyme peut signifier toutes sortes de choses.

— Sur du papier à lettres, c'est en général les initiales d'un prénom et d'un nom. Et la combinaison M. F. n'est pas si courante.

— Morgan Freeman, a lancé Ryan après un instant de réflexion. Marshall Field. Millard Fillmore. Morgan Fairchild.

— Arrête, tu m'impressionnes !

Non sans mal, j'ai trouvé Masahisa Fukase.

Ryan m'a lancé un regard morne en guise de félicitations.

— Un photographe japonais. Il fait des images de corneilles époustouflantes.

— Fairchild aussi, elle en a fait, des images époustouflantes.

J'ai levé les yeux au ciel.

— Mon instinct me dit que c'est Miriam Ferris qui a écrit ça. Mais quand ? Il n'y a pas de date. Et pourquoi ?

— Pour lui remonter le moral quand il était en prison ?

Je me suis contentée de souligner du doigt la dernière ligne de la note : « Nous vaincrons. »

— Pour l'encourager à tirer deux balles à son mari ?

Subitement, la pièce m'a semblé sombre et glacée.

— C'est l'heure d'appeler Israël, a déclaré Ryan.

De retour à l'édifice Wilfrid-Derome, Ryan a foncé au Bureau des crimes contre la personne tandis que je montais dans mon labo m'occuper du squelette. Lestée du fémur droit, je suis descendue à la morgue. Salle n° 4.

Ayant branché la scie Stryker et remonté mon masque sur mon nez, j'ai découpé deux échantillons de deux centimètres et demi chacun. Revenue dans mon labo du douzième étage, j'ai appelé Jake. Une fois de plus, j'allais le réveiller après minuit.

Je lui ai rapporté ce que m'avait dit Bergeron à propos de la molaire.

— Bon. Quelqu'un a fourré la molaire dans la bouche du squelette. Ce sont des choses qui arrivent. À ton avis, ça s'est passé quand ? a demandé Jake.

— Je dirais à l'époque où les ossements ont été découverts dans la grotte. En voyant que les racines correspondaient assez bien à l'alvéole, un travailleur du chantier l'a placée dans la mâchoire. Un archéologue amateur.

— Et Haas l'aurait collée plus tard ?

— Lui ou quelqu'un d'autre au Musée de l'Homme. C'est certainement une erreur, tout simplement.

— Tu as prélevé des échantillons pour les tests d'ADN ?

J'ai réitéré mes doutes quant à la fiabilité des résultats en l'absence d'élément comparatif.

— Je veux qu'on fasse ces analyses.

— OK. Après tout, c'est ta subvention.

— Et aussi le test au carbone 14.

— En priorité ou standard ?

— C'est quoi, la différence ?

— Quelques jours d'attente contre plusieurs semaines. Et aussi plusieurs centaines de dollars.

— En priorité.

Je lui ai indiqué les labos auxquels je comptais m'adresser. Il m'a donné son accord et dicté le numéro du compte bancaire pour la facture.

— Jake, tu sais qu'ils devront contacter les autorités israéliennes si le test au carbone 14 fait remonter ce squelette à une date aussi vieille que tu crois.

— Appelle-moi d'abord.

— Promis. Mais je voudrais savoir…

— Merci, Tempe.

J'ai perçu comme un halètement. J'ai cru qu'il voulait ajouter quelque chose. Il s'est contenté d'un : « Ça pourrait avoir l'effet d'une bombe ! » qui n'a fait qu'exacerber ma curiosité. Néanmoins j'ai préféré ne pas le brusquer. D'autant que je devais me dépêcher si je voulais que mes échantillons partent par le courrier du lendemain matin.

Dès que j'ai eu raccroché, j'ai téléchargé sur Internet deux formulaires pour des tests d'ADN et un troisième pour le carbone 14.

Pour les tests d'ADN, j'ai assigné un numéro particulier à la molaire qui n'appartenait pas au squelette de manière qu'elle soit traitée comme un cas à part entière.

Idem pour l'un des échantillons de fémur et pour l'une des molaires extraites par Bergeron.

La seconde molaire et le second échantillon de fémur, je les ai enregistrés sur un autre formulaire pour des tests au carbone 14.

La paperasse achevée, j'ai demandé à Denis de tout expédier par Federal Express.

C'était tout. Il n'y avait rien d'autre à faire.

Des jours ont passé.

Une surface de givre de plus en plus étendue a obstrué mes fenêtres. Dans la cour, le haut des montants de la balustrade disparaissait sous des chapeaux de neige.

Mon travail était entré dans sa phase d'hibernation. Pas de randonneurs ni de campeurs. Peu d'enfants dans les parcs. De la neige sur le sol, de la glace sur le fleuve. Tapis dans leurs terriers, les prédateurs attendaient l'arrivée du printemps.

À la fin de l'hiver, les cadavres refleuriraient comme les monarques, ces papillons qui migrent par millions en direction du nord. Mais pour l'heure, tout était calme.

Le mardi matin, j'ai acheté et parcouru ce bouquin de Yadin qui avait fait sensation. Il fourmillait de détails historiques sur l'époque de la révolte juive et sur l'occupation de Massada par les Romains peu après l'an 73 de notre ère, puis sur l'installation des moines byzantins aux Ve et VIe siècles. Des chapitres entiers étaient consacrés aux palais, aux bains, aux synagogues et aux rouleaux, et le texte était illustré de vues d'ensemble du site, de plans, de diagrammes et de belles photos.

Difficile de croire que ce livre ait pu déclencher une telle controverse au moment de sa parution, en 1966.

Mardi après-midi, Ryan a appris qu'Hershel Kaplan était entré en Israël le 27 février. On ignorait où il se trouvait pour le moment. La police nationale israélienne le recherchait.

Ryan a téléphoné mercredi dans l'après-midi pour me demander si je voulais l'accompagner chez Courtney Purviance «pour un suivi d'interrogatoire» et ensuite dîner avec lui.

— Qu'est-ce que tu entends par «suivi»?

— Rien de fabuleux. Juste un détail sur une relation d'affaires de Ferris, un certain Klingman. Il prétend qu'il est passé à l'entrepôt vendredi, mais qu'il n'a pu faire coucou à personne. C'est juste pour mettre des points sur les *i* et des barres aux *t*.

Pourquoi pas, puisque je n'avais rien de mieux à faire?

Ryan est passé me prendre vers les quatre heures. Courtney Purviance habitait à Saint-Léonard, dans un immeuble sans ascenseur typique de Montréal. Pierre grise. Parements de fenêtre bleus. Escalier en fer forgé sur la façade.

Le hall d'entrée était petit, le carrelage recouvert d'une bouillasse neigeuse due à l'épandage de sel dans les rues. À côté de la porte intérieure, quatre boîtes aux lettres assorties d'un nom et d'une sonnette. La secrétaire habitait au 2-B.

Ryan a appuyé sur le bouton avec son pouce. Une voix de femme a répondu. Il a donné son nom. Elle lui a posé une question.

Laissant Ryan régler les problèmes d'entrée, j'ai parcouru les noms des locataires.

M\ue Purviance lui ayant dit d'attendre, Ryan s'est retourné vers moi. Je devais sourire sans m'en rendre compte, car il m'a demandé ce qu'il y avait de drôle.

— C'est fou, ces noms! Comment tu prononces celui-là, en français?

— Pin.

— Eh bien, celui-là, le 1-B, il signifie « olivier » en italien, et le 2-A, « chêne » en letton. C'est une véritable congrégation d'arboriculture que nous avons là, en plein Saint-Léonard.

Ryan a secoué la tête en souriant.

— Il y a des fois où je me demande vraiment comment ton cerveau fonctionne, Brennan.

— Ahurissant, n'est-ce pas ?

La porte a émis un déclic. Nous sommes montés au deuxième.

Ryan a frappé. Cette fois encore, Courtney Purviance a demandé que l'on montre patte blanche. Ryan s'est présenté. Des millions de serrures ont cliqueté, un nez a pointé dans l'entrebâillement. La porte s'est refermée. Un bruit de chaîne a retenti. La porte s'est rouverte.

Ryan m'a présentée comme une collègue. Mme Purviance nous a salués d'un hochement de tête avant de nous précéder dans la salle de séjour. La pièce, minuscule au départ, était encombrée de meubles. En fait, encombrée de tout. Étagères ou tables, la moindre surface croulait sous les souvenirs.

Au moment où nous avions sonné, la secrétaire était en train de regarder un épisode de *Law and Order*, et maintenant, Briscoe lançait à un suspect : « T'as rien compris ! »

Courtney Purviance a coupé la télé et s'est assise en face de Ryan. Elle était blonde et courte sur pattes, avec une bonne dizaine de kilos en trop. Elle devait avoir un peu plus de quarante ans.

Profitant de ce qu'elle parlait avec Ryan, j'ai détaillé les lieux. Le salon donnait en enfilade sur une salle à manger, qui donnait elle-même sur la cuisine. Le petit vestibule qui partait de la droite menait probablement à la chambre à coucher et à la salle de bains. La pièce où nous nous trouvions devait être la seule de l'appartement à recevoir un peu de lumière du jour, et pendant une heure encore.

J'ai reporté les yeux sur mes compagnons. Courtney Purviance avait les traits tendus et las. Cependant, quand elle bougeait et que son visage se retrouvait dans le rayon de soleil, elle devenait d'une beauté saisissante.

Ryan l'interrogeait sur Harold Klingman. Elle répondait sans cesser de tournicoter autour de son doigt la frange d'un coussin puis pour la lisser ensuite, expliquant que c'était un commerçant d'Halifax qui venait souvent voir Ferris à l'entrepôt quand il était de passage à Montréal.

— Ce vendredi-là, vous étiez malade, n'est-ce pas ?

— J'ai des problèmes de sinus.

Je l'ai crue sans mal : elle reniflait fréquemment entre ses phrases et s'était éclairci la voix à plusieurs reprises. Toutes les dix secondes ou presque, ses doigts quittaient le coussin pour aller essuyer son nez, et je devais mener un âpre combat intérieur pour ne pas lui proposer un mouchoir en papier.

— Vous m'avez dit l'autre jour que Ferris semblait déprimé depuis quelque temps. Vous pouvez m'en dire plus ?

Mme Purviance a levé une épaule.

— Je ne sais pas bien. Disons qu'il était plus silencieux.

— C'est-à-dire ?

— Il plaisantait moins souvent.

Le jeu avec la frange s'est accéléré.

— Il était plus renfermé.

— Vous savez pourquoi ?

Elle a reniflé. Sa main a abandonné le coussin pour frotter son nez.

— Peut-être qu'il avait des problèmes avec Miriam.

— Des problèmes sur le front conjugal ?

Elle a levé en même temps mains et sourcils, signifiant par là qu'elle s'en voudrait d'oser l'affirmer.

— M. Ferris ne vous a jamais laissé entendre qu'il avait des difficultés avec sa femme ?

— Pas directement.

Ryan lui a posé encore quelques questions sur ses rapports avec la femme de son patron avant de passer à un autre sujet.

Un quart d'heure plus tard, nous quittions la maison. Nous avons dîné tôt, boulevard Saint-Laurent. Ryan a voulu connaître mon impression sur la secrétaire. Selon moi, elle n'avait pas l'air de porter Miriam Ferris dans son cœur et elle devrait s'offrir des gouttes pour le nez.

Jeudi, j'ai reçu *The Jesus Scroll*, le livre de Donovan Joyce. Il était aux alentours de midi lorsque je l'ai ouvert dans l'intention de le feuilleter. À un moment, j'ai relevé la tête et vu qu'il neigeait. Plus tard, le ciel était devenu tout noir. Dans la cour, les petits chapeaux blancs des montants de la balustrade s'étaient transformés en grosses toques de fourrure.

Dans son ouvrage, Joyce développait une théorie encore plus tarabiscotée que l'intrigue du roman que j'avais lu dans l'avion. En gros, la voici :

Jésus, bâtard de Marie, n'était pas du tout mort sur la croix. Il avait épousé Marie-Madeleine, vécu jusqu'à un âge avancé et rédigé son testament, avant de trouver la mort au cours du siège de Massada.

Le résumé que m'avait fait Jake de la rencontre entre Joyce et Grosset était rigoureusement exact. L'Australien expliquait qu'il était tombé sur Grosset par hasard à l'aéroport Ben Gourion, en décembre 1964. Celui-ci, un Américain malgré son fort accent britannique, lui avait dit avoir participé aux fouilles de Massada, l'année précédente en tant que bénévole, et découvert là-bas le rouleau de Jésus, qu'il aurait caché sur place et récupéré plus tard en retournant à Massada. Il l'avait montré à Joyce dans les toilettes de l'aéroport.

En découvrant le texte, Joyce avait pensé que c'était de l'hébreu. Grosset lui avait alors expliqué que c'était de l'araméen et il lui en avait traduit la première ligne : *Yeshua ben Ya'akob Gennesareth*, «Jésus de Gennesareth, fils de Jacob/Jacques». Selon Grosset, l'auteur du manuscrit révélait plus loin une chose stupéfiante : à savoir qu'il était le dernier descendant de la lignée des Maccabées, rois d'Israël.

Ensuite Grosset aurait proposé cinq mille dollars à Joyce pour qu'il sorte le rouleau d'Israël. Joyce avait refusé. Par la suite, Grosset se serait débrouillé pour parvenir à ses fins sans l'aide de personne, et le rouleau serait maintenant en Russie.

Plus tard, se voyant refuser l'autorisation de se rendre à Massada pour effectuer les recherches nécessaires au livre qu'il avait en chantier, Joyce s'était rappelé le rouleau entrevu dans les toilettes des hommes de l'aéroport Ben Gourion et il avait fait des recherches sur le nom cité au début du parchemin. Il en avait conclu que l'appellation « fils de Jacob/Jacques » sous-entendait ceci : Joseph étant mort sans descendance, l'enfant illégitime de Marie avait été élevé par son frère Jacques, comme le préconisait la loi juive. Quant à ce mot de « Gennesareth », c'était l'un des nombreux noms donnés au cours de l'histoire à la mer de Galilée.

Joyce était à ce point convaincu de l'authenticité du rouleau qu'il avait passé les huit années suivantes à faire des recherches sur la vie de Jésus.

J'étais toujours plongée dans ma lecture quand Ryan a débarqué avec assez de provisions pour nourrir toute la prison de Guadalajara.

J'ai décapsulé un Coke Diète, Ryan une Moosehead, tradition oblige. Tout en mangeant des enchiladas, je lui ai résumé les points importants du bouquin de Joyce.

— Jésus se considérait comme un descendant de la lignée des Asmonéens.

Ryan m'a regardée.

— Les rois Maccabées. Son mouvement n'était pas purement religieux, il visait le pouvoir politique.

— Ah, ah. Encore une théorie du complot, a fait Ryan en plongeant un doigt dans le guacamole.

Je lui ai tendu une tortilla.

— D'après Joyce, Jésus voulait être roi d'Israël, ce qui faisait grimper les Romains aux rideaux. La peine encourue était la mort. Jésus n'a pas été trahi, il s'est rendu de lui-même aux autorités après négociation par l'entremise d'un tiers.

— Judas, je gage ?

— Ouais. Le pari était que Pilate libérerait Barabbas et que Jésus se livrerait à sa place.

— Pour quelle raison Jésus aurait-il accepté ?

— Barabbas était son fils.

— Je vois.

Visiblement, Ryan ne croyait pas un mot de toute cette histoire.

— L'échange de prisonniers impliquait la mise en place d'un stratagème garantissant l'évasion. Évidemment, tout dépendait de la synchronisation.

— Dans la vie, tout est toujours une question de synchro.

— Tu veux la suite ?

— Est-ce qu'on a une chance d'avoir un épisode olé-olé ?

J'ai froncé les sourcils.

— Je t'en prie, continue. Je meurs d'envie de connaître la suite.

— Dans ce temps-là, on pratiquait deux formes de crucifixion — la lente et la rapide. Avec la lente, tu pouvais durer jusqu'à sept jours. Avec la rapide, tu mourais dans les vingt-quatre heures. D'après Joyce, Jésus et ses disciples se sont débrouillés pour que la solution rapide soit appliquée.

— C'est ce que j'aurais choisi, moi aussi.

— On était à la veille du sabbat, à quelques jours de la Pâque. Selon la loi juive, aucun cadavre ne devait rester en croix.

— Je croyais que la crucifixion était un spectacle organisé par les Romains, s'est exclamé Ryan en s'emparant d'une autre enchilada. Et les historiens s'accordent à dire que Pilate était un tyran et un despote. Qu'est-ce qu'il en avait à foutre, de la loi juive ?

— Il n'avait aucun intérêt à braquer inutilement la population contre lui. Quoi qu'il en soit, dans l'intrigue telle que Joyce l'a concoctée, on recourt à une drogue dont les effets ressemblent à ceux de la mort. Le *Papaver somniferum* ou la *Claviceps purpurea*.

— J'adore ça quand tu emploies des mots cochons.

— Il s'agit de pavot et d'ergot de seigle. C'est un acide lysergique qui produit des champignons. Comme l'héroïne et le LSD de nos jours. Ces deux poisons étaient connus en Judée. Cette drogue, donc, aurait été administrée à Jésus au moment où on lui humectait les lèvres avec une éponge au bout d'un roseau. Selon les Évangiles, Jésus a d'abord refusé qu'on l'hydrate. Quand il a finalement accepté, il est mort presque aussitôt.

— Mais tu disais qu'il avait survécu ?

— Pas moi, Joyce.

— Comment est-ce que tu fais descendre d'une croix un homme encore vivant alors que c'est bourré de témoins et de gardes tout autour ?

— Il suffit de tenir les témoins à distance et de soudoyer les gardes. Ce n'est pas comme si tu avais le coroner à côté.

— Attends, que je comprenne bien. Jésus est froid, il est mis au tombeau. Il recouvre ses esprits, réintègre la vie active et termine ses jours à Massada ?

— C'est ce que prétend Joyce.

— Il est fêlé, ton gars. Sa rencontre avec Grosset n'est peut-être qu'une histoire inventée de A à Z.

— C'est possible, ai-je dit en me resservant de la salsa. Mais peut-être aussi que c'est vrai.

Les jours suivants, j'ai fini le livre de Joyce et celui de Yadin sur Massada. Là aussi, Jake m'avait fait un résumé précis. Yadin datait les squelettes du temps d'Hérode et relatait le débat qu'avait suscité la découverte dans le palais du Nord de sa «famille de zélotes». En revanche, les restes de la grotte n'avaient droit qu'à une page à peine et à une seule photo.

Curieux.

Dimanche, je suis allée patiner avec Ryan sur le lac aux Castors. Après, orgie de moules à L'Actuel, rue Peel. J'ai choisi les moules marinières au vin blanc, Ryan la casserole à l'ail. Je me dois de lui rendre justice : Ryan peut avaler une quantité d'ail à tuer un marine sans que cela ne gêne en rien le voisinage.

Lundi, mes courriels comportaient la réponse du labo qui avait pratiqué les tests au carbone 14.

En tremblant, j'ai pointé ma souris dessus. Et si ce squelette n'avait pas plus d'un siècle ? S'il datait du Moyen Âge comme le suaire de Turin ?

Oui, mais s'il datait de l'époque du Christ ?

Tant pis ! Advienne que pourra. De toute façon, ce ne pouvait pas être Jésus. Trop vieux, d'après mes estimations ; trop jeune, si l'on suivait Joyce dans ses conclusions. J'ai cliqué deux fois sur l'icône du dossier.

Le laboratoire avait pu récupérer suffisamment de matériau organique pour refaire trois fois les tests pour chacun des échantillons d'os et de dent. Les résultats apparaissaient tout d'abord sous forme de données brutes, puis recalculés selon une date antérieure ou postérieure de quelques années à la nôtre, et enfin selon une fourchette exprimée en CE ou BCE — de notre ère ou avant notre ère. Sur le plan archéologique, rien de politiquement incorrect là-dedans.

J'ai consulté les datations obtenues à partir de la dent.

Échantillon 1 : Date moyenne   Date approximative :
(année repère-marge d'erreur) : 1970 ± 41 ans.   6 BCE-76 CE.

Échantillon 2 : Date moyenne   Date approximative :
(année repère-marge d'erreur) : 1937 ± 54 ans.   14 CE-122 CE.

Échantillon 3 : Date moyenne   Date approximative :
(année repère-marge d'erreur) : 2007 ± 45 ans.   47 BCE-43 CE.

N.B. : année de référence = 2005

J'ai regardé les datations obtenues à partir des fémurs. Équivalentes à celles que donnait la dent. Deux mille ans.

Le squelette était celui d'un contemporain du Christ.

Une sensation de vide total s'est abattue sur moi. Bientôt remplacée par le sentiment d'avoir à la place de la tête une arène où objections et questions jouaient aux auto-tamponneuses.

Qu'est-ce que tout cela pouvait bien signifier ?

Qui appeler en premier ?

Ryan ? Il était sur répondeur. Je lui ai laissé un message l'informant que les ossements avaient deux mille ans.

Jake ? Même message.

Qui d'autre ?

Le père Sylvain Morissonneau.

À présent, un sentiment d'urgence chassait de moi toutes mes incertitudes. Attrapant sac et parka, j'ai foncé vers la Montérégie.

Une heure plus tard, j'arrivais à l'abbaye Sainte-Marie-des-Neiges. Cette fois-ci, j'ai franchi directement la porte orange et me suis retrouvée dans l'entrée séparant la bibliothèque du couloir qui menait au bureau de l'abbé. Personne n'a montré le bout de son nez.

De quelque part sur ma droite s'élevait un cantique indistinct. Je suis partie dans cette direction.

Je n'avais parcouru qu'une dizaine de mètres quand une voix m'a interpellée.

— *Arrêtez** !

Plus une sommation qu'une prière.

Je me suis retournée.

— Vous n'avez pas le droit de vous trouver ici.

Dans la faible lumière, les yeux du moine semblaient privés de pupilles.

— Je viens voir le père Morissonneau.

Le visage encapuchonné s'est figé.

— Qui êtes-vous ?

— Le Dr Temperance Brennan.

— Pourquoi nous dérangez-vous dans notre douleur?

Les yeux noirs plongeaient directement dans les
miens.

— Excusez-moi, mais je dois parler au père abbé de
toute urgence.

Une sorte d'éclat est passé dans le regard du moine,
flamme d'allumette derrière un verre teinté.

Le moine s'est signé.

Ce qu'il m'a dit ensuite m'a glacée jusqu'à la moelle
des os.

Chapitre 16

— Mort ?

Les yeux de gargouille n'ont pas cillé.

— Quand ça ? Comment ?

— Pourquoi êtes-vous venue ?

La voix du moine n'était ni froide ni exaltée. Elle était neutre, exempte d'émotion.

— J'ai vu le père Morissonneau il y a très peu de temps. Il paraissait en pleine santé ! me suis-je exclamée sans chercher à dissimuler mon choc. Quand est-il mort ?

— Il y a presque une semaine.

Aucun sous-entendu derrière ses mots.

— Mais comment ça ?

— Vous êtes de la famille ?

— Non.

— Journaliste ?

— Non.

J'ai fouillé dans mon sac à la recherche d'une carte de visite. Le moine l'a lue attentivement. Il a relevé les yeux sur moi.

— Mercredi dernier, le 2 mars, le père abbé n'est pas rentré de sa promenade du matin. On a fouillé les lieux. On l'a retrouvé sur un chemin du parc.

J'ai pris une goulée d'air.

— Son cœur a lâché, poursuivait le religieux.

— Le père abbé avait un médecin traitant ?

— Je n'ai pas la liberté de vous donner ce renseignement.

— Il souffrait du cœur ?

Le moine n'a pas pris la peine de me répondre.

— Le coroner a été prévenu ?

— Le Seigneur Dieu règne sur la vie et la mort. Nous acceptons sa sagesse.

— Pas le coroner, ai-je jeté sèchement.

Images stroboscopiques du crâne brisé de Ferris ; du père Morissonneau caressant la caisse contenant les ossements antiques ; de la *Résurrection* de Burne-Jones. Une phrase aussi, à propos du djihad. Et un mot : « Assassiné ».

Je commençais à avoir peur. Et à me fâcher.

— Où est le père Morissonneau, maintenant ?

— Auprès du Seigneur.

Du regard, j'ai signifié au moine de ne pas me prendre pour une conne.

— Je parle de son corps.

Le moine a froncé les sourcils.

J'ai froncé les miens.

Un bras drapé dans une vaste manche m'a désigné la porte. On me fichait dehors.

J'aurais pu protester que la mort du prêtre devait faire l'objet d'un rapport aux autorités, et qu'en n'y souscrivant pas, les moines enfreignaient la loi. Il ne m'est pas paru opportun de le signaler. Marmonnant des condoléances, je me suis hâtée vers la sortie.

Sur le chemin du retour, ma crainte a augmenté. Qu'est-ce que Jake m'avait dit, déjà, au sujet de ce squelette ? Que révéler son existence pouvait s'avérer plus que dangereux — avoir l'effet d'une bombe.

Comment ça, une bombe ?

Avram Ferris avait détenu le squelette et il avait été tué. Sylvain Morissonneau avait détenu le squelette et il était mort. Maintenant, c'était moi qui le détenais. Est-ce que j'étais en danger ?

Toutes les deux minutes, je me surprenais à jeter un coup d'œil au rétroviseur.

Morissonneau était-il mort de mort naturelle ? Il avait dans les cinquante ans, il paraissait fait pour durer.

Aurait-il été assassiné ?

Je me sentais oppressée, à l'étroit dans ma voiture. J'avais l'impression de mourir de chaleur alors que le temps était glacial. J'ai baissé ma fenêtre.

Ferris était mort pendant le week-end du 12 février. Kessler/Kaplan était entré en Israël le 27. L'abbé Morissonneau avait été retrouvé mort le 2 mars.

Si cette dernière mort faisait partie du même jeu horrible, Kaplan ne pouvait pas y avoir pris part.

À moins qu'il ne soit rentré au Canada.

J'ai jeté un œil dans mon rétroviseur. La route était vide.

J'étais allée voir l'abbé le samedi 26 février. Il était mort quatre jours plus tard.

Coïncidence ?

Peut-être. Mais grosse comme le lac Titicaca.

Il était temps de prévenir les autorités israéliennes.

Pour un lundi, le laboratoire était relativement calme. Seulement quatre autopsies en bas, à la morgue.

En haut, LaManche était sur le départ. Il devait faire une conférence au Collège canadien de police d'Ottawa. Je l'ai rattrapé dans le couloir et lui ai fait part de mes inquiétudes concernant la mort du père abbé. Il a répondu qu'il s'en occuperait.

Je lui ai également communiqué les résultats des analyses au carbone 14 pratiquées sur le squelette.

— Vu son âge, je vous laisse toute autorité pour le remettre à qui de droit.

— Très bien, je vais m'en charger.

— Ne tardez pas. Nous ne sommes pas riches en espace de stockage…

Le patron a marqué une pause.

— Mieux vaudrait éviter de froisser l'une ou l'autre de nos communautés religieuses.

Avait-il en tête l'autopsie de Ferris ?

Nouvelle pause.

— Aussi peu vraisemblable que cela paraisse, les incidents diplomatiques naissent parfois de circonstances à première vue inoffensives. Nous n'aimerions pas nous retrouver dans cette situation. Agissez au plus vite, je vous prie.

Arrivée dans mon bureau, j'ai appelé Jake comme promis. Toujours pas de réponse. J'ai laissé un message l'informant que je m'apprêtais à contacter les autorités israéliennes pour leur restituer le squelette.

Mais à qui m'adresser ? Lorsque j'avais promis à Jake de ne rien faire sans le contacter au préalable, je n'avais pas songé à lui poser la question. Maintenant il était injoignable et LaManche voulait que l'affaire soit réglée dans les plus brefs délais.

Mes pensées ont emprunté un chemin de traverse. Pourquoi Jake était-il si opposé à l'idée que je m'adresse aux Israéliens ? Que craignait-il ? Y avait-il là-bas quelqu'un qu'il voulait tenir en dehors de cette histoire ?

Qui contacter en Israël ? La police ? Quel intérêt pour elle de récupérer un mort vieux de deux mille ans ? Non, si ce squelette devait intéresser une instance en particulier, c'était celle chargée du patrimoine culturel. Il ne fallait pas être archéologue pour savoir que la plupart des pays possédaient des institutions chargées de veiller à la préservation des antiquités nationales.

Je me suis branchée sur Google. Les mots « Israël » et « antiquités » ont fait apparaître diverses adresses. Toutes incluaient une référence à l'Autorité des antiquités d'Israël. Cinq minutes de navigation et j'avais un numéro de téléphone.

Onze heures vingt du matin chez nous. Six heures et demie du soir là-bas. Autrement dit : plus personne au bureau.

À tout hasard, j'ai composé le numéro.

Une dame a répondu à la seconde sonnerie.

— *Shalom.*

— *Shalom*. Je suis le Dr Temperance Brennan. Excusez-moi, mais je ne parle pas hébreu.

— Vous êtes à l'Autorité des antiquités d'Israël.

Un anglais teinté d'un fort accent.

— J'appelle du Canada, du Laboratoire de sciences judiciaires et de médecine légale de Montréal.

— Pardon ?

— Je suis anthropologue judiciaire au laboratoire médico-légal de Montréal.

— Je vous écoute.

Ennui mâtiné d'impatience.

— Des restes sont apparus dans des circonstances assez peu ordinaires…

— Quel genre de restes ?

— Un squelette humain.

— Ah ?

Ennui moins patent.

— Des preuves tendent à suggérer que ce squelette aurait été découvert à Massada lors des fouilles de Yigael Yadin, dans les années soixante.

— Votre nom, s'il vous plaît ?

— Temperance Brennan.

— Attendez, je vous prie.

Ce que j'ai fait. Pendant cinq bonnes minutes. Enfin, la dame est revenue. Plus du tout ennuyée, à présent.

— Puis-je savoir comment ce squelette est entré en votre possession ?

— Non.

— Pardon ?

— J'expliquerai la situation aux autorités compétentes.

— L'AAI est l'autorité compétente.

— Qui en est le directeur, s'il vous plaît ?

— Tovya Blotnik.

— Je crois que c'est à lui que je devrais parler.

— Il est parti pour la journée.

— Est-il possible de le joindre…

— Le Dr Blotnik déteste être dérangé chez lui.

Pour une raison quelconque, je me sentais peu encline à divulguer l'histoire. Parce que Jake me l'avait demandé ? Parce que LaManche avait parlé d'incidents diplomatiques ? Parce que mon instinct me soufflait de ne pas le faire ? Je n'aurais su le dire, mais le fait était là.

— Je m'en voudrais de paraître grossière, mais je préférerais parler au directeur.

— Je suis anthropologue physique à l'AAI. Si ces ossements doivent nous revenir, c'est à moi que le Dr Blotnik demandera d'organiser le transfert.

— Et vous êtes ?

— Ruth Anne Bloom.

— Je suis désolée, docteur Bloom, mais j'aurai besoin de l'approbation directe de votre directeur.

— C'est une demande qui sort nettement de l'ordinaire.

— Le squelette aussi. C'est pourquoi je me permets d'insister.

Silence au bout de la ligne.

— Puis-je avoir un numéro où vous joindre ? a-t-elle lâché sur un ton glacial.

Je lui ai donné mon numéro de cellulaire et celui de mon téléphone au labo.

— Je transmettrai votre message.

Je l'ai remerciée chaudement avant de raccrocher.

Revenant à Google, j'ai tapé : « Tovya Blotnik ». Le nom est apparu dans plusieurs articles traitant d'un sarcophage appelé l'ossuaire de Jacques, qui soulevait une polémique. Partout, Blotnik était cité en tant que directeur général de l'AAI.

OK, Blotnik était bien le gars qu'il me fallait. Pourtant, quelque chose me disait de me méfier de Ruth Anne Bloom. Pourquoi ?

Je n'en savais trop rien. Mais, là encore, le fait est que je n'avais pas l'esprit tranquille.

Je prenais les dernières photos du squelette quand Ryan est apparu de l'autre côté de ma vitre. La mine réjouie. Le chat qui vient d'attraper une souris. Je lui ai fait signe d'entrer.

— Ils l'ont épinglé !

— Qui ça ? Dis-moi, sinon je mords !

— OK. Hershel Kaplan.

— Comment ils ont fait ?

— Ce génie a oublié de passer à la caisse dans un magasin.

— Il a volé quelque chose ?

— Un collier glissé dans sa poche par mégarde. Une erreur épouvantable. Il avait parfaitement l'intention de payer.

— Bien sûr.

— J'aimerais bien lui botter le cul jusqu'au Canada.

— Tu peux y arriver ?

— Uniquement s'il est sous le coup d'une inculpation chez nous. Là, on peut demander l'extradition par l'intermédiaire des Affaires étrangères.

— Tu as de quoi l'inculper ?

— Pas vraiment.

— Et puis il lutterait par tous les moyens pour empêcher cette décision.

— Évidemment... Où tu en es avec ton Massada Max ? a fait Ryan en désignant du menton le squelette.

— Le carbone 14 place sa naissance aux alentours de la nuit où les Rois mages virent l'étoile de Bethléem.

— Sans farce.

— J'essaie de le réexpédier dans son pays d'origine.

J'ai rapporté à Ryan ma conversation avec l'AAI.

— Qu'est-ce qui a fait vibrer ton sonar pour que tu ne veuilles pas parler à cette dame ?

— Le fait que Jake se méfie de quelque chose, j'imagine. Je ne peux pas vraiment dire. Une petite voix m'a soufflé d'attendre d'avoir Blotnik au bout du fil.

— C'est probablement la bonne décision.

— Il y a autre chose.

Quand j'ai annoncé à Ryan la mort de l'abbé Morissonneau, ses sourcils ont plongé. Il s'apprêtait à faire une remarque quand mon cellulaire et son téléavertisseur ont sonné en même temps.

Ayant décroché l'appareil de sa ceinture et regardé le nom affiché à l'écran, il a désigné le téléphone sur mon bureau. J'ai hoché la tête et me suis éclipsée dans le labo voisin.

— Temperance Brennan.

— Tovya Blotnik, je vous appelle de Jérusalem.

Une voix de père Noël. Puissante et joyeuse en diable.

— Je suis ravie de vous entendre, monsieur. Je n'attendais pas votre appel avant demain matin.

— Ruth Anne Bloom m'a appelé chez moi.

Malgré son interdiction formelle d'être dérangé ?

— Je vous remercie de prendre le temps de me rappeler.

— Je vous en prie, je vous en prie. C'est toujours un plaisir de satisfaire des collègues étrangers, a fait Blotnik avec un petit rire. Vous travaillez pour un coroner au Canada ?

Je lui ai expliqué en quoi consistait mon métier.

— Très bien. Si j'ai bien compris, il s'agirait d'un squelette provenant de Massada ?

J'ai décrit la photo à l'origine de toute l'affaire. Après quoi, me gardant bien de nommer qui que ce soit, j'ai expliqué que ce squelette, volé au Musée de l'Homme (par Yossi Lerner), puis caché au Canada (par Avram Ferris d'abord, par l'abbé Morissonneau ensuite), avait abouti entre mes mains et que j'avais ordonné des analyses au carbone 14.

Je n'ai pas mentionné Hershel Kaplan. J'ai passé sous silence le livre de Joyce et les mobiles pour lesquels le squelette avait été dérobé et caché. Je n'ai pas non plus mentionné les tests d'ADN.

Enfin, n'ayant évoqué ni Ferris ni l'abbé, je n'ai pas dit qu'ils étaient morts.

Lorsque Blotnik a voulu savoir comment je m'étais procuré la photo du squelette, j'ai affirmé l'avoir reçue d'un membre de la communauté juive de Montréal.

Réponse véridique et amplement suffisante.

— Tout cela n'est certainement qu'une farce, a déclaré le directeur de l'AAI, mais on peut difficilement faire comme si de rien n'était, n'est-ce pas ?

Son rire jovial m'a paru quelque peu forcé.

— Bien sûr.

— J'imagine qu'à présent vous aimeriez bien vous débarrasser de ces ossements.

— J'ai toute latitude pour vous les remettre. Si vous m'indiquez où les expédier, je verrai avec Federal Ex…

— Surtout pas !

Réaction immédiate, qui n'avait plus rien de jovial.

J'ai attendu qu'il s'explique.

— Je m'en voudrais de vous créer toutes ces complications. Je vais vous envoyer quelqu'un.

— D'Israël au Québec ?

— Cela ne me pose aucun problème.

Vraiment ?

— Les matériaux archéologiques font l'objet de transports internationaux à longueur de temps, docteur Blotnik. Je serai heureuse d'empaqueter ces ossements avec le plus grand soin et d'utiliser les services d'expédition de votre choix…

— Je me dois d'insister. Nous avons connu récemment des complications malheureuses. Peut-être avez-vous entendu parler de l'ossuaire de Jacques ?

Je me rappelais vaguement avoir lu des choses dans les liens Internet à propos d'un objet prêté au Musée royal de l'Ontario et endommagé.

— Vous voulez parler du sarcophage abîmé lors du transport à Toronto ?

— Brisé en mille morceaux, vous voulez dire !

— Eh bien, monsieur, nous agirons selon votre choix.

— Je vous en remercie. C'est la meilleure solution, croyez-moi. Je vous rappellerai sous peu pour vous donner le nom de notre émissaire.

Je n'ai pas eu le temps d'ouvrir la bouche que Blotnik enchaînait :

— Le squelette est en lieu sûr ?

— Naturellement.

— Assurez-vous que personne n'y a accès. Dans cette affaire, la sécurité est primordiale.

Je suis revenue dans mon labo au moment où Ryan raccrochait.

— Kaplan refuse de parler. Le gars des crimes majeurs va lui mettre un peu de pression… Et toi, mon petit soleil ?

— Je ne sais que penser. Je trouve qu'il y a un peu trop de mystère autour de ce squelette, même si c'est le fameux squelette manquant de Massada. Au cas où il en manque un pour de vrai.

J'ai résumé à Ryan ma conversation avec Blotnik. Il convenait qu'envoyer un émissaire à quinze mille kilomètres pour transporter un squelette, c'était un peu beaucoup.

— Un peu, oui. Surtout qu'il existe des sociétés qui ne font que ça.

— Voici ce que je propose, a fait Ryan en posant les deux mains sur mes épaules. On dîne gentiment quelque part, on rentre chez toi et l'on passe à l'une de ces activités qui dérivent de l'art de la danse.

— Je n'ai toujours pas acheté le slip rouge.

Mon regard a dévié vers la fenêtre. Je me sentais impatiente et agitée sans savoir pourquoi. Ryan m'a caressé la joue.

— Ne t'inquiète pas, Tempe. Rien ne changera durant la nuit.

Ryan se trompait à mort.

Chapitre 17

Cette nuit-là, j'ai rêvé d'un monsieur qui s'appelait Tovya Blotkin.

Il portait des lunettes noires et un chapeau noir comme Belushi et Aykroyd dans leur fameux *Blues Brother*s. Accroupi, il grattait le sol avec une truelle. Il faisait nuit et, chaque fois qu'il remuait la tête, la lune se reflétait dans l'un des verres de ses lunettes.

Il ramassait quelque chose par terre, se levait et l'offrait à quelqu'un qui se tenait de dos. À un moment donné, cette seconde personne se retournait. Je reconnaissais alors le père Sylvain Morissonneau. Il avait dans les mains un petit objet enveloppé dans une toile noire.

Tandis qu'il le frottait pour le nettoyer de sa terre, de la lumière jaillissait de ses doigts. Une lumière qui devenait peu à peu un tableau : quatre personnages dans un tombeau, deux anges, une femme et Jésus debout entre eux.

Puis, les traits de Jésus se dissolvaient, laissant place à un crâne d'un blanc étincelant qui se transformait à son tour, à partir des orbites et de ses autres orifices, en un visage différent, à la façon dont se meut une nappe de brume emprisonnée dans un cirque de montagnes. Et ce visage était celui du jésus accroché au-dessus du lit de ma grand-mère, dont les yeux vous suivaient où que vous alliez. Le jésus qui m'avait terrifiée tout au long de mon enfance.

Je voulais fuir. J'étais paralysée.

La bouche de Jésus s'ouvrait. Une dent s'en échappait. Et cette dent grandissait de plus en plus et roulait vers moi en décrivant une spirale.

J'essayais de la repousser du plat de la main, mais…

La pièce était plongée dans le noir, seuls étaient visibles les chiffres sur mon radio-réveil. Ryan ronflait doucement près de moi.

D'habitude, mes rêves ne sont pas des casse-tête freudiens. Mon subconscient sélectionne des événements et les réunit en une tapisserie psychédélique. Qu'est-ce qui avait pu déclencher celui-ci ? La phrase du père Morissonneau sur le caractère idyllique des tableaux de Burne-Jones ?

Mon réveil indiquait cinq heures quarante-deux.

J'ai essayé de me rendormir.

À six heures et quart, j'ai renoncé.

Birdie m'a suivie à la cuisine. Je me suis préparé un café. Charlie a poussé son cri de loup et s'est jeté comme un fou sur son plat de graines.

J'ai emporté ma tasse dans le salon et me suis installée sur le canapé. Birdie a sauté sur mes genoux.

Dehors, deux moineaux fourrageaient dans la neige de la cour. Sans rien trouver à picorer. Si quelqu'un pouvait comprendre leur frustration, c'était moi.

La mienne pouvait se résumer ainsi : un squelette soulevant trop de questions sans réponse ; la mort inexplicable du père Morissonneau ; l'affaire Ferris qui piétinait.

Jake qui ne répondait pas à mes messages.

Peut-être que si, après tout ?

Sur la pointe des pieds, je suis allée chercher mon sac dans la chambre à coucher. De retour au salon, j'en ai sorti mon cellulaire.

Il avait appelé. Et même deux fois.

Merde ! Comment avais-je pu ne pas l'entendre ?

C'est que j'étais en pleine activité festive avec Ryan.

Il m'avait laissé un message tout simple. Le même les deux fois : « Rappelle-moi. »

J'ai enfoncé nerveusement les touches. Il a décroché dans l'instant. J'ai attaqué d'emblée :

— Une chance que tu aies la couverture mondiale parce que, avec tous ces appels à Jérusalem, je vais être forcée d'hypothéquer ma maison de Saint-Bart'.

— Tu as une cabane à Saint-Bart' ?

— Non. J'aimerais bien.

Birdie est venu occuper sa place sur mes genoux.

— J'ai tes résultats pour le carbone 14. Le squelette a dans les deux mille ans.

— Tu as prévenu quelqu'un ?

— L'AAI. Impossible de faire autrement, Jake.

— Tu as parlé à qui ? a-t-il demandé sur un ton insistant.

— Tovya Blotnik. Il veut envoyer quelqu'un à Montréal pour récupérer les os.

— Il sait que tu as prélevé des échantillons pour des tests d'ADN ?

— Non. Ces analyses prendront plus longtemps, je te l'ai dit.

Jake n'a pas réagi.

— Tu l'as prévenu, pour la dent ?

— Non. Je me suis dit que tu préférerais qu'on en discute d'abord. Mais il y a une chose, Jake... L'abbé qui m'a remis le squelette, eh bien il est mort.

— Sacrifice ! Son tic-tac s'est arrêté tout seul ?

— Je ne sais pas.

Un blanc, puis :

— Blotnik t'a dit quelque chose au sujet d'un tombeau ou d'un ossuaire ?

— Il a parlé d'un ossuaire de Jacques.

Autre vide, comblé de mon côté par un chant de Charlie, tirée de *Strokin'*, le succès de Clarence Carter. À quoi la perruche avait-elle pu assister hier soir ?

— Tu es sûre qu'il a dit : « l'ossuaire de Jacques » ?
poursuivait Jake.

Sa voix m'a ramenée au sujet qui nous intéressait.

— Certaine. C'est quoi, cette histoire d'ossuaire ?

— Ce n'est pas important pour le moment. Écoute-
moi bien, Tempe. Écoute attentivement, c'est capital :
pas un mot à qui que ce soit sur les échantillons d'ADN.
D'accord ? Tu peux garder l'info pour toi encore un peu,
quand même ?

— Pourquoi ?

— Est-ce que tu peux juste me faire confiance et me
jurer de ne parler à personne de ces tests d'ADN pour le
moment ?

— Pour le moment, je n'ai rien à en dire.

— Et je ne veux pas que tu remettes ce squelette à
Blotnik.

— Jake, je…

— Je t'en prie. Est-ce que tu peux faire ça pour moi ?

— Oui, si tu m'expliques pourquoi. Pourquoi est-ce
que je ne dois pas coopérer avec l'AAI ?

— Je ne peux pas te le dire par téléphone.

— Si Massada est le lieu d'origine du squelette, je
suis légalement tenue de le réexpédier en Israël. Je n'ai
pas le choix.

— Apporte-le toi-même. Je te rembourserai les frais.

— Tu veux que je me balade à l'autre bout du monde
pour tes beaux yeux ?

— Oui ! Je m'occuperai de Blotnik.

Lui apporter le squelette moi-même ? Mais qu'est-ce
que je dirai à LaManche, à Ryan ? Et qui s'occupera de
Birdie et de Charlie ?

Mon Dieu, je réfléchissais comme ma mère.

— Je vais y penser, Jake.

— Fais pas chier, Tempe. Viens juste en Israël avec le
squelette.

— Tu ne crois quand même pas sérieusement que je
détiens le squelette de Jésus ?

Longue pause.

Quand Jake a repris la parole, c'était d'une voix différente, plus étouffée, sur le qui-vive.

— Tout ce que je peux dire, c'est que je suis sur
quelque chose d'énorme.

— D'énorme ?

— Si j'ai raison, c'est gigantesque. Allez, Tempe.
Prends un billet. Si tu veux, je te fais la réservation. Je
viendrai te chercher à Ben Gourion. Ne dis à personne
que tu viens.

— Je m'en voudrais de gâcher ton heure de gloire,
George Smiley, mais…

— Promets-moi de venir !

— Je vais y réfléchir.

Et j'y réfléchissais justement quand Ryan a fait son
apparition. Il avait passé un jeans. Rien d'autre. Un
jeans posé très bas sur les hanches.

Ma libido s'est redressée.

Il n'a pas manqué de s'en apercevoir.

— Si tu veux, je peux laisser tomber le Levi's,
comme ça tu pourras lorgner la zone interdite en toute
tranquillité.

J'ai levé les yeux au plafond.

— Du café t'attend dans la cuisine.

Il a déposé un baiser sur ma tête et bâillé avant de disparaître. Birdie a sauté par terre et trottiné derrière lui.

J'ai entendu un cliquetis, puis la porte du réfrigérateur. Ryan est réapparu, ma tasse de l'Association de
la médecine légale américaine dans les mains. Il s'est
laissé choir dans un fauteuil, les jambes étendues devant
lui.

Charlie a sifflé une phrase tirée de *Dixie*, puis est
repassé à *Strokin'*.

— Je t'ai bien entendue parler au téléphone, n'est-ce
pas ?

J'ai reposé mon cellulaire.

— Jake veut que je lui apporte le squelette en Israël.
Il insiste beaucoup.

— Terre de soleil et de joies.

— Et de bombes humaines.

Il a soufflé sur son café.

— Tu veux y aller ?

— Oui et non.

— J'aime les femmes qui savent ce qu'elles veulent.

— J'ai toujours rêvé d'aller en Terre sainte.

— Tu n'as pas beaucoup de boulot ces temps-ci. Ton labo ne va pas imploser si tu t'absentes une semaine.

— Et les garçons ? ai-je objecté en désignant Birdie et Charlie. Et si Katy a besoin de moi ?

En m'entendant prononcer cette phrase, je me suis sentie idiote. Ma fille a vingt-quatre ans. Elle habite à mille deux cents kilomètres d'ici et à un quart d'heure en voiture de chez son père.

— C'est la violence qui te fait flipper ?

— Je suis allée dans des endroits plus dangereux.

— Alors, qu'est-ce qui te retient ?

Je n'avais rien à répondre à cela.

En fait, on avait besoin de moi au labo.

Deux enfants avaient découvert des ossements dans une malle au fond du grenier, chez leur oncle. Les policiers à la rescousse !

Il s'agissait bien d'ossements humains. Ceux d'une femme blanche, morte à l'âge de trente ou quarante ans.

Détail important, tous les os présentaient des trous minuscules, et certains avaient encore des bouts de ficelle.

L'os du genou était attaché à l'os de la cheville. L'os de la cheville, attaché à celui du pied.

Vous avez le topo : l'oncle avait dû être prof de médecine. Le squelette inconnu retrouvé par les enfants avait été utilisé pour des cours d'anatomie.

À neuf heures cinq, j'avais bouclé mon rapport.

Après le déjeuner, j'ai repensé à Jake et à la découverte énorme qu'il avait faite. De quoi s'agissait-il ? Et pourquoi s'inquiétait-il autant à propos du squelette, de ce Massada Max, comme Ryan l'avait surnommé ? En aucun cas, Max ne pouvait être Jésus. Question d'âge, c'était un fait acquis.

Jake et Blotnik avaient tous deux fait référence à un ossuaire de Jacques.

Sur le Net, plusieurs articles traitaient de ce sujet. Prise de curiosité, j'ai navigué un moment dans le cyberespace.

J'en ai rapporté les renseignements suivants.

L'ossuaire est un petit coffre en pierre.

Cet objet remplissait une fonction importante dans les rites funéraires des Juifs d'Israël au Ier siècle de notre ère. Le mort était déposé dans un tombeau et abandonné à la décomposition. Un an plus tard, ses ossements étaient rassemblés dans un ossuaire pour y demeurer à tout jamais.

Des milliers de ces coffrets antiques ont été découverts partout en Israël et en Palestine. On en trouve chez les antiquaires pour quelques centaines de dollars.

L'ossuaire de Jacques, en pierre de chaux, date du Ier siècle. Il mesure environ soixante centimètres de long et porte une inscription en araméen : *Jacques, fils de Joseph, frère de Jésus*.

Sa découverte a fait tout un vacarme lorsqu'elle a été rendue publique, en 2002. Avant ça, à en croire de nombreux savants, aucune preuve matérielle en dehors des textes ne corroborait l'existence de Jésus. Et brusquement, un objet nous reliait physiquement à lui.

Une révélation de taille. D'accord.

En 2003, un comité d'authentification fut constitué sous l'égide de l'AAI. Le coffret en tant que tel fut déclaré authentique mais pas son inscription. Et ce, principalement, sur la base de la patine, laquelle avait été soumise à une analyse isotopique à l'oxygène.

La conclusion engendra une polémique parmi les experts. Certains accusèrent le comité d'avoir bâclé le travail et rendu ses conclusions prématurément.

Résultat des courses ? Personne ne discute l'âge du coffret. Les uns avalent tout le sandwich, pain et jambon. Les autres rejettent le jambon, c'est-à-dire l'inscription, et, là encore, ils se divisent en deux groupes : ceux qui la rejettent en bloc, et ceux qui l'acceptent en partie.

Ryan a débarqué vers les deux heures.

Une fesse posée sur mon bureau, il m'a regardée en levant les sourcils.

Je l'ai regardé en levant les sourcils.

— Pour rigoler, j'ai fait une vérification sur ton monastère. L'adresse a fait apparaître quelque chose d'intéressant.

Je me suis calée sur mon dossier.

— Il y a une semaine jour pour jour, le poste de police de Saint-Hyacinthe a enregistré une plainte émanant du frère André Gervais.

— C'est un moine de Sainte-Marie-des-Neiges ?

Ryan a hoché la tête.

— Apparemment, la communauté s'angoissait à cause d'une bagnole avec deux gars à l'intérieur qui était stationnée dans l'enceinte de l'abbaye. Les policiers ont envoyé une patrouille.

Ryan a marqué une pause, soucieux de ménager son effet.

— Le conducteur et le passager étaient des ressortissants palestiniens.

— Doux Jésus.

— Non. Lui, il appartient à l'équipe adverse. Eux, c'était Jamal Hasan Abu-Jarur et Mohammed Hazman Shalaideh, a lu Ryan dans son carnet à spirale, et ils étaient dans une voiture de location.

— Qu'est-ce qu'ils fichaient là ?

— Ils s'étaient perdus. Comme ils n'étaient pas fichés et que leurs visas étaient valides, le policier leur a dit d'admirer le point de vue ailleurs.

— Quel jour c'était ?

— Le 1er mars.

J'ai ressenti des picotements à la tête.

— Trois jours après ma visite. Un jour avant la mort du père abbé.

— C'est peut-être une coïncidence.

— Ça commence à en faire beaucoup.

— Et maintenant, les bonnes nouvelles.

— Pas trop tôt.

— Au cours des deux années qui ont précédé sa dernière incarcération, Hershel Kaplan s'est rendu quatorze fois en Israël. Apparemment, il a pour cousin l'un des antiquaires les moins scrupuleux de tout Jérusalem.

— Arrête !

— Je suis en contact avec un détective des crimes majeurs. Ira Friedman. Il a fait du bon boulot, il a arrêté Kaplan pour toutes les infractions possibles et imaginables aux lois sur les antiquités : protection des lieux saints, violation de sépulture, destruction de biens culturels, fraude fiscale, contrebande, entrée par effraction, bris de serrure, révolte sur le *Bounty*, meurtre de Lesnitsky, kidnapping de Rapunzel, vol de la Toison d'or et naufrage de l'*Edmund Fitzgerald*.

— Ton Friedman a vraiment énuméré tout ça ?

— Je paraphrase. Il a conseillé à Kaplan de songer sérieusement à son avenir. Il a mentionné mon nom en passant et laissé entendre que le Canada aimerait bien discuter des provisions disponibles pour certains chèques.

— Malin.

— Ça a marché. Kaplan s'est senti soudainement intéressé à jaser avec des gens de par chez lui.

— Ce qui signifie ?

— Il me veut. Moi, rien que moi.

— Voilà quelqu'un qui a un bon instinct.

Ryan m'a décoché un sourire aussi grand que le Chattahoochee.

— Friedman veut que je vienne à Jérusalem. Mes boss sont d'accord.

— Tu veux dire que la Sûreté du Québec accepte de payer les frais ?

— Stupéfiant, hein ? Les Affaires étrangères ont refilé le bébé à la GRC qui nous l'a refilé. Et comme l'affaire Ferris est sous ma houlette, c'est moi qui ai reçu le billet gratuit.

— Je sens que nous allons être très demandés en Israël.

— Devrions-nous rendre service ?

— Oh ! oui.

Chapitre 18

L'avantage qu'il y a à se rendre dans un pays en guerre, c'est que l'avion ne risque pas d'être surbooké.

Pendant que je réservais les billets sur Air Canada, Denis s'est chargé d'envelopper notre Max et de l'emballer dans un sac de sport. Après ça, j'ai foncé chez moi régler le problème du chat et de la perruche. Winston, le gardien de l'immeuble, a bien voulu s'occuper d'eux en échange d'un peu de whisky.

Je tirais la fermeture éclair de ma valise quand Ryan a sonné. Le temps de sortir de sa cachette une souris en herbe à chat et de la lancer à Birdie, et j'ai rejoint Ryan dehors.

Je le connais depuis des années, Ryan ; j'ai fait plusieurs voyages avec lui. S'il possède mille et une qualités rares, la patience dans les aéroports n'entre pas dans la liste.

Nous devions prendre la navette de sept heures du soir pour Toronto. Pendant tout le trajet, il n'a pas cessé de pester contre ces lois qui vous obligent à vous enregistrer des heures à l'avance, et contre ces escales qui n'en finissent pas.

Côté sécurité, pas d'inquiétude à avoir. Le vol pour Tel-Aviv étant supervisé par El Al, les consignes étaient plus strictes qu'à Los Alamos pendant les années quarante. Expliquer vingt fois en long et en large ce que contenait mon sac et produire les papiers justifiant mes dires, démontrer par A plus B le caractère inoffensif de mes petites culottes, raconter nos CV de A à Z et exposer par le menu nos rêves d'avenir, tout cela nous a menés à plus de dix heures du soir.

Ryan a employé les quelques minutes qui lui restaient à faire la conquête de l'hôtesse au sol. Victoire ! Entre deux petits rires, elle nous a gentiment surclassés en classe affaires. Embarquement à l'heure prévue, décollage à l'heure prévue. Un miracle de l'aviation.

L'avion avait à peine atteint son altitude de croisière que Ryan en était déjà à échanger avec l'hôtesse des sourires pleins de dents tout en sirotant sa deuxième coupe de champagne.

J'ai un rituel pour les vols longs courriers.

Phase 1. Je bois le jus d'orange et lis jusqu'au dîner.

Phase 2. Je mange peu. J'ai vu Airplane : je n'ai pas oublié le poisson avarié.

Phase 3. Je colle bien en vue l'étiquette NE PAS DÉRANGER et, pelotonnée dans mon siège, j'avale autant de films qu'il m'en faut pour piquer du nez.

J'ai respecté la tradition en commençant par lire le guide sur la Terre sainte que Winston m'avait prêté. Ne me demandez pas comment ce bouquin avait atterri chez lui, car on n'imagine même pas que ce bonhomme ait pu poser le pied hors du Québec une fois dans sa vie.

Ryan lisait *Gens de Dublin* de James Joyce. Il a englouti tout ce qu'on lui a servi. Le générique de début de son premier film n'était pas terminé qu'il ronflait déjà.

Pour ma part, j'ai dû me taper *Pirates des Caraïbes*, tout *Shrek* et *Arsenic et vieilles dentelles* jusqu'à la scène du bac à fleurs avant qu'une vague somnolence ne me saisisse enfin, aux alentours de l'aube. Mais mon cerveau n'a jamais vraiment lâché prise.

Du moins, en étais-je convaincue.

Jusqu'à ce que j'ouvre les yeux sur un agent de bord en train de libérer Ryan de son plateau-repas. Je me suis redressée.

— Bien dormi, mon petit chou ?

Ryan a essayé d'écarter mes cheveux de ma joue. Ils collaient. J'ai mis de la salive sur mes mains et j'ai ramené mes mèches derrière mes oreilles.

— Du café ? a demandé Ryan en tentant d'aplanir ma frange.

Mais rien à faire. Elle avait décidé de caresser les bacs à bagages et n'en démordait pas.

Il a brandi sa tasse en direction de l'hôtesse en me désignant. J'ai abaissé ma tablette. Un café y est apparu comme par enchantement.

— Merci, Audrey.

Audrey ?

— C'est un plaisir, détective.

Le sourire de l'hôtesse a éclipsé celui qu'elle avait eu la veille. Nuée d'étoiles en forme de dents.

À l'aéroport Ben Gourion, les vérifications de sécurité n'étaient pas aussi rigoureuses qu'à Pearson. Peut-être le devions-nous au badge de Ryan. Peut-être aux papiers du coroner. Peut-être au fait évident que si nous avions planqué de la nitroglycérine dans nos sèche-cheveux, il y a belle lurette qu'elle aurait été découverte.

Au sortir de la douane, j'ai repéré un peu à gauche un homme appuyé contre un mur. Tignasse en broussaille, chandail écossais avec des losanges, jeans et chaussures sport. À part les sourcils touffus, le jumeau de Gilligan en plus vieux.

Il suivait attentivement notre progression dans la foule.

J'ai donné un coup de coude à Ryan.

— J'ai vu.

Et de continuer à marcher, sans ralentir le pas.

— Il ressemble comme deux gouttes d'eau à Gilligan.

Là, Ryan m'a regardée.

— *Les Joyeux Naufragés*.

— Je déteste *Les Joyeux Naufragés*.

— Enfin, tu vois ce que je veux dire.

— Sauf Ginger, s'est repris Ryan. Ginger, elle, elle a du talent.

Notre Gilligan à nous s'était écarté du mur. Les bras ballants et les pieds écartés, il ne cherchait pas le moins du monde à dissimuler son intérêt pour nous.

Quand nous sommes arrivés à quelques mètres de lui, il a pris l'initiative.

— *Shalom*.

Une voix plus grave qu'on ne l'aurait imaginé chez un type de la taille de Gilligan.

— *Shalom*, a répondu Ryan.

— Détective Ryan ?

— Qui le demande ?

— Ira Friedman.

Friedman a tendu une main. Ryan l'a secouée.

— Bienvenue en Israël.

Ryan m'a présentée. Une poigne plus puissante qu'on ne l'aurait imaginé chez un type de la taille de Gilligan.

Friedman nous a conduits jusqu'à une Ford Escort blanche garée en toute illégalité dans la zone des taxis. Nos bagages chargés dans le coffre, Ryan m'a ouvert la portière avant.

Son mètre quatre-vingt-quinze contre mon mètre soixante-cinq ? J'ai pris la banquette arrière.

Des papiers, un bouquin, des sachets de nourriture froissés en boule, des bottes, un casque de moto, une casquette de base-ball, un coupe-vent en nylon. J'ai poussé le tout. Sauf les frites coincées dans la rainure.

— Désolé pour l'état de la voiture, s'est excusé Friedman.

— Pas grave.

Ayant brossé les miettes qui tapissaient le siège, je me suis faufilée à l'intérieur en me disant que j'avais peut-être eu tort de refuser que Jake vienne nous chercher à l'aéroport.

Tout en roulant, Friedman a mis Ryan au courant de la situation.

— Quelqu'un tout en haut de votre hiérarchie a contacté un autre de ses collègues attaché aux Affaires étrangères, qui a contacté à son tour un de nos patrons de la police chargé des États-Unis et du Canada. Je crois que votre gars connaissait celui qu'on avait en poste au consulat de New York.

— On a beau dire, la petite touche personnelle le long de la chaîne alimentaire, y a rien de tel !

Friedman a lancé un regard en coin à Ryan, peu habitué à ce sens de l'humour.

— Notre type de New York a adressé une note à l'unité des relations internationales de la police de Jérusalem, et celle-ci l'a transmise aux crimes majeurs. C'est comme ça que j'en ai hérité.

Friedman a débouché sur l'autoroute 1.

— Normalement, ce genre de requête n'aboutit nulle part. Chez nous, pour autant qu'on le sache, votre suspect n'était coupable de rien. Nous n'avions aucune raison de l'interroger, au cas, bien sûr, où on arrivait à lui mettre la main dessus. Parce que les touristes, vous savez, une fois dans le pays, ils se perdent un peu dans la nature. Et même en l'ayant retrouvé, il avait tous les droits de refuser de nous parler.

— Mais voilà, Kaplan a eu la bonté d'empocher un collier, a conclu Ryan.

— Un shekel d'Hérode au bout d'une chaîne en or ! Le con. Un truc même pas authentique.

— Combien de temps pouvez-vous le garder ?

— Vingt-quatre heures, et on a déjà croqué un bon bout du délai. En me débrouillant, je pourrai tirer jusqu'à quarante-huit heures, mais, après, ou je l'inculpe ou je le libère avec un coup de pied au cul.

— Le commerçant va porter plainte ?

Friedman a haussé les épaules.

— Allez savoir ? Il a récupéré son collier. Enfin, si je dois relâcher Kaplan, je le garderai à l'œil.

De temps à autre, Friedman me lançait des regards dans le rétroviseur. Nous échangions un sourire.

Entre ces amabilités de collègues, j'admirais le paysage. Je savais, grâce au guide de Winston, que la route Tel-Aviv–Jérusalem allait s'éloigner de la plaine côtière et nous faire traverser une région de basses terres appelée la Shephelah, un pays de collines — la Judée — , et enfin des montagnes.

La nuit était tombée. On ne voyait pas grand-chose, les virages se succédaient. Brusquement, des lumières ont scintillé au loin : Jérusalem. Une lune en forme de tartelette au citron caressait le sommet du mont du Temple, éclairant la vieille ville d'une lueur ambrée.

J'ai visité pas mal de lieux qui déclenchent en vous une réaction physique. Le volcan de Haleakala à l'aube. Le Taj Mahal au coucher du soleil. Le Masaï Mara à l'époque de la migration des gnous.

Ce clair de lune sur Jérusalem m'a coupé le souffle. Friedman m'a regardée juste à ce moment. Une fois de plus, nos yeux se sont croisés.

— Impressionnant, n'est-ce pas ?

J'ai hoché la tête dans le noir.

— Quinze ans que je vis ici et cette vue me file toujours la chair de poule.

Je n'écoutais pas. Mon esprit me bombardait d'images. Terroristes kamikazes. Fêtes de Noël. Colonies dans les territoires occupés. Catéchisme dans ma vieille paroisse. Jeunes en colère au journal télévisé.

Israël est un lieu où les splendeurs du passé se heurtent chaque jour à l'amère réalité du présent. Nous roulions toujours en pleine nature, et j'étais dans l'incapacité d'arracher mes yeux du spectacle de cette cité antique, au centre de tout, à jamais et pour toujours.

Un quart d'heure plus tard, nous étions en ville au beau milieu d'une circulation intense. Le long des trottoirs, les voitures se reniflaient mutuellement à hauteur de pare-chocs, comme des chiens à la queue leu leu. Les rues étaient envahies de piétons. Femmes en *hijab* ou *burka* jusqu'aux pieds, hommes en chapeau noir, ados en Levi's 501.

Ce choc permanent de religions, de langues et de civilisations avait quelque chose qui tenait du Québec. Sauf qu'ici il ne s'agissait pas des deux solitudes, la française et l'anglaise. Il y en avait une de plus : la culture musulmane, à côté de la chrétienne, à côté de la juive. Toutes bien séparées.

J'ai baissé ma fenêtre.

L'air était saturé d'odeurs. Ciment. Gaz d'échappement. Fleurs. Épices. Ordures. Friture.

J'ai prêté l'oreille au brouhaha familier d'une ville la nuit. Klaxons. Crissements d'amortisseurs aux jonctions routières. Mélodies au piano s'échappant d'une porte ouverte.

Ryan avait réservé des chambres à l'American Colony, dans Jérusalem-Est. Son idée, c'était que dans le secteur arabe on ne risquait pas de recevoir une bombe sur le coin du ciboulot.

Friedman a quitté la route de Naplouse pour s'engager dans une allée circulaire bordée de fleurs et de palmiers. Après un petit magasin d'antiquités, il a fait une boucle et s'est arrêté auprès d'un portique drapé de vigne vierge.

Descendu de voiture, il a entrepris de décharger les bagages.

— Vous avez faim ?

Deux acquiescements de la tête ont accueilli sa question.

— Je vous attends au bar, a-t-il dit en refermant le coffre. Au sous-sol.

Le choix de Ryan était excellent. L'American Colony, un ancien presbytère de style mauresque transformé en hôtel, faisait dans l'antique : lustres, tapisseries et bronzes martelés. Sol en pierre polie, portes et fenêtres en ogive. Le rez-de-chaussée donnait sur une cour fleurie.

Tout ce qui était digne d'un pacha, sans le pacha.

Nous étions attendus. En deux temps, trois mouvements, nous étions enregistrés.

Laissant Ryan régler les détails du séjour avec le réceptionniste, je me suis intéressée aux noms gravés sur de petites plaques en marbre scellées dans le mur. Saul Bellow. John Steinbeck. Jimmy Carter. Winston Churchill. Jane Fonda. Giorgio Armani.

Ma chambre tenait en tout point les promesses du hall d'entrée. Armoire à glace. Bureau sculpté. Tapis persan. Salle de bains étincelante de lumière avec miroirs dorés à la feuille et carrelage noir et blanc.

Je me serais volontiers écroulée sur le grand lit à baldaquin, après une bonne douche. À la place, je me suis brossé dents et cheveux, habillée et hâtée de rejoindre Ryan et Friedman au bar.

Ils étaient déjà installés à une table basse dans une des alcôves, une bouteille de bière Taybeh devant chacun d'eux.

Friedman a fait signe à un serveur.

J'ai commandé un Perrier et une salade arabe. Ryan, des spaghettis.

— Cet hôtel est magnifique, ai-je dit.

— C'est un palais construit vers 1860 par un riche Arabe dont j'ai oublié le nom. Il occupait la chambre 1. Ses trois femmes avaient leurs quartiers d'été dans les autres pièces du bas. L'hiver, elles montaient au premier étage. Il rêvait d'avoir un fils. Comme aucune de ses épouses ne lui en donnait, il s'est marié une quatrième fois et a bâti deux étages supplémentaires. Hélas, nouvelle déception. Ça l'a tué.

Friedman a bu une gorgée de bière.

— En 1873, un avocat de Chicago bourré d'argent du nom d'Horatio Spafford envoya sa femme et ses quatre filles découvrir l'Europe. Leur bateau fit naufrage, seule la maman survécut.

Nouvelle rasade.

— Deux ans passent, deux petites filles leur naissent. Et voilà qu'ils perdent aussi un fils. C'était des gens vraiment croyants, ces Spafford, membres d'une organisation religieuse. Ils décident de chercher le réconfort en Terre sainte. En 1881, ils s'établissent ici, dans la vieille ville avec des amis, et se dévouent aux pauvres. Leurs bonnes œuvres leur acquièrent une certaine notoriété et l'on prend l'habitude de les appeler «la colonie américaine».

«D'autres personnes les ayant rejoints, les Spafford sont à l'étroit. Après avoir loué divers appartements en ville, ils finissent par acheter ce palais. Vous connaissez Peter Ustinov, bien sûr?»

Hochement de tête de nous deux.

— En 1902, son grand-père qui tenait un hôtel à Jaffa avait l'habitude d'envoyer ses clients ici. Et c'est ainsi que l'endroit est devenu l'American Colony Hostel, et maintenant l'American Colony Hotel. Il a survécu à quatre guerres et à quatre régimes.

— Oui, les Turcs, les Anglais, les Jordaniens et les Israéliens.

— Bravo, m'a félicitée Friedman. Mais vous n'êtes pas là pour écouter une leçon d'histoire. Dites-moi plutôt en quoi ce crapaud de Kaplan est si important pour vous?

Ryan l'a mis au courant de l'enquête Ferris.

— Passer de l'escroquerie au meurtre, ce n'est pas un saut de puce, a fait remarquer Friedman.

— Un saut d'éléphant, a admis Ryan. Mais la veuve aurait eu une aventure avec ce Kaplan.

— Dont elle n'a pas jugé utile de vous informer, je suppose?

— Exactement.

— Et Kaplan s'est sauvé du pays?

— Exactement.

— La veuve doit toucher quatre millions?

— Exactement.

— C'est une motivation solide.

— Je vois que vous comprenez parfaitement la situation.

— Et vous voudriez en toucher deux mots à M. Kaplan? a demandé Friedman.

— Dès qu'il sera en mesure de me recevoir.

— Demain, à la première heure ?

— Oh, qu'il prenne le temps de se brosser les dents.

Friedman s'est tourné vers moi.

— Une erreur de ma part, très certainement, mais je n'ai pas bien compris votre implication dans cette affaire.

Je lui ai résumé les circonstances dans lesquelles Kaplan m'avait remis la photo et l'abbé Morissonneau le squelette, puis j'ai évoqué mon coup de téléphone à l'AAI.

— Vous avez parlé à qui ?

— Tovya Blotnik et Ruth Anne Bloom.

— Bloom, la dame des os ?

— Oui.

J'ai retenu un sourire. Ce surnom, on me le donne souvent à moi aussi.

— Ils vous ont parlé de la boîte à os ? a demandé Friedman.

— Vous voulez dire l'ossuaire de Jacques ?

Il a acquiescé de la tête.

— Blotnik m'en a touché un mot. Pourquoi ?

Friedman a ignoré ma question.

— Votre ami Jake Drum vous a conseillé de ne pas vous faire remarquer, une fois ici ?

— Il m'a dit de ne contacter personne en Israël avant de l'avoir rencontré.

Friedman a éclusé sa bière. Puis il a repris d'une voix anonyme, comme s'il s'efforçait de ne pas laisser transparaître le fond de sa pensée.

— C'est un très bon conseil.

Excellent, même. Mais totalement superflu, comme l'avenir allait me le démontrer.

Chapitre 19

Cinq heures et demie du matin. Dehors, les cimes des arbres étaient noires et le minaret de la mosquée, de l'autre côté de la rue, à peine une ombre sur la nuit. Un haut-parleur appelant au *fajr*, la prière du matin, venait de me réveiller en sursaut.

Dieu est grand, chantait le muezzin. Mieux vaut prier que dormir.

Je n'en étais pas aussi convaincue. Je me sentais ralentie, déconnectée, comme après une anesthésie.

Le pleur du haut-parleur achevé, les oiseaux ont pris la relève. Un chien a aboyé. Une portière a claqué.

Étendue dans mon lit, j'étais la proie d'une sorte de prémonition tragique. Tout en écoutant naître et se fondre les bruits de la circulation, j'ai regardé ma chambre passer de l'argenté au rosé avec une sensation de malaise dont je ne parvenais pas à découvrir l'origine.

Décalage horaire ? Peur pour ma vie ? Culpabilité pour la mort du père Morissonneau ?

Oh là là ! Je m'étais rendue au monastère et, quatre jours plus tard, l'abbé n'était plus qu'un corps sans vie dans un parc. Ma visite avait-elle signé son arrêt de mort ? Aurais-je dû me douter que je pouvais le mettre en danger ?

Mais l'avais-je mis en danger, d'abord ?

Mon angoisse, je le comprenais, venait de bien des choses. Pour commencer, de ce squelette dont j'étais incapable de percer l'identité.

Ensuite, de ce que tant de gens semblaient savoir des choses que j'ignorais. Blotnik, Friedman, Jake... Jake, surtout, qui me cachait des informations importantes. Du moins, m'en donnait l'impression. Serait-ce possible ? J'avais du mal à le croire.

Et des informations sur quoi ?

Enfin, de cet ossuaire de Jacques, qui semblait passionner tout le monde.

Ce mystère méritait d'être étudié. J'allais m'y atteler pas plus tard qu'aujourd'hui.

Aussitôt, je me suis sentie soulagée : j'agissais. En tout cas, j'en avais l'intention.

À six heures, je me suis levée. J'ai pris une douche et suis descendue au restaurant. J'espérais que Ryan se soit réveillé tôt lui aussi et qu'il ne bougonnerait plus de se retrouver dans la chambre 307 alors que j'étais dans la 304.

La question avait été débattue avant le départ. J'avais insisté pour que nous ayons chacun notre chambre, prétextant que nous étions en voyage officiel. Ryan avait rétorqué que personne n'en saurait rien. J'avais fait valoir que ce serait amusant de se glisser en catimini dans la chambre de l'autre. Ryan n'était pas d'accord. J'avais quand même eu gain de cause.

Déjà installé au restaurant, Ryan trifouillait dans son assiette.

— C'est quoi, l'idée de servir des olives au petit déjeuner ?

Une voix témoignant qu'il était aussi crevé que moi.

— Tu n'aimes pas les olives ?

— Oui, mais après cinq heures du soir et avec un gin.

Repoussant sur le côté l'objet de son ire, il a plongé sa fourchette dans une montagne d'œufs plus haute que le mont Rushmore.

Inutile d'attendre un mot plaisant de lui. Mieux valait attaquer l'houmous et le fromage.

— Tu vas voir Kaplan avec Friedman ? ai-je demandé quand son Rushmore n'a plus été qu'une petite colline.

Il a hoché la tête et consulté sa montre.

— Pendant ce temps-là, Massada Max ira chez Blotnik ?

— Oui. Mais j'ai promis à Jake de le voir avant. Il sera là d'une minute à l'autre. Après, nous irons ensemble à l'AAI.

Son café avalé, Ryan s'est levé et a pointé le doigt sur moi.

— On ouvre l'œil et le bon, soldat !

— Bien reçu, mon capitaine.

Deux doigts au képi.

M'ayant rendu mon salut, Ryan a quitté la salle.

Jake est arrivé sur le coup de sept heures. Jeans, gilet de treillis et chemise hawaiienne bleue ouverte sur un t-shirt. Tenue sacrément osée pour un géant de deux mètres ou presque, au crâne rasé et aux sourcils plus touffus que des haies.

Il s'est laissé tomber sur le siège que Ryan venait de quitter.

— Tu as emporté des bottes, j'espère ?

— Pour aller voir Blotnik ?

— Je veux te montrer quelque chose avant.

— Je suis ici en mission, Jake : remettre un squelette.

— Je veux que tu voies d'abord quelque chose.

— Moi, je veux que tu me dises d'abord ce qui se passe !

Un hochement de tête pour toute réaction.

— Maintenant !

Le mot m'a échappé plus brutalement que je ne le souhaitais. Enfin, peut-être pas.

— Je t'expliquerai en chemin.

— On commence par l'ossuaire ?

Deux hommes parlant arabe sont passés. Jake a attendu qu'ils aient franchi la voûte en pierre menant à la sortie.

— Est-ce que tu peux mettre les os dans le coffre-fort de ta chambre ?

Il parlait presque en chuchotant.

— Le paquet est trop gros.

— Va le chercher.

J'ai jeté ma serviette sur mon assiette.

— Tu as plutôt intérêt à ce que ça en vaille la peine !

— Et des bottes, a-t-il dit encore en désignant mes pieds.

Pendant que nous traversions la ville dans son camion, Jake m'a raconté l'étrange histoire de l'ossuaire de Jacques.

— Personne ne discute son authenticité. C'est l'inscription qui fait débat. L'AAI l'a déclarée fausse. Certains experts disent que la partie « frère de Jésus » est authentique, mais que le début, « Jacques, fils de Joseph », a été gravé après. D'autres croient l'inverse : que c'est la partie Jésus qui a été ajoutée. D'autres encore estiment que toute la phrase est un faux.

— À quoi riment tous ces débats ?

— À faire monter la valeur de l'ossuaire sur le marché des antiquités.

— Un comité de l'AAI n'a pas été chargé de l'étudier ?

— Si, bien sûr. Au début, il y en a même eu deux. L'un chargé d'étudier l'inscription et le contenu, l'autre les matériaux. Le premier comportait bien une experte en calligraphie hébraïque ancienne, mais des collègues tout aussi qualifiés contestent les conclusions de cette dame.

— Qualifiés en analyse et datation des lettres, tu veux dire ?

— Oui. Je te résume. Un génie nommé par le comité a fait valoir que les variations dans le tracé des lettres prouvaient à elles seules que le texte avait été ajouté après coup. Je te passe les détails. Sauf que les différences d'épaisseur et de profondeur incriminées, c'est justement ce qu'on s'attend à trouver dans les inscriptions faites à la main. Des lettres uniformes seraient la meilleure preuve que l'objet est un faux. Et puis, ce mélange de cursives et d'écriture formelle est un phénomène courant dans l'Antiquité.

« L'orthographe, elle aussi, est sujette à polémique. Sur l'ossuaire de Jacques, Joseph est écrit *YWSP* et Jacques *Y'OB*. Un type du comité soutient que Joseph aurait dû s'écrire *YHWSP* et que l'orthographe *Y'OB*, pour Jacques, ne se retrouve sur aucun ossuaire de la période du Second Temple.

— La période du Second Temple, c'est celle où Jésus a vécu ?

— Oui. Je peux te dire que cette orthographe de Joseph se retrouve dans plus de 10 % des inscriptions que j'ai étudiées. Quant au nom de Jacques, je l'ai retrouvé cinq fois en tout. Et trois fois, c'est-à-dire dans plus de 50 % des cas, avec la même orthographe que cet ossuaire qui fait débat.

— Le comité aurait pu ignorer l'existence de ces autres inscriptions ?

— À toi de me le dire.

Les yeux de Jake ne cessaient d'aller et de venir de la circulation à moi.

— En outre, le comité ne comportait pas un seul spécialiste du Nouveau Testament ou des débuts de la chrétienté.

— Et l'analyse isotopique à l'oxygène ? ai-je demandé.

Jake a dardé les yeux sur moi.

— Je vois que tu t'es renseignée.

— Une demi-heure de navigation sur le Web.

— Cette analyse-là a été effectuée à la demande du comité chargé des matériaux. Elle a révélé que le creux des lettres ne portait pas de patine, mais une pâte grisâtre faite de craie et d'eau qui n'aurait pas dû se trouver là. Conclusion : cette pâte avait été appliquée exprès pour imiter la patine. Sauf que ce n'est pas aussi simple que ça.

Jake a réglé les rétroviseurs latéraux et arrière.

— Il ressort que la patine qui recouvre la partie «Jésus» est identique à celle de l'ensemble du coffre. En ancien araméen, «Jésus» se trouve en fin d'inscription. Par conséquent, si ce mot est authentique — et plusieurs experts de l'AAI en conviennent aujourd'hui —, on est en droit de penser que l'inscription tout entière l'est aussi. En effet, pourquoi inscrirait-on sur un ossuaire uniquement les mots «frère de Jésus» sans spécifier fils de qui. Ça n'a pas de sens.

— Comment est-ce que tu expliques la présence de cette pâte, qui n'est pas de la patine?

— Elle a pu dégouliner dans le creux des lettres pendant les nettoyages. Et ces nettoyages ont pu modifier la composition chimique de la patine qui s'y trouvait et créer des particules de carbonate. Le propriétaire de l'ossuaire dit qu'il l'a nettoyé plusieurs fois au fil des années.

— Il appartient à qui, cet ossuaire?

— À un collectionneur israélien du nom d'Oded Golan. Il dit que le vendeur à qui il l'a acheté lui a affirmé qu'il provenait d'un tombeau de Silwan. Tout près d'ici, a ajouté Jake en désignant ma fenêtre du pouce.

Il a vérifié une fois de plus ses rétroviseurs. Son énervement était contagieux.

— Le problème, c'est que cet ossuaire n'a été enregistré nulle part en tant que pièce archéologique découverte au cours de fouilles à Silwan ou ailleurs.

— Tu penses qu'il provient d'un pillage de tombe?

— Évidemment! Pas toi? s'est exclamé Jake d'une voix lourde de mépris. Golan prétend qu'il l'a depuis plus de trente ans, ce qui légalise la situation puisque toute antiquité dont on est entré en possession avant 1978 est considérée comme ayant été acquise légalement.

— Tu ne le crois pas?

— Quand tu sais qu'il l'a proposé à la vente pour deux millions de dollars, à ce qu'on raconte, qu'est-ce que tu te dis ? a demandé Jake après avoir presque grogné.

— Que ça fait beaucoup d'argent.

— Le mont des Oliviers, a déclaré Jake en désignant une pente escarpée le long de la route. On vient d'arriver par l'est. On longe maintenant le flanc sud.

Il a tourné à gauche dans une petite rue bordée de maisons basses couleur sable. Certaines d'entre elles portaient des voitures ou des avions dessinés maladroitement sur les murs, indiquant que l'occupant des lieux avait fait le *hadj* à La Mecque. Des garçons jouaient au ballon. Des chiens dansaient autour d'eux. Des femmes secouaient des couvertures, s'en revenaient du marché ou balayaient leur perron. Des hommes bavardaient, assis sur des chaises en fer rouillé.

Mon esprit m'a envoyé en flash l'image des deux Palestiniens garés devant l'abbaye de Sainte-Marie-des-Neiges. J'ai rapporté le fait à Jake, ainsi qu'une partie du discours que m'avait tenu le père Morissonneau.

Il a failli dire quelque chose.

— Quoi ? lui ai-je demandé.

— Non, ce n'est pas possible.

— Quoi ? Qu'est-ce qui n'est pas possible ?

— Rien.

— Qu'est-ce qu'il y a encore que tu ne me dis pas ?

Pour toute réponse, j'ai eu droit à un non de la tête. Il a eu pour effet de faire renaître en moi le pressentiment de tragédie éprouvé ce matin dans mon lit.

Jake a tourné encore une fois et s'est arrêté sur un terre-plein tout au bout du village.

Devant, à droite, des escaliers descendaient vers un bâtiment qui devait être une école, à en juger par les garçons massés sur les marches, certains assis, d'autres debout, d'autres encore se bousculant.

— Est-ce que la mort de l'abbé a à voir avec…

Je me suis interrompue. À voir avec quoi ? Je ne savais rien. Même pas ce que nous venions faire ici.

— Avec ces gens ? ai-je repris. Avec tout ça ?

D'un geste du bras, j'ai englobé le village et la vallée en contrebas, mais aussi le sac de sport contenant Max.

— Ne t'occupe pas des musulmans. Ils n'en ont strictement rien à foutre de Massada ou de Jésus. L'Islam ne considère pas Jésus comme un dieu, uniquement comme un saint homme.

— Un prophète, au même titre qu'Abraham ou Moïse ?

— Un messie, même. Pour les musulmans, Jésus n'est pas mort sur la croix, il a été emporté au ciel vivant, et il en reviendra.

Cette notion d'ascension ne m'était pas inconnue.

— Et les saints guerriers d'Allah ? La frange extrémiste ?

— Les wahhabites ?

— Tu ne crois pas que les partisans du djihad aimeraient bien mettre la main sur les ossements de Jésus ?

— Pour quoi faire ?

— Renverser le christianisme.

Un merle s'est posé à terre juste au moment où Jake coupait le moteur. Nous l'avons regardé sautiller parmi des ordures, les ailes à demi étendues, comme s'il hésitait entre rester ici et s'envoler.

— La mort du père Morissonneau me laisse un sentiment désagréable, ai-je insisté comme Jake gardait le silence.

— Oublie les musulmans.

— Pour m'intéresser à qui ?

— Tu veux vraiment savoir ?

J'ai hoché la tête.

— Au Vatican.

Je n'ai pu retenir un éclat de rire.

— Tu parles comme un personnage du *Da Vinci Code*.

Jake n'a rien répondu.

Dehors, le merle picorait des victimes de la route. Ça m'a rappelé Edgar Poe, pensée qui n'était pas faite pour me remonter le moral. Je l'ai vite chassée.

— Je t'écoute.

— Tu es un produit de l'éducation catholique ?

— Oui.

— Tes bonnes sœurs t'ont enseigné le Nouveau Testament ?

— Pour la culpabilité, elles méritent la médaille d'or, mais pour les Écritures, elles n'accéderaient même pas à une ligue de garage.

— Elles t'ont dit que Jésus avait des frères et sœurs ?

— Ben non.

— Évidemment. C'est pourtant la raison pour laquelle le Saint-Père s'est recroquevillé dans son slip quand il a entendu parler de l'ossuaire de Jacques.

La métaphore ne manquait pas de punch.

— L'Église, ça l'avait toujours fait bander, que Jésus soit né d'une vierge.

Vérité sur laquelle je ne voulais surtout pas m'interroger.

— Mais c'est faux, archifaux ! continuait Jake. Le Nouveau Testament est bourré de références aux frères et sœurs de Jésus. Matthieu, au chapitre 13, verset 55 : « Est-ce que sa mère ne s'appelle pas Marie, et ses frères, Jacques, Joseph, Simon et Jude ? » Marc, chapitre 6, verset 3, répète la même chose. Dans les Galates, Paul rapporte sa rencontre avec « Jacques, le frère du Seigneur » (chapitre 1, verset 19). Matthieu, au chapitre 13, verset 56, et Marc, au chapitre 6, verset 3, indiquent tous les deux que Jésus avait des sœurs.

— Ils ne sont pas plutôt considérés comme des demifrères et demi-sœurs, nés d'une autre femme que Joseph aurait eue avant Marie ?

— Matthieu au chapitre 1, verset 25, de même que Luc au chapitre 2, verset 7, affirme que Jésus était le fils premier-né de Marie. Cela n'élimine pas la possibilité que Joseph ait eu d'autres enfants avant lui, mais il n'y a pas que dans la Bible qu'on parle des frères et sœurs de Jésus. Josèphe l'historien parle de « Jacques, le frère de Jésus surnommé le Christ ».

Jake était lancé.

— Au temps de Jésus, rester vierge en étant mariée était impensable, une violation de la loi juive. Cela ne se faisait pas, un point c'est tout.

— Donc Jacques et les autres pourraient être des frères et sœurs nés plus tard de Marie.

— Matthieu dans son Évangile déclare tout bonnement qu'« après la naissance de Jésus, Joseph *a connu* Marie », a déclaré Jake en appuyant fortement sur les mots « a connu ». Et je te jure qu'il ne parlait pas de poignées de main et de petits fours. Il employait le terme dans son sens biblique. Cela dit, tu remarqueras qu'une fois que Jésus est grand, on n'entend plus jamais parler de Joseph. Il disparaît totalement de la circulation.

— Tu veux dire que Marie a pu se remarier ?

— À condition que Joseph soit mort ou qu'il l'ait quittée.

Je commençais à comprendre le dilemme pour l'Église catholique.

— Marie a pu donner naissance à d'autres enfants, que ce soit avec Joseph ou avec quelqu'un d'autre. Et l'un de ces enfants a pu être Jacques. Autrement dit, si l'ossuaire de Jacques est authentique, la virginité de Marie considérée comme perdurant sa vie entière est plutôt mise à mal. Et par conséquent, le fait que Jésus soit né d'une vierge.

Pour la seconde fois, Jake a poussé une sorte de grognement.

— Déjà, aux alentours du IVe siècle, saint Jérôme et ses copains avaient fait monter la mayonnaise en déclarant que Marie-Madeleine était une pute et Marie une vierge. Les femmes de bonne vie n'ont pas de sexe, les femmes de mauvaise vie, si. L'idée caressait dans le sens du poil l'ego de ces mâles misogynes. Depuis, elle est devenue dogme, et le Vatican s'en est fait le champion.

— Autrement dit, si l'ossuaire de Jacques est authentique, et s'il contient bien les restes du frère de Jésus, le Vatican a des comptes à rendre.

— Tu parles ! Que Marie puisse être mère de plusieurs enfants est un méga-problème pour l'Église.

Le merle avait été rejoint par des confrères. Je les ai regardés un moment se disputer des charognes.

D'accord, l'ossuaire de Jacques attaquait le dogme de la virginité de Marie, et on pouvait comprendre l'inquiétude du Vatican. On pouvait imaginer aussi que des radicaux chrétiens ou musulmans veuillent à tout prix mettre la main sur ce coffre de pierre. La question était : faut-il sauver la foi ou laisser des gens la détruire ? Argument développé par le père abbé. Mais quel rapport l'ossuaire de Jacques pouvait-il avoir avec le squelette de Massada ? D'ailleurs, y avait-il vraiment un rapport entre eux ? Le lien n'était-il pas plutôt que notre Max et l'ossuaire de Jacques avaient tous les deux refait surface au même moment ?

Coïncidence étrange, cela dit.

— Qu'est-ce que l'ossuaire de Jacques a à voir avec le squelette que m'a remis Morissonneau ?

Jake a hésité.

— Je ne sais pas très bien pour le moment. Mais il y a un fait intéressant : Oded Golan a participé aux fouilles de Massada en tant que bénévole.

— Sur le chantier de Yigael Yadin ?

Il a hoché la tête et recommencé à fouiller des yeux les environs.

J'aurais bien voulu en savoir davantage sur les liens entre l'ossuaire de Jacques et notre Massada Max, mais Jake ne m'a pas laissé le temps de formuler une question.

— Allons-y.

— Où ça ?

— Voir la tombe de la famille de Jésus.

Chapitre 20

Avant même que j'aie le temps de dire quoi que ce soit, Jake était déjà descendu du camion. Les merles se sont enfuis dans le ciel en protestant vigoureusement.

Glissant le bras derrière son siège, Jake a transféré plusieurs choses de son sac à dos dans la poche extérieure de mon sac de sport dans lequel Max était enfermé. Ayant passé la bandoulière sur son épaule, il a fermé à clef sa portière et, sur un dernier balayage des lieux, s'est engagé sur la pente menant au fond d'une gorge.

Je lui ai emboîté le pas, des questions plein la tête.

La tombe de la famille de Jésus ? Si c'était vrai, c'était monumental. On allait assister à une ruée gigantesque des quatre coins du monde. CNN contre BBC.

Quelles preuves avait-il de ce qu'il affirmait ?

Pourquoi ne m'en avait-il pas soufflé mot jusqu'à maintenant ?

Est-ce qu'il y aurait un rapport entre cette tombe et ce squelette que je transportais depuis Sainte-Marie-des-Neiges ? Entre ce tombeau et l'ossuaire de Jacques ?

J'avais l'impression d'avoir été frappée par la foudre. J'étais complètement déboussolée. Et, en même temps, je me sentais envahie par une sorte de crainte de plus en plus forte.

Au bout d'une dizaine de mètres, Jake s'est arrêté sur un rocher surplombant la rivière à nos pieds.

— En bas, c'est le Cédron. Cette gorge rejoint la vallée de Hinnom un peu plus loin au sud avant de virer à l'ouest.

J'ai dû avoir l'air perdu, car il a ajouté :

— La vallée de Hinnom part de la porte de Jaffa, c'est-à-dire à l'ouest de la vieille ville, en direction du sud. Ensuite, elle tourne vers l'est en longeant la montagne de Sion au sud et rejoint la vallée du Cédron. Le Cédron sépare le mont du Temple du mont des Oliviers, à l'est de la ville. Là-bas, a-t-il précisé en tendant le bras. Qu'est-ce que tu sais sur Hinnom ?

— Pas grand-chose.

— C'est un lieu qui a une histoire assez haute en couleur. Avant l'ère chrétienne, dit-on, c'est là, dans cette vallée, qu'on sacrifiait des bébés aux dieux Moloch et Baal. Par la suite, les Juifs en ont fait une décharge. On y brûlait tout ce qui était considéré comme sale, y compris les criminels une fois exécutés. Plus tard, dans la littérature juive, ce lieu s'est appelé *Gé Hinnom*, *Gehenna* dans les textes en grec du Nouveau Testament. Et ces feux d'ordures ont fourni l'image des flammes de l'enfer tel qu'il est décrit dans le Livre d'Isaïe et dans le Nouveau Testament. Ce nom de *Gehenna* a donné notre « géhenne ». Quant à cet arbre, a-t-il poursuivi en désignant du pouce un arbre séculaire dans mon dos, c'est celui auquel Judas est censé s'être pendu. Selon la tradition, son corps en est tombé et s'est fracassé dans le ravin.

— Tu ne crois quand même pas que c'est l'arbre en question…

Un petit oiseau est passé entre nous à tire-d'aile, si vite que je n'ai pas eu le temps de voir sa couleur. Jake a levé le bras en l'air par réflexe. Son geste brusque l'a fait déraper. Des cailloux ont dévalé jusqu'au torrent en bas. Mes glandes surrénales ont réagi en déversant une giclée d'adrénaline dans mon corps.

Jake avait déjà récupéré son équilibre et poursuivait :

— D'après le Nouveau Testament, où est-ce que le corps du Christ a été placé après la crucifixion ?

— Dans un tombeau.

— Ensuite, il est descendu aux enfers et, le troisième jour, il est ressuscité des morts. C'est bien ça ?

J'ai acquiescé de la tête.

— À l'époque où ce texte a été écrit, Hinnom était perpétuellement en feu. Dans l'imagerie populaire, c'était devenu « ce lieu en bas », l'enfer, où tout ce qui était mauvais était jeté dans les flammes de la destruction. Cette autre expression de la Bible, « la vallée de l'Enfer », fait référence à Hinnom ou à un lieu proche de cette vallée où l'on enterrait les gens.

Jake a enchaîné sans me laisser le temps de placer le moindre commentaire.

— C'est à Hinnom et dans la vallée du Cédron que les riches avaient leurs tombeaux.

— Comme Joseph d'Arimathie.

— Exactement… Le village de Silwan se trouve derrière nous à gauche. Abu Tor est de l'autre côté.

Du plat de la main, il a décrit un large arc de cercle qui s'est achevé sur la colline à droite.

— Le mont des Oliviers est au nord.

J'ai regardé dans la direction qu'il indiquait. Jérusalem cascadait le long des collines, à l'ouest du mont des Oliviers. Sur l'autre versant de la gorge, les dômes de la ville répondaient aux minarets de Silwan derrière nous.

— Ces collines sont truffées de tombeaux creusés dans la roche.

Il a essuyé d'un geste vif la sueur sur son front à l'aide d'un bandana sorti de sa poche.

— Celui où je t'emmène a été mis au jour voilà déjà plusieurs années par des ouvriers palestiniens lors de la réfection d'une route.

— C'est loin ?

— Tout en bas, au fond de la vallée.

Jake a fourré son bandana dans la poche de son jeans. S'étant agrippé à une branche, il a sauté en bas du rocher où nous nous tenions. Je l'ai regardé cavaler le long de la pente. Sous le soleil, son crâne chauve étincelait comme une marmite en cuivre.

Me retenant à la même branche, je me suis accroupie. Poussant sur mes jambes, je me suis projetée en avant. Au moment de toucher terre, je me suis mise à tournoyer sur moi-même, emportée par l'élan. Ensuite, j'ai choisi avec plus de vigilance les endroits où poser les pieds. Néanmoins, je dérapais sur des pierres en équilibre et je devais me raccrocher à la végétation.

Le soleil s'élevait dans un ciel bleu étincelant. Dans mon coupe-vent, je commençais à transpirer.

Je ne sais pourquoi, les deux Palestiniens appréhendés devant Sainte-Marie-des-Neiges me trottaient dans la tête et, sans que je le veuille, mes yeux effectuaient un va-et-vient constant entre le sol devant moi et le village dans mon dos. Le chemin choisi par Jake pour descendre faisait bien une pente de soixante degrés. Nous étions des cibles faciles pour qui nous voulait du mal.

À un moment, j'ai aperçu un homme au-dessus de nous, marchant le long de la crête.

Un assassin ? Un promeneur inoffensif ?

Mon rythme cardiaque a atteint sa vitesse limite.

J'ai plongé les yeux vers le fond de la gorge. La distance entre Jake et moi augmentait de plus en plus. J'ai accéléré le pas.

Cinq mètres plus bas, j'ai glissé et me suis durement cogné le tibia. Des larmes ont jailli de la cachette où elles attendaient en masse le signal de se déverser. J'ai cligné les paupières pour les faire rentrer. Et merde ! Si quelqu'un avait voulu nous tuer, nous serions déjà morts depuis belle lurette. J'ai repris la descente, en novice de l'escalade que j'étais.

Jake n'avait pas menti : le tombeau était presque tout au fond de la gorge, dans un espace où poussait de l'herbe entre pierres et rochers.

Accroupi près d'un monticule, Jake scrutait l'intérieur d'un trou rectangulaire de la taille de mon micro-ondes, en fait un petit portail en pierre à demi enfoui dans le sol. Ayant roulé une feuille de papier, il l'a enflammée et l'a promenée dans le trou.

Doux Jésus !

Fermant les yeux, je me suis enjoint au calme.

Faire le tri parmi tout ce que mes sens m'apprenaient.

Toucher : le vent sur mon visage.

Odorat : l'herbe chauffée par le soleil. Des ordures. De la fumée.

Goût : de la poussière sur mes dents et ma langue.

Ouïe : le bourdonnement des insectes. Les voitures qui changeaient de vitesse sur la route au-dessus de nous.

J'ai respiré profondément. Une fois. Deux fois. Trois fois. Et j'ai ouvert les yeux.

Vue : un tapis de petites fleurs rouges autour de mes pieds.

Nouvelle inspiration. J'ai compté les fleurs.

Six. Sept. Dix.

J'ai relevé les yeux. Jake me dévisageait d'un air inter-rogateur.

— Je suis un peu claustrophobe.

Comme s'il ne l'avait pas deviné.

— On n'est pas obligés d'entrer, tu sais.

— Tant qu'à faire, puisqu'on est là…

Il avait l'air dubitatif.

— Ça va, je t'assure.

Comme s'il devait me croire.

— Il y a de l'air, a-t-il dit, histoire de m'encourager.

— Que demander de plus ?

— Bon, je passe d'abord.

Il s'est laissé glisser dans le trou, les pieds en avant.

— Tu me passes les os ?

Sa voix m'est parvenue, étouffée et caverneuse.

Je lui ai tendu le sac.

Mon cœur battait à tout rompre. Je l'ai obligé à récupérer un rythme normal en respirant lentement.

— À toi !

Souscrivant au dramatique de la situation, j'ai pris une profonde inspiration et me suis retournée, le nez contre le sol, pour engager mes pieds dans l'obscurité.

Jake a saisi mes chevilles. Je me suis laissée glisser, un centimètre après l'autre, jusqu'à ce qu'il m'attrape par la taille. Mes pieds ont bientôt touché terre.

Un noir opaque. Un unique rectangle de lumière tombant d'en haut.

— Ça va ? m'a demandé Jake.

— Au poil.

Il a allumé sa lampe électrique. Nous nous trouvions dans un carré d'environ deux mètres cinquante de côté, sous un plafond si bas que nous devions nous tenir courbés. Le sol était encombré de papiers gras, de canettes et de morceaux de verre, les murs couverts de graffiti. Ça sentait un mélange de terre et d'ammoniac.

— Pas de chance, Jake ! On n'est pas les premiers.

— Les jeunes et les vagabonds aiment bien venir dans ces tombeaux.

Il promenait sa torche sur les lieux. La lumière, jaune et vacillante, n'était pas faite pour me rassurer.

Peu à peu, mes yeux se sont habitués et j'ai pu distinguer des détails. Notamment un vieux préservatif.

L'entrée du tombeau donnait sur l'est, face à la vieille ville. Les trois autres parois, nord, ouest et sud, étaient creusées de cavités oblongues mesurant chacune dans les soixante centimètres de large. Certaines étaient bloquées par des pierres, mais la plupart étaient grandes ouvertes et, dans le faisceau ambré, on pouvait voir qu'elles débordaient de choses.

— Ces niches s'appellent des loculus, a dit Jake. *Kochim* en hébreu. Au Ier siècle, on y laissait les morts enveloppés dans un suaire, jusqu'à ce qu'ils soient totalement décomposés. Après, les os étaient rassemblés dans des ossuaires et conservés pour l'éternité.

Quelque chose a frôlé ma main. Me voyant baisser les yeux, Jake a dirigé sa lumière sur moi.

Une araignée remontait le long de mon bras. Je l'ai saisie délicatement par une patte et l'ai posée ailleurs. Les araignées ne me font ni chaud ni froid, contrairement aux espaces confinés qui me font perdre tous mes moyens.

— Ce tombeau possède une chambre inférieure.

Dans cette salle basse de plafond où il était impossible de se tenir droit, Jake s'est déplacé jusqu'au coin sud-ouest en se dandinant comme un canard. J'ai suivi.

Il a pointé sa lampe sur ce que je croyais être un loculus. La lumière a été avalée dans un noir total.

— Tu es partante pour descendre à la cave si je suis là pour te rattraper ?

— Vas-y ! ai-je répondu sans laisser à mes amygdales le temps de réagir à sa proposition.

Il s'est mis à plat ventre, a introduit ses jambes dans le trou et s'est tortillé pour faire glisser son corps jusqu'à glisser tout en bas. Fermant les yeux, je l'ai imité.

J'ai senti ses mains.

J'ai senti la terre ferme sous la pointe de mes pieds.

J'ai posé les talons à plat sur le sol.

Et ouvert les yeux.

Pas un pixel de lumière. Jake était si près de moi que nos épaules se touchaient.

Brusquement, plus rien ne m'a intéressée sinon la torche.

— Tu as la lampe ?

Un axe jaune a déchiré l'obscurité.

— Les piles sont neuves ?

— Plus ou moins.

L'odeur d'ammoniac, plus forte, était facilement identifiable : de l'urine. Je me suis promis tout bas de ne pas poser les mains par terre.

Jake a promené la lumière sur le mur devant nous, puis sur celui de gauche.

Cette chambre inférieure, plus petite que celle du dessus, avait apparemment la même disposition. Par conséquent, elle devait comporter deux loculus au nord, deux autres au sud et trois autres encore dans mon dos.

— Tu dis qu'il y a des milliers de tombeaux comme celui-ci ?

Ma voix m'a paru sans vie dans cet espace souterrain.

— La plupart ont été pillés depuis des lustres. Je suis tombé sur celui-ci à l'automne 2000, au cours d'une balade avec mes étudiants. L'un d'eux a repéré des objets éparpillés dans l'herbe à côté de l'ouverture. À l'évidence, le pillage était récent. Nous avons prévenu l'AAI.

— Tu y as fait des fouilles ?

— À peine. L'archéologue de l'AAI s'en fichait pas mal. D'après lui, il n'y restait plus rien d'intéressant. Avec mes étudiants, on a sauvé ce qu'on a pu.

— C'est curieux. Tu expliques ça comment ?

— Il trouvait que ce site n'avait rien de spécial. Je ne sais pas s'il avait un rendez-vous galant ou quoi, ce soir-là. En tout cas, il n'avait qu'une envie : se tirer au plus vite.

— Tu n'es pas d'accord avec lui ?

— Moins de deux ans après, Oded Golan, le collectionneur dont je t'ai parlé tout à l'heure, a révélé l'existence de l'ossuaire de Jacques à André Lemaire, un Français spécialiste en épigraphes.

— Et tu crois qu'il a été volé ici ?

— Ce n'est pas impossible, puisqu'on dit qu'il a été trouvé du côté de Silwan. Le tombeau est pillé et, deux ans après, on révèle l'existence d'un ossuaire inconnu ?

— Et toi tu penses que s'il provient effectivement de ce tombeau, ça voudrait dire que le frère de Jésus y était enterré ?

— Oui.

— Ce qui ferait de ce tombeau celui de la famille de Jésus.

— Ahurissant, hein ?

Ne sachant que répondre, je suis restée bouche cousue.

— Nous avons retrouvé douze ossuaires, tous cassés et les ossements jetés en vrac.

Jake a fléchi un genou tout en levant l'autre en l'air. Une silhouette étrange s'est mise à danser sur le mur.

— Mais il y a mieux encore. L'ossuaire de Golan présente des ornements raffinés dont le motif est exactement identique à celui des autres coffrets retrouvés ici. En plus…

Jake a relevé la tête d'un mouvement brusque.

— Quoi ?

Ses doigts ont serré mon bras.

— Qu'est-ce qu'il y a ? ai-je demandé tout bas.

Il a éteint la torche et posé un doigt sur mes lèvres. Un froid glacial s'est répandu dans mes veines.

Je me suis rappelé l'homme sur la route de crête. Avions-nous été suivis ? Comme c'était facile de bloquer l'entrée du tombeau ! Comme c'était facile de nous abattre dans ce souterrain !

À côté de moi, Jake s'était figé.

Le cœur battant, j'ai tendu l'oreille.

Rien. Pas le moindre son.

— Fausse alarme ! a-t-il soufflé au bout d'un temps qui m'a paru une éternité. On a laissé les os en haut. Je vais les chercher.

— On ne ferait pas mieux d'aller les porter à l'AAI ?

— Quand tu sauras ce qu'on a découvert ici, tu voudras faire la visite complète. Et tu voudras aussi voir ce que j'ai à mon labo. Un truc époustouflant.

Il m'a remis la torche.

— J'en ai pour une seconde.

— Scrute un peu les environs pendant que tu y es. Au cas où un émissaire du pape serait tapi près de l'entrée.

Ma plaisanterie a sonné faux.

— Je n'y manquerai pas.

Je l'ai regardé se hisser dans le puits par lequel nous étions descendus de la chambre supérieure en espérant avoir moi-même les bras assez musclés pour l'imiter, le moment venu. Ses bottes ont disparu. Que me restait-il à faire, toute seule en bas, sinon visiter les lieux ? Longeant le mur en face du puits, j'ai plongé le faisceau lumineux à l'intérieur du premier loculus.

Vide, à part des détritus. Les étudiants de Jake ? Les pilleurs ?

J'ai parcouru toute la longueur du mur et continué, une fois passé le coin.

Idem dans toutes les niches.

Revenue près du puits, j'ai levé les yeux. Aucun bruit ne me parvenait de là-haut.

L'air était humide et froid. Sous mon coupe-vent, ma chemise trempée de sueur me collait à la peau. Je commençais à frissonner.

Où était donc passé Jake ?

J'ai appelé.

Pas de réponse.

— Il doit faire le tour de la chambre, ai-je murmuré à haute voix, histoire de briser le silence.

J'en étais à examiner le mur sud quand la lumière a brusquement baissé. Un bref éclat, et elle a encore diminué jusqu'à s'éteindre complètement.

Un noir d'encre.

J'ai secoué la lampe. Pas le moindre clignotement. J'ai secoué plus fort. Rien.

J'ai perçu un bruit dans mon dos.

Un tour de mon imagination ?

J'ai retenu mon souffle. Un. Deux. Trois.

Le bruit a recommencé. Frottement contre le rocher.

Dieu du ciel ! Il y avait quelqu'un !

Je me suis immobilisée.

Un long moment a passé.

Nouveau chuchotement. Ou mouvement. Je l'ai senti plutôt qu'entendu.

Les poils de mes bras se sont dressés tout droit. Idem pour ceux de la nuque.

Je suis restée absolument immobile.

Toute une seconde. Toute une année.

Nouveau bruit. Différent. Terrifiant.

Du haut de mon crâne au creux de mon sternum, ma peau s'est tendue comme un tambour.

Chapitre 21

Grognement ? Ronronnement ? Feulement ?

Le bruit avait cessé trop vite pour que je puisse le définir.

Mon cerveau a fouillé les profondeurs de ma mémoire à la recherche d'une image susceptible de l'expliquer. Il est revenu bredouille.

Maladroitement, je me suis escrimée sur le bouton de la lampe. J'ai poussé dans un sens, dans l'autre. Sans résultat.

Les yeux écarquillés, j'ai scruté les lieux.

Du noir, et c'est tout.

J'étais piégée sous terre. Autour de moi, il n'y avait que de la pierre ; au-dessus, une colline de trois cents mètres de haut ; à l'intérieur, une obscurité totale. Et humide.

Et je n'étais pas seule !

Il y a quelqu'un ! me hurlait une voix dans ma tête.

L'air se bloquait dans ma gorge, tellement j'étais oppressée. Je me suis forcée à respirer lentement par le nez.

L'odeur d'urine me semblait plus forte maintenant. Et accompagnée d'autres relents. Crotte ? Chair en décomposition ?

Mieux valait respirer par la bouche.

Mon esprit partait dans des millions de directions.

Me retourner ? Hurler ? Foncer vers le puits et re-monter ?

J'étais paralysée de terreur : incapable de faire un geste, incapable de rester immobile. Et le bruit a recommencé : mi-feulement, mi-grognement.

Mes doigts se sont agrippés à mort autour de la torche. Au moins, qu'elle me serve de gourdin.

Un grattement sur la pierre.

Une peur glaciale a déferlé sur moi.

J'ai secoué la lampe. Les batteries se sont entre-choquées en cliquetant sans aucun résultat. J'ai secoué plus fort. Un faible cône doré a lui dans l'obscurité. Me forçant à la lenteur, j'ai pivoté sur les talons sans me relever pour éclairer le coin derrière moi.

Un mouvement, là, dans la niche la plus éloignée !

Tire-toi ! m'a crié la voix dans ma tête.

Je reculais vers le puits quand le grondement a recommencé. Menace sauvage, même si elle était émise à voix basse.

Je me suis figée, les mains tremblantes, les yeux fixés sur le renfoncement plongé dans le noir.

Des pupilles brillaient au fond du loculus, rondes et rouges comme des canneberges en néon. En dessous, les contours d'un museau.

Chien sauvage ? Renard ? Hyène ?

Non, un chacal !

Le cou bas et tendu en avant, les omoplates saillant comme deux pics derrière ses oreilles. Un pelage clairsemé. J'ai reculé prudemment.

Derrière les babines retroussées brillaient des dents marron. Ayant fléchi les pattes avant, l'animal a brutalement redressé la tête.

Tous les muscles bandés.

Humant l'air de ses narines, il balançait le museau d'un côté et de l'autre et son mouvement faisait onduler des ombres le long des creux et des collines de sa cage thoracique. Il avait des flancs maigres et, pourtant, son ventre pendait.

Seigneur Dieu ! J'étais emprisonnée sous terre avec un chacal affamé ! Que dis-je ? avec une femelle qui attendait des petits !

Où était Jake ? Que devais-je faire ?

Mon cerveau me restituait des renseignements épars, glanés dans des documentaires sur la nature. *Les chacals sont des animaux de nuit qui vivent dans des lieux habités par les hommes.*

Celui-ci devait dormir, et nous l'avions réveillé. Pas bon, ça.

Les chacals délimitent leur territoire avec leur urine.

Le tombeau était le territoire de ce chacal, et moi l'envahisseur. Pas bon du tout, ça !

Les chacals sont monogames, ils vivent et chassent en couple.

Cette femelle avait un compagnon.

Doux Jésus, le mâle pouvait débarquer à tout moment ! Qui sait s'il n'était pas dans le loculus avec elle !

Impossible d'attendre plus longtemps que Jake revienne. Il fallait agir !

Et agir sur-le-champ !

Ayant accroché la lampe à ma ceinture, j'ai fait demi-tour et rampé vers le puits d'accès.

Il y a eu un grondement dans mon dos, puis un raclement. J'ai senti l'air bouger. Les pieds ancrés au sol, j'ai repris ma torche en main. Avec de la chance, j'arriverais peut-être à l'enfourner dans la gueule du chacal, à empêcher ses dents de s'enfoncer dans ma chair. Peut-être à l'assommer d'un coup sur la tête.

Mais la bête n'attaquait pas.

Tire-toi avant d'en avoir deux contre toi !

J'ai vivement raccroché la lampe à ma ceinture. M'agrippant aux pierres en saillie, j'ai poussé sur mes jambes en tirant de toutes mes forces avec mes bras pour me hisser dans le boyau, puis j'ai tâtonné de mes pieds à la recherche d'une nouvelle prise pour me hisser plus haut.

La pierre sous mon pied droit tenait bon.

Mais celle sous mon pied gauche s'est éboulée. Je suis partie à la renverse en tourbillonnant et j'ai atterri brutalement sur le sol. Une douleur fulgurante m'a déchiré l'épaule et la joue.

Surtout, le tombeau s'est retrouvé plongé dans le noir. Mon cœur a bondi jusqu'à la stratosphère.

Allongée par terre, je suis restée immobile, aux aguets.

Mon sang hurlait dans mes oreilles.

Raclement au fond du souterrain.

Tic-tic-tic de la torche roulant au loin.

Ding du métal heurtant la roche.

Grondement sourd et continu en bruit de fond.

En quelques secondes, la pluie de pierres a pris fin, la lampe s'est arrêtée. Les seuls bruits à trouer encore le silence étaient les battements de mon cœur et les mouvements de l'animal.

Le grognement ne provenait plus de la niche au sud-est. Mais peut-être que si. Comment savoir ? Les parois de pierre se renvoyaient les sons. Impossible de dire où se tenait le chacal.

À nouveau, l'obscurité était totale.

J'avais épuisé toutes mes chances de sortie. À présent, l'avantage était au chacal. Il pouvait me voir, m'entendre et me sentir, alors que je n'avais plus aucune idée de l'endroit où il se trouvait.

Jusque-là, aussi faible soit-il, le faisceau de ma lampe l'avait tenu à distance, ébloui comme un cerf pris dans les phares d'une voiture. Il fallait absolument que je récupère la torche.

Mais si l'animal percevait mon mouvement comme une provocation ? Si les piles étaient mortes ?

Un double pari, une seule solution : tâtonner devant moi.

J'ai tendu le bras gauche.

Rien, mis à part le bruit de tonnerre que faisait ma manche de nylon en frottant le sol.

Le chacal a grogné plus fort. Sa respiration s'est accélérée en un halètement plus terrifiant que son grognement. S'apprêtait-il à attaquer ?

Je me suis représenté des yeux m'observant dans le noir. Mes tâtonnements se sont mués en balayages désespérés. Devant moi, à droite, à gauche.

Finalement, mes doigts se sont refermés sur un tube en métal.

Ramenant la lampe contre moi, j'ai poussé le bouton.

Un jaune maladif a éclairé mon corps. J'en ai presque pleuré de soulagement.

Le grognement s'est mué en feulement.

Le cœur battant la chamade, je me suis redressée sur les coudes et j'ai promené la lumière sur les murs nord et est.

Pas le moindre chacal.

Mur sud.

Pas de chacal non plus !

Je me suis retournée. Balayage de tout le côté ouest du tombeau. Les niches étaient remplies de terre ou de pierres. Trop petites pour qu'un chacal s'y dissimule.

Je sondais le loculus le plus proche de moi quand de la terre a cascadé le long de la paroi.

Les batteries n'ont rien trouvé de mieux que de s'éteindre, pile à ce moment-là !

Il y avait du mouvement au-dessus de ma tête.

Ravalant mes larmes, j'ai secoué la torche. Elle s'est rallumée. J'ai pointé le faisceau sur le mur ouest.

Des loculus s'étageaient les uns au-dessus des autres. Le chacal était tapi dans l'un des plus proches du sommet. Piégé dans la lumière, il grondait, les babines retroussées.

Son corps s'est tendu. Il a fléchi les pattes.

Nos yeux se sont soudés, les siens ronds et brillants.

J'ai compris soudain que lui aussi se sentait prisonnier, qu'il voulait s'échapper, mais que je lui bloquais la voie.

Nos regards étaient vrillés l'un à l'autre. J'ai prolongé le mien un quart de seconde de trop.

La bête s'est jetée sur moi en grondant.

Sans réfléchir, je me suis laissée rouler en boule, la tête dans les bras. Elle a atterri sur ma hanche et ma cuisse.

Il y a eu un feulement. Le poids s'est décalé vers ma gorge. Les pattes me labouraient la poitrine.

Le menton baissé, les bras croisés sur la tête, coudes en l'air, je faisais de mon mieux pour m'écarter du puits. Je me préparais à être lacérée quand, subitement, la pression sur mon torse s'est relâchée. J'ai senti le pelage balayer mes cheveux et, brusquement, je me suis retrouvée libre. L'animal avait bondi en l'air.

Halètement, raclement de griffes sur le rocher. Braquant ma torche sur le puits, je n'ai eu que le temps de voir la femelle s'enfuir.

Lui laisser de l'avance. Qu'il y ait une bonne distance entre elle et moi avant d'essayer à mon tour de sortir du tombeau.

Curieusement, ma lampe continuait de briller, quoique très faiblement. Les parois du puits étaient un peu éboulées, mais il restait encore des saillies auxquelles s'agripper.

Pour les atteindre et me hisser jusqu'en haut, il suffisait que j'entasse des pierres et que je grimpe dessus.

Il m'a bien fallu deux minutes pour édifier ce socle.

Au moment de prendre mon élan pour atteindre un rebord auquel m'agripper, une douleur m'a traversé la hanche gauche. J'avais fait une sacrée chute. Si par malheur je dégringolais encore une fois, je serais bonne pour végéter un bon bout de temps dans ce tombeau. J'ai reculé.

Tandis que je bougeais d'un pied sur l'autre pour tester la solidité de mes jambes, la lumière de ma torche a fait apparaître une sorte de cicatrice dans la paroi du puits, une fissure auparavant murée par les pierres éboulées.

Une fissure profonde. Très profonde. Presque une brèche.

Me hissant sur mon podium improvisé pour y voir de plus près, j'ai promené le faisceau de la lampe le long de la paroi.

La fissure était bel et bien une cavité.

Inclinant ma lampe, j'ai scruté l'intérieur.

Il m'a fallu un moment avant de pouvoir distinguer quoi que ce soit.

Il m'a fallu encore plus longtemps pour que mon esprit comprenne et admette de quoi il s'agissait.

Oh, mon Dieu ! Jake devait voir ça sur-le-champ !

Oubliant mes douleurs, j'ai repris mes tentatives d'escalade.

Émergeant dans la chambre supérieure, la tête encore au ras du sol, j'ai examiné les lieux, dressée à la façon d'un chien de prairie.

Pas de Jake et pas de chacal. Apparemment, la salle était déserte.

— Jake !

Pas de réponse.

— Jake ! ai-je hurlé aussi fort que je le pouvais sans me casser les cordes vocales.

Silence.

Les pieds bien calés contre les parois, j'ai lancé les bras en avant. Enfin, j'étais hors du trou !

— Jake !

Toujours pas de réaction.

En revanche, des hurlements de protestation de mon épaule et de ma hanche quand, accroupie, j'ai balayé ma lampe tout autour de la salle.

Personne.

J'ai tendu l'oreille.

Aucun bruit du dehors ne filtrait jusqu'à moi.

Un noir de velours enveloppait le tombeau. Pivotant sur moi-même, j'ai éclairé les murs les uns après les autres.

Sur la paroi nord, bref éclat de bleu.

Quoi encore ?

Ah oui, bien sûr. Mon sac de sport avec les os de Max.

Que faisait-il là ? Où était passé Jake ?

— Jake !

Je hurlais à pleins poumons, maintenant.

Je me suis avancée à quatre pattes vers ce loculus nord pour m'arrêter à mi-chemin. Jake avait sûrement eu une bonne raison pour cacher mon sac là. Mieux valait faire demi-tour et ramper vers la sortie, voir un peu ce qui se passait dehors.

C'est alors que j'ai perçu le son d'une voix. Je me suis immobilisée, la tête rentrée dans les épaules.

Une voix étouffée.

Une autre.

Des cris.

La voix de Jake.

Des mots que je ne comprenais pas. De l'hébreu ?

Une harangue coléreuse, même si je n'en comprenais rien.

Puis un bruit mat. Un autre. Des pas qui s'éloignaient en courant.

L'obscurité dans laquelle je me trouvais s'est encore intensifiée. Des jambes bloquaient maintenant le petit espace par où pénétrait la lumière du jour.

Chapitre 22

Le temps d'un battement de cœur, et des bottes sont apparues dans l'ouverture. Un corps a suivi.

Un corps massif.

Le bond que j'ai fait m'a projetée en arrière contre la paroi. Je me suis affalée au milieu de canettes écrasées, les genoux et les paumes des mains cisaillés par le tranchant des couvercles en aluminium.

Mon esprit m'a renvoyé en flash l'homme qui déambulait sur la route de crête. Mon cœur battait à tout rompre. Doux Jésus ! Est-ce que je vivais ma dernière heure ? La torche bien en main, j'ai levé le bras, prête à frapper l'individu qui se contorsionnait, dos à moi.

Le faisceau de ma lampe a fait surgir du noir des cocotiers au bord d'un lagon. Jake !

J'ai enfin relâché l'air bloqué dans ma gorge.

Dehors, ça criait ferme.

— Qu'est-ce qui se passe ?

— Le Hevrat Kadisha ! m'a jeté Jake par-dessus son épaule, les yeux rivés sur l'ouverture.

— Je ne comprends pas l'hébreu.

— La police des os, merde !

Il haletait. J'ai attendu qu'il s'explique.

— *Da'ataim*.

— C'est fou ce que tu m'éclaires !

— Les ultra-orthodoxes. Ils sont là en force.

Je me suis représenté des hommes en *shtreimel* et *peyos* massés sur la route d'en haut.

— Pourquoi ?

— Ils croient qu'on a des ossements humains avec nous.

— Ils n'ont pas tort.

— Ils les veulent.

— Qu'est-ce qu'on fait ?

— On attend qu'ils se tirent.

— Parce qu'ils vont se tirer ?

— Ils finiront bien.

Ce n'était guère rassurant. D'autant que, dehors, les cris ne faiblissaient pas.

— Mais ils sont fous !

— C'est leur manie, à ces abrutis, de se pointer sur les sites archéologiques.

— Pour quoi faire ?

— Nous emmerder. Si tu savais le nombre de fois où on doit appeler les policiers.

— L'accès aux sites n'est pas protégé ?

— Tu parles qu'ils s'en fichent. Ils sont contre l'exhumation des morts, un point c'est tout. Quelles qu'en soient les raisons. Au besoin, ils fomentent des émeutes pour arrêter les fouilles.

— Et ils sont nombreux à partager ces vues ?

Je voyais déjà des barbus en train de tourner en rond au-dessus de la gorge du Cédron en brandissant affiches et banderoles.

— Dieu merci, non.

Dehors, les cris s'étaient calmés et ce silence soudain était plus angoissant que le vacarme.

J'ai raconté à Jake mon aventure avec l'animal, en bas.

— Tu es sûre que c'était un chacal ?

— Certaine. Une femelle.

— Je ne l'ai pas vue s'enfuir du tombeau.

— Elle a pourtant filé à toute vitesse.

— C'est vrai que j'étais en pleine discussion avec ces cons. Pas trop choquée ?

— Ça va.

— Excuse-moi. J'aurais dû vérifier que les lieux étaient sûrs avant de te faire descendre.

J'étais tout à fait d'accord avec lui.

Dehors, le silence persistait.

J'ai enfoncé le bouton qui éclairait le cadran de ma montre. Neuf heures dix-sept.

— Que dit la loi, ici, pour les restes humains ? ai-je demandé en chuchotant comme si j'étais dans une église.

— Il est autorisé de déterrer des ossements s'ils risquent d'être endommagés par des travaux de terrassement ou si leurs tombes ont été pillées. Après analyse, ils doivent être remis au ministère des Affaires religieuses qui se charge de les reporter en terre.

Jake me parlait sans quitter des yeux l'entrée du tombeau.

— C'est raisonnable, tu ne trouves pas ? Chez nous aussi, il y a des lois qui protègent les tombes indigènes.

— Sauf que ces gens-là, ce sont des fanatiques. Impossible de leur faire entendre raison. Pour eux, tout ce qui peut venir perturber les Juifs dans leur mort est interdit par la *halakha*, la loi juive. Point à la ligne.

— Et quand il s'agit de travaux publics, avec bulldozers et engins de chantier ?

— Oh, ce n'est pas ça qui les arrête. Ils disent : « Vous n'avez qu'à creuser un tunnel, construire un pont, faire une déviation, enchâsser les tombes dans votre maudit ciment ! »

— Tu crois qu'ils sont toujours là ?

— Y a des chances.

— Qui décide s'il s'agit de restes juifs ou pas ?

Je parlais surtout pour recouvrer mon calme, l'estomac encore noué de ma rencontre avec le chacal.

— Eux-mêmes, en tant que gardiens de l'orthodoxie. Commode, n'est-ce pas ?

— Mais si l'ascendance reste douteuse ? ai-je demandé en pensant à notre Max dans le sac derrière moi.

Jake a ricané.

— Chaque remise en terre rapporte mille shekels en taxes au ministère des Affaires religieuses. À ton avis, combien déclare-t-on de non-Juifs ?

— Mais…

— Le Hevrat Kadisha récite des prières au-dessus des ossements et le mort est converti.

Je ne comprenais pas bien, mais j'ai laissé faire.

Un calme sinistre filtrait jusqu'à nous. Neuf heures vingt-deux à ma montre.

— On va attendre encore longtemps ?

— Jusqu'à ce que la voie soit libre.

Nous n'avons plus rien dit. De temps à autre, je remuais un pied ou un bras pour éviter les crampes, recroquevillée comme je l'étais dans ce réduit, ou bien c'était Jake. Avec son mètre quatre-vingt-dix-sept, il n'en menait pas large.

Ma hanche m'élançait, mon épaule aussi. J'étais moite et parcourue de frissons. Assise par terre au milieu d'ordures, j'étais bloquée au fond d'un souterrain par les membres d'une organisation à côté de laquelle l'Inquisition semblait n'avoir été qu'une bagatelle !

Et il n'était même pas dix heures du matin.

Un siècle plus tard, j'ai à nouveau illuminé mon cadran. Vingt minutes s'étaient écoulées. J'étais sur le point de proposer qu'on jette un œil dehors, quand un homme a crié :

— *Asur !*

D'autres voix ont repris.

— *Asur ! Asur !*

Mon nœud à l'estomac s'est resserré. Les hommes étaient tout près, maintenant. Juste devant le tombeau.

J'ai regardé Jake. Il m'a traduit :

— Interdit.

— *Chilul !*

— Profanation.

Quelque chose a rebondi sur l'auvent de pierre qui protégeait l'entrée du tombeau.

— C'était quoi ?

— Une pierre, probablement.

— Ils nous jettent des pierres !

Exclamation chuchotée d'une voix stridente, si tant est que la chose soit possible.

Une autre pierre a percuté le rebord.

— *B'nei Belial !*

— Ils disent qu'on est des suppôts de Satan.

— Ils sont combien, dehors ? ai-je demandé.

— L'équivalent de plusieurs voitures.

Un caillou de la taille d'un poing a heurté le linteau de l'ouverture.

« *Asur ! Asur la'asot et zeh !* » À présent, c'était devenu un chant. « *Asur ! Asur !* »

Jake a levé les sourcils. Dans l'obscurité, on aurait dit une grosse haie noire en train de léviter. J'ai levé les miens à mon tour.

— Je vais voir, a-t-il déclaré.

— Fais attention !

Je n'ai rien trouvé de mieux à lui dire.

Marchant sur les genoux, il s'est avancé vers l'entrée. Un genou en terre, il a tendu le cou dehors.

Ce qui s'est produit alors n'a pas pris plus de quelques secondes.

Le chant s'est fragmenté en cris.

— *Shalom alaichem*, a lancé Jake aux hommes massés là.

Ses vœux de paix ont été accueillis par un concert de glapissements furibonds.

— *Lo !* a hurlé Jake en retour.

Je connaissais assez d'hébreu pour savoir que cela signifiait « non ».

Les hurlements ont augmenté.

— *Reik…*

Le craquement sinistre d'un caillou percutant un os.

Le dos de Jake s'est arqué, une de ses jambes est partie en arrière, il s'est effondré.

— Jake !

J'ai foncé vers lui à quatre pattes.

Il avait la tête dehors, les épaules et le corps à l'intérieur du tombeau.

— Jake !

Pas de réponse.

Les doigts tremblants, j'ai palpé sa gorge. Son pouls battait. À peine, certes, mais de façon régulière.

J'ai passé la tête à l'extérieur.

Il avait le visage contre le sol, je ne pouvais voir que l'arrière et le côté de son crâne. Du sang avait coulé sur son oreille et dégouliné dans l'herbe chaude sous le soleil. Des mouches arrivaient à tire-d'aile pour se repaître du spectacle.

Une peur glacée a déferlé dans mes veines.

D'abord un chacal, et maintenant des cinglés ! Que faire ? Déplacer Jake au risque d'aggraver ses blessures ? L'abandonner pour aller chercher de l'aide ?

Mais comment, sans risquer moi-même d'avoir le crâne fendu ? Dehors, le chant avait repris.

Donner à ces salauds ce qu'ils voulaient ?

Ils enterreraient Max et la vérité sur le squelette de Massada serait perdue à jamais.

Une pierre a atterri près de l'entrée du tombeau.

Suivie d'une autre.

Les salauds !

Aucun mystère antique ne valait qu'on lui sacrifie une vie. Jake avait besoin d'un médecin.

Ayant déposé la torche sur le sol, j'ai reculé et attrapé Jake par ses bottes pour le tirer hors d'atteinte de ces forcenés. Hélas, dans l'impossibilité où j'étais de me tenir debout, mes gestes étaient maladroits. J'ai tiré de toutes mes forces.

Gagnant un centimètre après l'autre, j'ai réussi à ramener Jake dans la sécurité du tombeau. J'ai rampé jusqu'à sa tête et l'ai tournée sur le côté. Surtout qu'il ne s'étouffe pas s'il était pris de vomissements !

C'est alors que je me suis souvenue qu'il avait un cellulaire.

Mais où ? Sur lui ?

Toujours accroupie, je suis redescendue le long de son corps. J'ai fouillé la poche de sa chemise, les poches avant et arrière gauches de son jeans et toutes celles de sa veste de treillis dans lesquelles j'arrivais à faufiler mes doigts.

Pas de téléphone.

Merde !

Dans mon sac de sport peut-être ?

J'ai rampé jusqu'au loculus nord. Mes mains, glacées et d'un blanc crayeux, se battaient avec les tirettes des fermetures éclair. Je les ai regardées disparaître tour à tour dans les poches en me demandant si c'était les miennes.

Enfin mon cerveau a décrypté la forme et le matériau que tâtaient mes doigts. Le téléphone !

L'ayant extirpé du sac, j'ai rabattu le clapet. Le petit écran a clignoté un message de bienvenue sur fond de néon bleu.

Quel était le numéro à composer pour les urgences, dans ce pays ? Le 911 ?

Mystère.

J'ai fait défiler l'annuaire personnel de Jake et sélectionné au hasard un numéro local.

Il est apparu à l'écran, assorti du mot « appel ». Série de bips suivis d'un long signal. Le message d'accueil est revenu à l'écran.

J'ai recommencé. Même résultat.

Pas de réseau ! On était trop loin sous terre.

Je m'apprêtais à refaire un essai quand Jake a gémi. Fourrant le téléphone dans ma poche, j'ai rampé vers lui.

Le temps que j'arrive, il avait déjà roulé sur le ventre et posé les mains sous lui.

Ramassant la torche, je lui ai conseillé d'y aller doucement.

Lentement, il a réussi à se mettre en position assise. Le sang sur son oreille provenait d'une entaille qu'il avait au front. Il l'a essuyé. Une tache sombre a maculé son nez et sa joue droite.

— Qu'est-ce qui s'est passé ? a-t-il demandé d'une voix chancelante.

— Tu as arrêté une pierre avec ta tête.

— Où sommes-nous ?

— À l'intérieur d'un tombeau dans la vallée du Cédron.

Il a paru obligé de faire un effort pour se rappeler la situation.

— Ah oui, le Hevrat Kadisha.

— Parmi eux, il y en a au moins un qui a de l'avenir dans une équipe de base-ball de la ligue majeure.

— Il faut absolument sortir d'ici.

— Même si c'est la dernière action de notre vie.

— Le sac est toujours dans le loculus ?

— Oui.

Tant bien que mal, il est parvenu à s'accroupir. Là, il a vacillé. Sa tête est tombée sur sa poitrine et il a dû poser la main à plat pour éviter de tomber.

Je me suis précipitée pour l'aider.

— Tu pourras remonter tout en haut jusqu'au camion ?

— C'est rien, juste un faux mouvement.

Bandant ses muscles, il a réussi à se mettre à quatre pattes.

— Éclaire-moi, Scottie.

Mais il ne s'est pas dirigé vers l'entrée. Il a d'abord rampé jusqu'au mur nord pour rouler une grosse pierre devant le loculus où était caché mon sac contenant les os de Massada Max.

— On peut y aller maintenant.

— Ils vont entrer ici ?

— Peut-être pas. Mais si on passe devant eux avec le sac, on n'arrivera jamais jusqu'au camion.

— Tu crois qu'ils nous ont vus descendre avec ?

— Je peux le cacher en bas, si tu veux.

Pour la première fois depuis que j'étais remontée de

la chambre inférieure, je me suis rappelé ma découverte. Perdre Massada Max suffisait amplement. Pas question que le Hevrat Kadisha mette aussi la main sur ces choses étonnantes, restées emmurées pendant tant de siècles.

— Laissons le sac dans le loculus en espérant qu'ils ne le trouveront pas. Je ne veux surtout pas qu'ils fouillent en bas. Je t'expliquerai pourquoi tout à l'heure, dans le camion. Bon, comment est-ce qu'on s'y prend ?

— On sort, tout simplement.

— Comme ça, les doigts dans le nez ?

— Il y a des chances pour qu'ils dégagent quand ils verront que je suis blessé.

— S'ils nous ont vus entrer avec le sac, ils s'étonneront qu'on ait les mains vides.

— Tant pis. Tu es prête ?

J'ai hoché la tête et éteint la torche. Jake a pointé le nez dans l'ouverture et crié.

Les ultra-orthodoxes étaient-ils pris de court ? Méfiants ? En train de fourbir leurs armes ? Toujours est-il que le cri de Jake n'a produit aucune réaction dans leurs rangs. Agrippant des deux mains les montants du portail, Jake s'est hissé hors du tombeau en se tortillant.

Quand ses bottes ont disparu, j'ai pris sa place. Arrivée à mi-hauteur, j'ai senti une main me saisir par la taille et me tirer à l'extérieur.

Je me suis retrouvée à genoux dans l'herbe de la pente. Mes pupilles, éblouies par le soleil, se sont rétrécies jusqu'à n'être plus que deux têtes d'épingle. J'ai vivement fermé les paupières.

Quand j'ai rouvert les yeux se déroulait devant moi l'une des scènes les plus incroyables qu'il m'ait été donné de voir dans ma vie.

Chapitre 23

Devant moi ne se tenaient pas seulement des croyants respectueux des traditions, portant la barbe et des boudins devant les oreilles, des redingotes noires couvertes de poussière et des chapeaux noirs à larges bords, mais des hommes ivres de fureur et de rage, qui s'excitaient l'un l'autre.

Je ne m'étais pas trompée sur leur aspect, uniquement sur leur nombre.

Quarante-deux, ai-je compté rapidement, profitant de ce que Jake ouvrait les débats en leur souhaitant la paix une seconde fois.

Quarante-deux, dont deux enfants de moins de dix ans et une demi-douzaine d'adolescents. Apparemment, l'ultra-orthodoxie était une industrie en plein essor.

Les phrases en hébreu volaient autour de moi. Le peu de vocabulaire que je venais d'acquérir me permettait d'en saisir le sens général : ils nous accusaient d'avoir dérobé quelque chose ou enfreint un tabou, et certains parmi eux nous traitaient même d'enfants de Satan. Au ton de Jake, je comprenais qu'il réfutait avec force ces deux accusations.

Jeunes et moins jeunes braillaient à qui mieux mieux. Certains appuyaient leurs dires en sautant sur place. À croire qu'ils étaient montés sur ressorts. Leurs boudins des deux côtés de la tête frétillaient et bondissaient en tous sens.

Après plusieurs minutes de discussion animée, Jake a focalisé son attention sur un homme à cheveux gris, visiblement le mâle alpha du clan. Un rabbin, à tous les coups. Voyant qu'un dialogue s'engageait, les autres ont fait le silence.

Le rabbin, rouge comme une framboise, lançait des invectives en brandissant un doigt dans la lumière. Le mot *ashem*, honte, revenait souvent.

Jake, pétri de calme et de raison, l'écoutait et répondait tranquillement.

Au bout d'un moment, l'agitation a repris parmi les fantassins de la foi. Les uns ont recommencé à pousser les hauts cris, les autres à agiter le poing. Un troisième groupe formé de jeunes — peut-être des étudiants de la *yeshiva* —, s'est mis à ramasser des pierres. J'ai gardé l'œil sur eux.

Après dix minutes de débats stériles, Jake s'est tourné vers moi, les mains levées en signe de reddition.

— On se tire, a-t-il dit. Tout ça ne sert à rien.

Ensemble, nous avons esquissé un mouvement sur la gauche.

Le rabbin a hurlé un ordre. Le bataillon s'est divisé en deux. Le flanc droit est resté devant le tombeau. Le flanc gauche nous a collé au train.

Jake a entrepris de remonter la pente à grandes enjambées. J'ai suivi, faisant deux pas quand il en faisait un, m'agrippant aux lianes et aux buissons pour escalader les rochers. J'étais en nage, pantelante. Ma hanche hurlait de douleur. Mes jambes pesaient des tonnes.

Un coup d'œil derrière moi de temps à autre m'apprenait que la meute d'une douzaine de chapeaux noirs nous suivait à la trace. J'avançais, les épaules crispées, m'attendant à recevoir une pierre dans le dos à tout moment.

Heureusement, nos poursuivants passaient plus de temps au temple qu'au gymnase, de sorte que nous avons atteint la route de crête avec une bonne avance sur eux.

Une demi-douzaine de véhicules stationnaient sur la clairière derrière le village de Silwan. Le camion de Jake était toujours là où nous l'avions laissé, sauf que les deux portières en étaient ouvertes et la fenêtre côté conducteur brisée en mille morceaux. Le sol était jonché de fragments de verre qui étincelaient parmi les papiers, les livres et les vêtements éparpillés partout.

— Merde !

Jake a piqué un sprint sur les derniers mètres pour ramasser ses affaires et les jeter dans le camion.

Je me suis jointe à lui. En l'espace de quelques secondes, nous avions tout récupéré, claqué nos portières et baissé les loquets.

Les premiers chapeaux noirs ont émergé sur la crête juste au moment où Jake tournait la clef de contact. Il a enclenché une vitesse et appuyé à fond sur le champignon. Les roues ont patiné. Le camion s'est élancé en avant, soulevant deux traînées de poussière dans son sillage.

J'ai regardé par la lunette arrière.

Nos poursuivants s'épongeaient le front, renfonçaient leur chapeau, agitaient le poing dans notre direction. On aurait dit des marionnettes aux fils embrouillés, mais que Dieu n'allait pas tarder à démêler.

Jake a viré à gauche, puis à droite, laissant le village derrière nous. Je gardais les yeux fixés sur la clairière.

Arrivé à la route goudronnée, Jake a ralenti. Il a posé une main rassurante sur mon bras.

— Tu crois qu'ils vont nous suivre ? lui ai-je demandé.

Ses doigts m'ont serrée comme un étau.

J'ai tourné la tête vers lui. Et là, la peur s'est emparée de moi.

La main de Jake sur le volant était crispée, bien trop crispée. Ses jointures saillaient comme un rang de boutons blancs. Il avait le visage crayeux, le souffle court et haletant.

— Ça va ?

Le camion perdait de la vitesse, comme si Jake n'était plus capable d'effectuer deux choses à la fois : tenir le volant et accélérer.

Il m'a regardée. L'une de ses pupilles n'était plus qu'un point, l'autre un trou noir et vide.

J'ai saisi le volant juste au moment où il s'écroulait dessus, le pied à fond sur la pédale des gaz.

Le camion a tangué. Le compteur de vitesse s'est emballé. Cinquante-cinq kilomètres à l'heure. Soixante-cinq. Soixante-dix.

Ma première réaction a été la panique, ce qui ne changeait rien au problème. Heureusement, mon cerveau est intervenu.

J'ai renversé Jake contre le dossier.

Le camion continuait à prendre de la vitesse.

Tenant le volant de la main gauche, j'ai commencé à tirer sur la jambe de Jake de la main droite pour libérer l'accélérateur.

Impossible de la soulever un tant soit peu ou de faire simplement basculer son pied sur le côté. Nous nous engagions dans une descente, la vitesse augmentait toujours.

Soixante-quinze.

Quatre-vingt-cinq.

J'en étais maintenant à rouer de coups de pied la botte de Jake.

Dans ma frénésie, j'ai heurté le volant. Le camion a fait une embardée sur le bas-côté. J'ai contrebraqué. Le gravier a giclé. Avec des soubresauts, les roues ont retrouvé l'asphalte.

Les arbres défilaient de plus en plus vite. Nous roulions à presque cent kilomètres à l'heure. Il fallait faire quelque chose.

À gauche se dressait le mont des Oliviers et, à vingt mètres de distance, il y avait un renfoncement envahi de ronces.

Je me suis retenue pour ne pas tourner le volant dans l'instant. C'était trop tôt.

Seigneur Jésus ! Faites qu'il n'y ait personne en face !
Maintenant ou jamais !

J'ai tourné à gauche toute. Le camion a franchi la ligne centrale, presque couché sur deux roues. Abandonnant mes tentatives de manœuvre, j'ai passé les mains sous la cuisse de Jake et soulevé sa jambe. La pression sur l'accélérateur s'est relâchée. Le moteur a calé et s'est remis en marche. Le camion a percuté une rambarde en bois, basculé et poursuivi sa course quasi sur le flanc, dans des gerbes de terre et de gravillons. Ronces et rochers se sont dangereusement rapprochés.

Je n'ai eu que le temps de renverser Jake sur mes genoux et de plonger sur lui, protégeant nos deux têtes de mes bras.

Les branchages ont éraflé les portières. Quelque chose a rebondi sur le pare-brise.

Il y a eu un bruit de tôle froissée, une violente secousse, et nous avons été projetés brutalement contre le volant.

Le moteur s'est arrêté.

Pas un appel. Pas un bourdonnement d'abeille. Pas un vrombissement de voiture sur la route. Juste le silence du mont des Oliviers et ma respiration frénétique.

Le temps de plusieurs battements de cœur, je suis restée immobile à sentir l'adrénaline faire des acrobaties dans mes veines.

Au bout d'un moment, un oiseau a lancé un « croa » mal assuré.

Je me suis redressée. Jake avait une bosse de la taille d'une huître sur le front. Sa peau était moite et ses paupières d'une drôle de couleur mauve. Il avait besoin d'un médecin. Et vite !

Est-ce que j'arriverais à l'installer à la place du passager ?

Est-ce que le moteur allait redémarrer ?

Poussant de toutes mes forces sur ma portière, j'ai réussi à l'ouvrir et à me glisser au-dehors malgré les ronces. J'ai contourné le camion.

Que faire, maintenant ? Tirer Jake, le pousser ?

Il mesurait un mètre quatre-vingt-dix-sept et pesait dans les quatre-vingts kilos. Quant à moi, je faisais un mètre soixante-cinq pour… Combien de kilos ? En tout cas beaucoup moins.

Me battant avec les broussailles, je suis parvenue à ouvrir la portière de Jake et à grimper sur le marchepied.

Je me dévissais l'épaule pour glisser un bras sous lui quand j'ai entendu un véhicule ralentir et quitter la route. Derrière moi, des gravillons ont crissé et un moteur s'est tu. Un bon Samaritain ? Un fanatique ?

Je me suis retournée.

Une Corolla blanche avec deux hommes à l'avant.

Qui me dévisageaient à travers le pare-brise.

J'ai fait de même. Ils discutaient entre eux.

Mon regard est tombé sur la plaque minéralogique : des chiffres blancs sur fond rouge.

Ouf !

Les deux hommes se sont extraits du véhicule. Le premier portait une veste et un pantalon de sport, le second une chemise bleu clair avec des épaulettes noires et une cordelette noire qui disparaissait dans la poche de poitrine. Une plaque argentée sur l'autre poche de poitrine arborait un mot écrit en caractères hébreux qui devait être le nom de ce policier.

— *Shalom.*

Il avait un front haut et des cheveux blonds coupés très ras. Il devait avoir trente ans. Je ne lui en donnais pas deux avant de commencer à s'intéresser sérieusement aux prix des implants capillaires.

— *Shalom*, ai-je répondu.

— *Geveret, HaKol beseder ?* Tout va bien, madame ?

— Mon ami a besoin d'un médecin, ai-je répondu en anglais.

Tête rasée s'est approché. Son équipier est resté debout derrière sa portière ouverte, la main droite plaquée contre la hanche.

M'extirpant du roncier, je me suis avancée en prenant l'air le plus engageant.

— Votre nom ?

— Temperance Brennan. Je suis anthropologue judiciaire. Américaine.

— Hm.

— Le conducteur est un archéologue américain qui travaille ici en Israël, le Dr Jacob Drum.

Jake a émis un drôle de glouglou. Tête rasée a tourné les yeux vers lui, puis sur ce qui restait de la fenêtre du conducteur.

Jake a choisi ce moment pour reprendre conscience. Peut-être avait-il entendu la conversation, car il s'est penché en avant pour fouiller autour des pédales. Ayant récupéré et chaussé ses lunettes de soleil, il s'est redressé et déplacé côté passager pour faciliter la conversation.

Le policier s'est approché de lui.

Nouvel échange de *shaloms*.

— Vous êtes blessé, monsieur ?

— Juste une bosse.

Jake a éclaté d'un rire qui se voulait convaincant, mais que contredisait son bleu sur le front.

— Vous voulez que j'appelle une ambulance par radio ?

— C'est inutile.

Tête rasée a pris l'air dubitatif. Les blessures de Jake et la fenêtre brisée y étaient-elles pour quelque chose ? Le scepticisme était-il courant dans le pays ? Toujours est-il que ce policier affichait une expression de profonde perplexité depuis qu'il était sorti de sa Corolla.

— Vraiment, a insisté Jake. Tout va bien.

J'ai failli m'interposer. Quelque chose m'a retenue.

— J'ai dû prendre de front un nid-de-poule, perdre une roue ou je ne sais quoi. En tout cas, faire une connerie, a expliqué Jake en riant de lui-même.

Tête rasée a jeté un coup d'œil vers la route.

— Je travaille sur un site archéologique près de Talpiot, poursuivait Jake. Avec une équipe du musée Rockefeller.

Apparemment, il m'avait entendue parler au policier.

— Je montrais la région à la petite dame.

La petite dame ?

Tête rasée a remué les lèvres comme pour dire quelque chose, puis il s'est ravisé et nous a simplement demandé nos papiers.

Jake a produit un passeport américain, un permis de conduire israélien et la carte grise du camion. J'ai tendu mon passeport.

Tête rasée a étudié les documents l'un après l'autre.

— Je reviens dans un instant. Remontez dans votre véhicule.

— Ça vous embête si j'essaie de faire démarrer mon tas de ferraille ?

— Non, mais ne le déplacez pas.

Laissant Tête rasée effectuer les vérifications d'usage, Jake s'est escrimé sur le moteur. Sans résultat. Le « tas de ferraille » avait sa dose de kilomètres pour aujourd'hui.

Un semi-remorque est passé dans un grondement. Puis un car, une jeep de l'armée. Je les ai regardés s'enfuir au loin et leurs feux arrière rapetisser jusqu'à se fondre en un seul point lumineux.

Jake s'est laissé retomber contre le dossier et a dégluti plusieurs fois comme s'il allait vomir.

Tête rasée est revenu avec nos papiers. Dans le rétroviseur de côté, j'ai vu que le policier en civil était remonté en voiture.

— On peut vous déposer, docteur Drum ?

— Ce n'est pas de refus, merci.

Jake avait renoncé à toute bravade.

Nous sommes descendus du camion. Jake en a fermé les portières, précaution dérisoire en l'occurrence. Emboîtant le pas à Tête rasée, nous avons pris place à l'arrière de la Corolla.

L'autre policier, un type au visage fatigué portant des lunettes à monture argentée, nous a salués d'un hochement de tête. Tête rasée nous l'a présenté comme étant le sergent Schenck.

— Où on vous emmène ? a demandé ce dernier.

Jake a commencé à expliquer le chemin jusque chez lui, à Beit Hanina. Je l'ai interrompu.

— À l'hôpital.

— Mais je vais très bien, a protesté Jake.

Sans grande conviction.

— Emmenez-nous aux urgences ! ai-je ordonné sur un ton sans réplique.

— Vous êtes descendue à l'American Colony, docteur Brennan ? s'est intéressé Schenck.

Efficaces, les policiers !

— Oui.

Il a fait demi-tour sur la chaussée.

Jake est resté conscient pendant tout le trajet, mais de plus en plus passif.

À ma demande, Schenck avait contacté l'hôpital par radio, de sorte que deux infirmiers nous attendaient quand nous sommes arrivés. Ils ont sorti Jake de la voiture et l'ont emporté sur une civière vers le scanner ou tout autre endroit équipé de la technologie nécessaire pour traiter les patients atteints de traumatisme crânien.

Schenck et Tête rasée m'ont remis un formulaire. Je l'ai signé. Ils sont partis.

Une infirmière a tiré de moi tout ce que je savais sur Jake et m'a fait signer d'autres formulaires. J'ai appris alors que je me trouvais au centre hospitalier universitaire Hadassah, sur le campus de Mont Scopus, à quelques minutes du siège de la police nationale d'Israël.

La paperasse terminée, je me suis préparée à une longue attente. J'étais assise sur mon siège depuis dix minutes à peine quand un homme de haute taille portant des lunettes d'aviateur a franchi les doubles portes.

Je me suis sentie… comment dire ? Soulagée ? Reconnaissante ? Embarrassée ?

Tout en s'approchant, Ryan a remonté ses lunettes sur son crâne.

— Ça va, soldat ?

Ses yeux bleu électrique débordaient d'inquiétude.

— Au poil.

— Tu as prêté ton minois à des joueurs de rugby ?

— Je me suis cassé la figure dans un tombeau.

— Ah, quelle situation détestable !

Il a accompagné ses mots de cette grimace dégoûtée qu'il ne manque pas de m'octroyer chaque fois qu'il me découvre la gueule de travers.

— Tu peux garder tes remarques pour toi !

J'avais les cheveux encore humides de l'escalade pour remonter de la gorge, les traits tuméfiés après ma chute dans le puits. Mon coupe-vent portait des traces de pattes d'animal et de mûres écrasées et il y avait assez de terre sur mon jeans et sous mes ongles pour colmater les murs d'une hutte.

Ryan s'est laissé tomber sur la chaise à côté de moi.

— Qu'est-ce qui t'est arrivé ?

Je lui ai raconté ma visite du tombeau et ma rencontre avec le chacal, sans oublier les agissements du Hevrat Kadisha.

— Jake s'est évanoui ?

— Brièvement.

Je ne me suis pas étendue sur les détails de l'accident.

— Ce n'est probablement qu'un choc, a dit Ryan.

— Probablement.

— Et Massada Max ?

Je lui ai dit que nous avions dû l'abandonner sur place.

— Espérons que ces gars-là suivent les préceptes qu'ils défendent et laissent les morts reposer en paix.

J'ai expliqué à Ryan que Jake pensait que ce tombeau était celui où l'ossuaire de Jacques avait été dérobé, ce qui en faisait peut-être le caveau de famille de Jésus.

— Il fonde son hypothèse uniquement sur les motifs ornementaux des ossuaires ?

— Il prétend détenir d'autres preuves, et que c'est de la dynamite.

Une femme est entrée, un nourrisson en pleurs dans les bras. Un coup d'œil à ma personne l'a convaincue d'aller s'asseoir plus loin. J'ai repris ma conversation tout en retirant la boue de dessous un ongle.

— J'ai repéré quelque chose, Ryan. Dans la chambre inférieure.

— Quelque chose ?

Je lui ai décrit ce que j'avais aperçu dans la cavité révélée par la chute des pierres.

— Tu es sûre ?

J'ai hoché la tête.

À l'autre bout de la salle, le bébé prenait le mors aux dents. La mère a décidé d'arpenter les rangées de chaises.

Ça m'a rappelé la fois où ma fille avait eu plus de 40 °C de fièvre au beau milieu de la nuit. Cette course avec Peter pour arriver aux urgences ! Brusquement, Katy m'a manqué très fort. J'ai dû me forcer pour revenir au temps présent.

— Comment tu as su que j'étais ici ?

— Schenck travaille aux crimes majeurs. Il savait par Friedman qu'un policier canadien devait venir en Israël avec une anthropologue américaine. Il a fait deux et deux quatre et contacté son copain.

— Tu as du nouveau sur le front Kaplan ?

— Maintenant, il nie avoir subtilisé le collier.

— C'est tout ?

— Pas tout à fait.

Chapitre 24

— Il semblerait que les relations entre l'accusé Kaplan et la malheureuse victime Litvak remontent à très loin dans le passé.

— Kaplan est ami avec le commerçant qu'il a volé ?

— Son cousin éloigné et parfois son fournisseur. Kaplan lui fournit à l'occasion des… Comment est-ce que Litvak a présenté ça, déjà ? Ah oui, des objets de curiosité.

— Litvak fait dans les antiquités ?

Ryan a hoché la tête.

— Marché noir ?

— Bien sûr que non.

— Ben voyons !

— Litvak et Kaplan ont eu une petite conversation juste avant que le collier disparaisse.

— Une conversation à propos de quoi ?

— Kaplan aurait promis de livrer quelque chose à Litvak et manqué à son engagement. L'autre ne l'a pas pris. L'affaire s'est envenimée. Kaplan a quitté le magasin en furie.

— Et raflé le collier au passage.

Ryan a fait signe que oui.

— Litvak était dans un tel état de rage qu'il a appelé les policiers.

— Sans blague.

— Ce n'est pas le couteau le plus pointu du tiroir. Et il est un peu soupe au lait.

Le nourrisson était bel et bien parti pour nous démontrer toute la puissance de son organe vocal. Sa maman arpentait la salle d'attente en lui tapotant le dos.

Je lui ai souri quand elle est passée devant nous. Ryan aussi. J'ai attendu qu'elle se soit éloignée pour demander :

— Qu'est-ce que Kaplan était censé livrer à Litvak ?

— Une curiosité.

J'ai levé les yeux au ciel. La grimace m'a fait mal.

Ryan a plié ses lunettes et les a glissées dans sa poche de chemise. Calé contre son dossier, il a étendu les jambes et croisé les doigts sur son ventre.

— Une exxx-traordinaire relique de Massada.

J'allais réagir par une de ces exclamations hyper-originales du style : « Tu te fous de ma gueule ? » quand l'infirmière de l'accueil est entrée dans la salle et s'est avancée vers nous. Nous nous sommes levés.

— M. Drum souffre d'une légère commotion cérébrale. Le Dr Epstein veut le garder ici pour la nuit.

— Vous allez le garder ?

— Pour observation. C'est la procédure habituelle. M. Drum devrait être sur pied dans un jour ou deux sans autre séquelle qu'un mal de tête et une certaine irritabilité.

— Quand pourrai-je le voir ?

— Dans une heure ou deux, quand il aura été transféré dans une chambre.

L'infirmière repartie, Ryan s'est tourné vers moi.

— Que dirais-tu d'un repas ?

— C'est une bonne idée.

— Que dirais-tu d'un repas bien arrosé suivi d'une partie de jambes en l'air ?

— Tu es un vrai diable.

Voyant le visage de Ryan s'illuminer, je n'ai pas voulu qu'il se berce d'illusions.

— Ma réponse est non.

Ses traits se sont affaissés.

— Je dois absolument dire à Jake ce que j'ai vu dans le tombeau.

Deux heures plus tard, j'étais au pied de son lit en compagnie de Ryan. Jake était plus pâle que sa chemise de nuit, et elle avait dû subir pas mal de lessives à l'eau de Javel. En outre, il avait toute une tuyauterie reliée à son bras droit. Le gauche reposait sur son front, paume vers le ciel. L'infirmière ne m'avait pas menti en me parlant de possible irritabilité, car c'est d'une voix cassante qu'il m'a jeté en guise d'accueil :

— Ces conneries n'avaient rien à voir avec le tombeau.

— Avec quoi, alors ?

— C'est après toi que le Hevrat Kadisha en avait !

— Moi ?

— Ils savent pourquoi tu es venue en Israël.

— Comment ça ?

— Parce que tu as téléphoné à l'AAI !

— Pas depuis que je suis là.

— Tu as appelé Blotnik de Montréal.

Il a lâché ces mots avec tant de férocité qu'on aurait cru un animal se jetant sur ses petits pour les dévorer.

— Enfin…

— Le téléphone de l'AAI est sur écoute.

J'avais du mal à le croire.

— Écouté par les ultra-orthodoxes !

— Rappelle-toi. Pour eux, tu es un enfant de Satan, est intervenu Ryan.

Je l'ai foudroyé du regard.

— Ce sont des dingues, a poursuivi Jake comme s'il n'avait pas été interrompu. Ils lancent des pierres aux gens pour les empêcher de conduire les jours de sabbat. Ils placardent des affiches avec les noms des archéologues qui méritent d'être damnés. Ils me réveillent en pleine nuit pour me souhaiter de mourir du cancer et appeler des choses pires encore sur ma famille.

Jake a fermé les yeux, fatigué par l'éclairage au-dessus de sa tête.

— Ça n'avait rien à voir avec ce tombeau, a-t-il répété avec force. Ils le savent bien, qu'il est vide. De toute façon, ils n'ont pas la moindre idée de l'importance qu'il peut avoir.

— Qu'est-ce qu'ils voulaient, alors ?

Je ne comprenais plus rien.

Jake a rouvert les yeux.

— Je vais te le dire, ce qu'ils voulaient : les restes du héros de Massada. Voilà ce que le rabbin exigeait qu'on leur rende.

Notre Max !

Que nous avions laissé dans un loculus à moins de six mètres d'eux.

— Ils vont fouiller le tombeau ?

— À ton avis ?

Jake a laissé tomber ces mots sur un ton revêche digne d'un enfant de dix ans. Pour ma part, je refusais de me laisser submerger par sa mauvaise humeur.

— Tout dépend s'ils nous ont vus descendre avec le sac ou pas.

— Remettez donc à la dame une belle médaille en or !

Jake a baissé le bras et regardé fixement son poing serré. Pendant plusieurs secondes, personne n'a plus rien dit.

Finalement, c'est moi qui ai rompu le silence.

— Il y a une chose que je ne t'ai pas dite, Jake.

Il a relevé les yeux sur moi. Ses pupilles étaient redevenues normales.

— En remontant dans la chambre supérieure, j'ai fait tomber une pierre de la paroi du puits. Derrière, il y avait un renfoncement.

— Un loculus caché, et alors ? a-t-il éructé avec mépris.

— En éclairant à l'intérieur, j'ai vu comme un vieux tissu.

— Tu déconnes ? s'est écrié Jake et il s'est dressé tant bien que mal dans son lit.

J'ai hoché la tête.

— On a déjà retrouvé des textiles du 1er siècle, mais jamais à Jérusalem, seulement dans le désert. Car il y a de grandes chances pour qu'il soit du 1er siècle, comme les ossuaires.

— Si tu promets de ne pas me tuer, je te dis le reste.

Jake s'est laissé retomber sur son oreiller.

— J'ai l'impression que ça pourrait être un linceul… J'ai vu des os, aussi.

À cet instant, une infirmière est entrée. Ses semelles en caoutchouc ont couiné sur le carrelage gris étincelant. Une fois tous les appareils vérifiés, elle s'est tournée vers moi.

— Le malade a besoin de repos. Vous devez partir.

— Il faut retourner là-bas, s'est exclamé Jake en se redressant sur un coude.

— Allongez-vous, monsieur Drum, est intervenue l'infirmière.

Et de peser des deux mains sur ses épaules pour l'y forcer.

Jake résistait.

Le regard dont elle l'a foudroyé laissait entendre qu'elle avait à sa disposition des liens en caoutchouc qui n'étaient pas faits pour les chiens. Jake s'est soumis. L'infirmière a dirigé son ire sur moi.

— Sur-le-champ !

Et son ton suggérait qu'elle avait aussi des camisoles de force pour les visiteurs récalcitrants.

J'ai tapoté le bras de Jake.

— J'irai dès demain à la première heure.

— Ça ne peut pas attendre.

L'infirmière me désignait la porte des yeux. J'ai battu en retraite.

Jake a soulevé la tête de l'oreiller.

— Vas-y tout de suite !

Sur un ton aussi autoritaire que l'infirmière.

De retour dans le hall de l'hôpital, Ryan a appelé la police. Préoccupée par toutes sortes de questions, je n'ai pas prêté attention à sa conversation. La première était : arriverai-je à retrouver mon chemin dans la vallée du Cédron ?

Qui m'aidera, une fois là-bas ? Impossible de demander à Ryan, il était ici en mission, il devait se concentrer sur Kaplan. Quant à Friedman, il prenait déjà sur son temps pour aider un collègue.

— Friedman arrive, a déclaré Ryan en refermant le clapet du cellulaire qu'il avait loué.

— Il en a fini avec Kaplan ?

— Il lui offre un petit temps de réflexion.

— Kaplan croit toujours qu'il a été arrêté à cause du collier de Litvak ?

— Et aussi à cause de chèques sans provision au Canada.

— Tu ne l'as pas encore questionné sur Ferris ?

Ryan a secoué la tête.

— Je laisse Friedman mener l'interrogatoire. Il a une méthode intéressante : laisser le suspect accumuler détails et contradictions pour les lui rebalancer dans la gueule plus tard.

— Donner au menteur une corde assez longue…

— Avec celle que lui a concoctée Friedman, il pourra se pendre tout en haut de la Knesset.

— Quand est-ce que tu comptes incorporer Ferris au cocktail ?

— Demain.

— Tu montreras à Kaplan la photo qu'il m'a remise à l'autopsie ?

— Ça va lui causer un choc, non ?

— Oh, mon Dieu, Ryan ! me suis-je exclamée, secouée moi-même par une pensée inattendue. Et si notre Max était l'exxxx-traordinaire relique de Massada promise à Litvak ? Tu crois que Kaplan aurait pu avoir vent de son existence par Ferris ?

Ryan a souri largement.

— Tu veux venir avec moi et lui poser toi-même la question ?

— Si ça peut aider Friedman à accumuler détails et contradictions…

— Oh, je suis sûr qu'il sera d'accord.

— Surtout que je ne suis pas mauvaise non plus pour balancer des choses dans la gueule des gens.

— Effrayante, tu veux dire ! Je t'ai vue à l'oeuvre.

— Que veux-tu, c'est un talent.

Ryan a voulu savoir par quel moyen je comptais retourner dans la vallée du Cédron.

J'ai admis avoir quelques incertitudes, côté logistique.

Nous faisions le pied de grue depuis une dizaine de minutes quand Friedman est arrivé. En route vers l'American Colony, il a résumé à Ryan l'interrogatoire de Kaplan.

Pas grand-chose de neuf : Kaplan persistait à dire qu'il avait toujours voulu payer le collier, et Litvak reconnaissait avoir peut-être agi avec trop de précipitation.

Ryan a mis Friedman au courant de mes activités de la matinée.

— Vous croyez que ce tissu date vraiment du Ier siècle ? m'a demandé le policier dans le rétroviseur.

— Il s'agit à coup sûr d'un tissu ancien. Et le loculus n'a pas l'air d'avoir été visité.

— D'habitude, les pilleurs s'agglutinent sur ces tombeaux comme les mouches sur les cadavres…

Après quelques instants de silence, Friedman a poussé un drôle de « Whoo-hoo ! ». Était-ce de l'hébreu ?

— Je me vois déjà en pilleur de tombes ! Il se trouve où, votre tombeau ?

Il avait dû voir trop de films.

— Vous voulez vraiment venir ? ai-je demandé.

— Et comment, que je veux ! C'est le patrimoine culturel de mon pays, merde ! Je prends ça très au sérieux.

— On n'a pas besoin d'un permis de fouiller ? D'une autorisation quelconque ?

— Je l'ai.

Après tout, à quoi bon être plus catholique que le pape ?

— Il faut juste que je récupère mon appareil photo à l'hôtel.

— Tu n'as besoin de rien d'autre ? a demandé Ryan.

— D'une pelle et d'un levier pour déplacer les pierres. Et des torches aussi. Avec des piles toutes neuves, ai-je précisé en me revoyant dans la chambre inférieure.

Friedman m'a déposée à l'American Colony et il est reparti avec Ryan chercher le matériel requis. Je suis montée en hâte au troisième étage.

Jake s'en sortirait !

J'allais récupérer notre Massada Max et, qui sait ? peut-être aussi un linceul du 1er siècle !

Un linceul ayant enveloppé qui ?

Et dans le tombeau de qui ?

Dans mon excitation, je gravissais les marches deux par deux. Pour l'heure, mon programme était : savon, brosse à cheveux et chandail propre !

Ryan et Friedman allaient m'aider ! Vive la vie et l'aventure !

C'est dans cet état d'esprit que j'ai ouvert ma porte.

Et suis restée ahurie.

Chapitre 25

Ma chambre était sens dessus dessous.

Le lit défait, les draps en boule, le matelas retourné, la commode et l'armoire ouvertes. Cintres, chaussures et chandails éparpillés dans toute la pièce.

Mon euphorie a sombré.

— Il y a quelqu'un ?

Question idiote. Bien sûr qu'ils étaient repartis. Ils n'allaient pas venir me serrer la main.

J'ai examiné la porte. La serrure était intacte, le bois aussi.

Le cœur battant, je me suis ruée dans la pièce.

Ma valise était retournée, son contenu renversé et piétiné.

Mon ordinateur portable reposait sur le bureau. Intact.

Des voleurs ? Bien sûr que non ! Ils n'auraient pas laissé l'ordinateur.

Un avertissement, alors ?

Mais de qui ? Et à quel sujet ?

Les mains tremblantes, j'ai ramassé mes affaires : soutiens-gorge, t-shirts, jeans, comme Jake tout à l'heure, autour du camion. Ce souvenir a débloqué mon esprit : je savais à qui je devais ce saccage.

Une brèche s'est ouverte en moi, ma colère a jailli.

— Ces maudits salauds !

J'ai refermé les tiroirs avec bruit. Plié mes chandails, rependu mes pantalons.

La fureur me durcissait au point d'assécher toute larme.

La chambre rangée, je suis passée à la salle de bains. J'ai rangé mes affaires de toilette. Me suis passé de l'eau sur le visage, brossé les cheveux.

Je venais de changer de chandail quand le téléphone a sonné. Ryan était en bas.

— Ma chambre a été mise à sac, ai-je lâché sans autre forme de préambule. Ces salauds d'Hevrat Kadisha, ils devaient chercher Max !

— On ne peut pas dire que tu as eu une matinée tranquille.

— Non !

— Je vais remonter les bretelles au directeur.

— J'arrive.

Avant même que je les rejoigne dans le hall, Ryan et Friedman avaient déjà établi deux faits : *a)* aucune personne étrangère à l'hôtel ne m'avait demandée ; *b)* aucun employé n'avait remis ma clef à qui que ce soit.

Ou reconnaissait l'avoir fait.

Je l'ai cru. L'American Colony était tenu par des Arabes, tout le personnel était arabe. Il y avait peu de chances pour qu'un sympathisant du Hevrat Kadisha se soit glissé parmi eux.

D'une voix qui manquait nettement d'enthousiasme, la directrice de l'établissement, Mme Hanani, m'a demandé si je souhaitais faire une déclaration à la police. J'ai répondu que non. Visiblement soulagée, elle a promis de mener une enquête interne, d'intensifier la sécurité et de me rembourser pour toute chose volée ou abîmée.

Friedman l'a félicitée.

Je n'ai eu qu'une demande. Mme Hanani a foncé à la cuisine pour la satisfaire. Elle est revenue, lestée d'un paquet contenant tout ce que j'avais réclamé. Je l'ai glissé dans mon sac en la remerciant chaudement et en l'assurant que je n'avais perdu aucun objet de valeur.

Au moment de monter dans la voiture de Friedman, je me suis demandé si mon refus de partager la chambre de Ryan n'avait pas été une bêtise. Au diable, le professionnalisme. La nuit, dans mon lit, j'aurais été bien contente de l'avoir près de moi.

Il nous a fallu presque une heure pour rejoindre la vallée du Cédron. La police de Jérusalem avait été prévenue qu'un kamikaze devait débarquer de Bethléem. Des postes de contrôle supplémentaires avaient été installés, et la circulation en était sacrément perturbée.

En cours de route, j'ai demandé à Friedman s'il avait le permis de fouiller. Il a tapoté une de ses poches en me certifiant que oui. Je l'ai cru.

À Silwan, j'ai dirigé Friedman jusqu'à la clairière où Jake s'était garé. Profitant qu'il sortait les outils du coffre avec Ryan, j'ai examiné la vallée. Pas un chapeau noir en vue.

J'ai ouvert la voie.

Arrivée au tombeau, je suis restée un moment à considérer le petit portail. Le rectangle noir me fixait, impassible.

Mon cœur a sauté un battement. Refusant d'y prêter attention, je me suis retournée vers mes deux compagnons. Ils étaient essoufflés et en nage.

— Qu'est-ce qu'on fait pour le chacal ?

— Je vais nous annoncer.

Friedman a dégainé son revolver. S'étant accroupi, il a tiré dans le tombeau.

— Si la femelle est là, elle va filer.

Nous avons attendu. Aucune bête ne s'est montrée.

— Elle doit être à des kilomètres d'ici, a déclaré Friedman.

— Je vais voir dans la chambre basse, a dit Ryan.

Il a tendu la main. Friedman lui a remis son arme.

Ryan a balancé une pelle et un pied-de-biche par l'ouverture avant de s'y faufiler. Un second coup de feu m'est parvenu, suivi d'un piétinement de bottes. Puis le silence. Nouveau bruit de bottes, et le visage de Ryan est apparu dans l'ouverture.

— Pas de chacal !

Il a restitué son arme à Friedman, qui a déclaré :

— Je prends le premier tour de garde.

À voir comment il pinçait les lèvres, il devait avoir la même aversion que moi pour les espaces confinés.

J'ai fait un pas en avant. Ayant expédié mon sac dans le trou, j'ai introduit mes pieds et me suis laissée tomber dans le noir sans attendre, dans l'espoir de leurrer mes neurones chargés de veiller à ce que je dispose d'un minimum d'espace autour de moi. Ils sont tombés dans le panneau et je me suis retrouvée à l'intérieur du tombeau avant que mon cerveau ait seulement eu le temps de mettre en doute la sagesse de ma décision.

Près de moi, ombre noire sur le carré blanc de l'ouverture, Ryan jouait à s'illuminer par en dessous.

— Pointe plutôt ta Mag-Lite là-bas !

Il a éclairé la niche que je lui indiquais.

Le rocher masquant le loculus avait été déplacé. Pas un soupçon de bleu n'a émergé du noir.

J'ai rampé jusque-là. Ryan a suivi.

Le renfoncement était vide.

— Saloperie !

— Ils l'ont pris ? a demandé Ryan.

J'ai hoché la tête.

J'avais beau m'y attendre, j'étais quand même déçue. Pire, effondrée.

Ils avaient emporté Max !

— Je suis désolé pour toi, a dit Ryan.

Ma politesse de Sudiste m'a presque fait répondre : «C'est normal.» Je me suis rattrapée. Non, ce n'était pas normal. Pas normal du tout !

Ils avaient pris le squelette.

Je me suis laissée retomber sur les talons, abattue, soudain oppressée par ce tombeau, la roche froide, l'air rare, le silence étouffant.

Avais-je vraiment tenu entre mes mains l'un de ces héros tombés à Massada ? L'avais-je perdu pour de bon ?

Me trouvais-je en ce moment dans la tombe de saints hommes ?

Étais-je l'objet d'une surveillance ?

De la part du Hevrat Kadisha ?

De la part des âmes de ceux qui peuplaient le caté-chisme de mon enfance ?

Où était parti Max ?

Qui avait été enseveli dans ce tombeau ?

Qui y reposait encore ?

Une main m'a tapoté l'épaule. Mon cerveau a réagi au quart de tour.

— Allons voir en dessous.

Rampant jusqu'au passage, j'ai employé la même technique que pour entrer dans le tombeau.

Me glisser à l'intérieur du puits et me laisser tomber.

Quelques secondes plus tard, Ryan me rejoignait.

Est-ce que je n'avais pas entassé les pierres à droite, tout à l'heure ? Maintenant, elles étaient à gauche. Ma mémoire me jouait-elle un tour ? Auraient-ils déplacé ces pierres aussi ? Mon Dieu, faites que tout soit encore là !

Ryan a dirigé la torche sur la cavité que j'avais mise au jour en dégringolant dans le puits. La lumière blanche a plongé dans un noir d'encre.

Et révélé du brun.

Comme la dernière fois, j'ai dû forcer mes yeux à voir ce qui leur était présenté et obliger mon cerveau à faire le tri parmi les informations qui lui parvenaient. Texture rugueuse. Contour bosselé.

Et, à côté, à peine visible, un tout petit tube marron se terminant en boule à un bout.

Une phalange humaine.

J'ai saisi le bras de Ryan.

— Il est là !

Pas le temps de suivre les procédures archéologiques. Il fallait sortir la marchandise d'ici avant que le Hevrat Kadisha se doute de quelque chose.

Ryan m'a passé la lumière. Je l'ai éclairé. Il a coincé le pied-de-biche dans une fissure juste au-dessus de la brèche et il a appuyé. Une pluie de cailloux s'est déver-sée.

La pierre qui bloquait le trou a vacillé, puis est revenue à sa place.

Ryan a pesé plus fort sur le manche.

La pierre a bougé.

Ryan a fait jouer son manche d'avant en arrière une bonne douzaine de fois. Je le regardais s'activer, heureuse de nous savoir protégés par Friedman dehors. Pourvu que nous n'ayons pas besoin de lui ici !

Ryan a échangé son pied-de-biche contre la pelle. Ayant introduit le tranchant dans la fente, il s'en est servi comme d'un levier, appuyant de toutes ses forces sur le manche.

La pierre a basculé et s'est écrasée au sol avec un bruit sourd.

Je me suis empressée de dégager l'ouverture avec mes mains. Mon cœur battait de plus en plus vite.

Du calme. Ryan est ici. Friedman monte la garde à l'entrée.

Éclairée par Ryan, je me suis glissée tête première à l'intérieur du loculus. Prenant garde de rester le plus possible plaquée contre le mur, j'ai réussi à force de contorsions à atteindre le fond de la niche.

Ce que j'avais repéré était bien du tissu. En fait, deux morceaux distincts et entiers, bien que putréfiés et décolorés. Le plus grand, près de l'ouverture du loculus, avait dû envelopper le corps du défunt et l'autre, plus petit, la tête, qui ne devait pas être bien loin.

En regardant de plus près, on distinguait une sorte de damier et des petits morceaux aux bords effilochés. On pouvait en conclure que la plus grande partie du linceul s'était décomposée et qu'il ne recouvrait plus que quelques os. Autour, on reconnaissait des fragments de cubitus, de fémur, de bassin et de crâne, en plus de la phalange.

Comment récupérer tous ces restes sans déchirer le suaire ? Il y avait plusieurs méthodes. Aucune n'était parfaite.

Commençant par le morceau le plus grand, j'ai glissé les doigts sous un coin du tissu. Il s'est soulevé dans un léger bruit de froissement rappelant celui de feuilles mortes écrasées.

J'ai réitéré l'opération à différents endroits.

Tantôt, ça venait facilement, tantôt ça coinçait.

J'ai sorti de mon sac l'appareil photo numérique. Ryan illuminait le loculus comme un décor de cinéma. Ayant posé mon couteau suisse à côté du linceul pour servir de référence, j'ai pris des clichés sous différents angles.

Après quoi, j'ai sorti du paquet de Mme Hanani les boîtes Tupperware et la spatule que je lui avais demandé de me prêter.

M'aidant tantôt de l'instrument, tantôt de mes doigts, j'ai séparé délicatement le tissu des os qu'il contenait encore et de la pierre sur laquelle il reposait. Quand plusieurs morceaux ont été décollés, je les ai délicatement roulés sur eux-mêmes et enfermés chacun dans une boîte séparée.

Ce n'était pas génial, mais, dans de telles circonstances, on pouvait difficilement faire mieux. Le linceul retiré, j'avais maintenant une bonne idée de ce qui restait du squelette. En dehors de la phalange et d'un calcanéum encore intacts, ce n'était qu'un tas de fragments plutôt mal en point.

Entourée d'un théâtre d'ombres dont le héros copiait mes gestes sur les murs, j'ai passé l'heure suivante à récupérer des os et des dents, ainsi qu'un peu de la substance qui se trouvait en dessous. À force de m'activer dans ce réduit, tirebouchonnée comme un bretzel, j'avais le dos et les articulations en compote, les jambes toutes engourdies.

À un certain moment, Friedman a crié d'en haut : « Tout va bien ? Vous en avez encore pour longtemps ? »

— On a presque fini.

— Faut que j'installe un camp de base ?

— Non-non, on arrive ! a répondu Ryan.

Il est sorti le premier. L'après-midi cédait la place à un crépuscule ensanglanté. Je lui ai tendu la pelle, le pied-de-biche et le paquet contenant les restes du suaire et de la personne qu'il avait jadis enveloppée.

Le linceul tenait dans deux récipients peu profonds, le défunt dans deux autres Tupperware qui étaient loin d'être pleins, l'échantillon de sol dans un cinquième.

Assis par terre, dos à la colline, Friedman ne semblait ni contrarié ni hébété d'ennui. Il ressemblait à Gilligan attendant le capitaine.

En nous voyant ressortir, il a fini sa bouteille d'eau et s'est remis sur pied.

— Vous avez votre homme ?

Bonne question. Un rapide coup d'œil aux fragments de pelvis m'avait donné des indications contradictoires sur le sexe.

J'ai répondu en levant le pouce en l'air et je me suis mise à frapper mes mains l'une contre l'autre pour en faire tomber la terre.

— On remonte ? a demandé Ryan de sa plus belle voix de garçon d'ascenseur.

Friedman a acquiescé. S'emparant de la pelle, il a entamé l'ascension. Nous l'avons suivi avec peine.

À vingt mètres de la route, nous nous sommes arrêtés tous en chœur pour reprendre notre souffle. Friedman avait le visage cramoisi, Ryan les cheveux trempés de sueur, et moi, une tête à faire la couverture d'un magazine d'horreur.

Quelques minutes plus tard, nous atteignions la voiture de Friedman.

— Vous voulez vous joindre à nous pour le dîner ? a proposé Ryan alors que nous quittions Silwan.

Le policier a secoué la tête.

— Il faut que je rentre à la maison.

Retrouver qui ? me suis-je demandé. Sa femme ? Sa perruche ? Un bifteck laissé à décongeler dans l'évier de sa cuisine ?

Arrivés à l'hôtel, Ryan et Friedman sont restés dehors tandis que j'allais chercher les clefs des chambres. Le réceptionniste a su enregistrer mon apparence sans jamais croiser mon regard. Ça m'a impressionnée. Pas assez cependant pour que je lui explique pourquoi j'avais l'air d'être passée sous un train.

Quand je suis sortie rejoindre Ryan, il était en train de franchir le portique donnant sur la rue. Derrière lui, Friedman s'entretenait avec une Mme Hanani raide comme un passe-lacet, les bras croisés, les yeux fixés à terre.

À une phrase de Friedman, elle a relevé la tête vivement et l'a secouée, signifiant son désaccord.

Friedman a continué de parler. Mme Hanani a sorti des cigarettes de sa poche. La flamme de l'allumette s'est agitée de-ci, de-là avant de trouver sa cible. La directrice de l'hôtel a pris le temps d'inhaler profondément la fumée et de l'exhaler avant de recommencer à secouer la tête.

Friedman s'est éloigné. Mme Hanani l'a suivi des yeux en tirant sur sa cigarette, un œil à demi fermé. Je n'aurais pas su définir son expression.

— Qu'est-ce qu'il y a ? m'a lancé Ryan en me voyant fixer la rue.

— Rien.

Je lui ai tendu sa clef.

Sa main s'est refermée sur la mienne.

— Quel genre de bouffe a vos faveurs, madame ?

J'étais bien incapable de le dire. J'avais envie de tout à la fois : d'une douche, de vêtements propres, d'un bon dîner et de douze heures de sommeil.

— Tu as un programme ? ai-je demandé.

— Dîner chez Fink.

— Va pour Fink.

— Rue Histadrut. C'est un resto qui existait déjà avant qu'Israël ne devienne Israël. D'après Friedman, Mouli Azrieli est une institution.

— C'est le patron ?

— Oui. Un gars célèbre dans le monde entier pour avoir refusé de servir Kissinger plutôt que de fermer la porte à ses clients habituels. Mais, le plus important, c'est qu'il prépare un super ragoût de bœuf aussi vite qu'un voleur de bétail.

Visiblement, Ryan était dans son humeur cow-boy.

— OK. Je te retrouve dans une demi-heure. Mais à une condition, ai-je ajouté en levant un doigt maculé de terre.

— Laquelle ? a fait Ryan, les bras écartés en signe de soumission.

— Tu laisses ton lasso au vestiaire.

Je suis partie vers l'escalier.

— Et toi, tu mets ton butin dans le coffre-fort de ta chambre ! a lancé Ryan dans mon dos. On n'est jamais à l'abri d'un bandit.

Je me suis arrêtée. Il avait raison. Sauf que ma chambre avait été visitée ; elle n'était pas sûre. J'avais déjà perdu un squelette, inutile d'en perdre un deuxième. Je me suis retournée.

— Tu crois que Friedman accepterait de garder les boîtes au poste de police pour la nuit ?

— Sans aucun doute.

J'ai remis le paquet à Ryan.

Savon et shampooing. Fard et mascara. Une demi-heure plus tard, sous une lumière tamisée et en cachant mon profil gauche, je n'étais pas trop moche.

Fink pouvait s'enorgueillir d'avoir six tables et un million de souvenirs. Décor daté, ragoût délicieux.

Nous avons eu droit à une pile d'albums photo : Golda Meir. Kirk Douglas. John Steinbeck. Shirley MacLaine. Côté célébrités, la collection de Mouli Azrieli pouvait rivaliser avec celle de l'American Colony.

Au retour, dans le taxi, Ryan a demandé :

— À quoi songez-vous, gente demoiselle ?

Tiens donc ! Ryan aurait-il remisé *Gunsmoke* en faveur du romantisme irlandais ?

— Je trouve que Mouli devrait changer les rideaux. Pas toi ?

En guise de réponse, Ryan m'a décoché un sourire plus large que l'embouchure du Saint-Laurent.

— Ah, c'est ainsi que tu envisages les choses ? ai-je dit.

— Exactement !

Comme quoi, j'avais été bien bête, ce matin, de m'inquiéter à l'idée d'être seule dans mon lit.

Chapitre 26

Je n'ai pas entendu l'appel du muezzin à la prière. Je n'ai pas entendu la circulation sous ma fenêtre. Je n'ai pas entendu Ryan quitter la chambre. Je dormais.

Je me suis réveillée au son de mon jean claironnant *It's been A Hard Day's Night*.

Rien ne pouvait être plus vrai.

I should be sleepin' like a log…

Le refrain s'est arrêté aussi brutalement qu'il avait commencé.

Drôle de rêve. Retombée sur mon oreiller, je me suis rappelé mes galipettes après le repas de la veille en continuant de fredonner les paroles de la chanson.

You know I feel all right.

Le refrain est reparti de plus belle.

Mon Dieu, le cellulaire de Jake !

Sautant en bas du lit, j'ai couru sortir l'appareil de la poche de mon jean que j'avais abandonné hier soir en boule par terre et qui s'y est retrouvé aussi sec.

— Jake ?

— Ouf, c'est toi qui as mon cellulaire !

— Comment vas-tu ?

J'ai regardé mon réveil. Huit heures moins vingt.

— Comme un chef. J'adore être saigné à blanc pendant que des pouces me palpent les fesses.

— Joliment dit.

— Je me tire d'ici avant qu'ils recommencent.

— On te laisse sortir ?

— Tu parles !

— Jake, tu ne dois pas…

— Ça va, tu ne vas pas t'y mettre, toi aussi ! Tu as récupéré le sac ?

— Il n'y était plus.

— Enfant de chienne !

J'ai attendu la fin de l'explosion.

— Et l'autre chose ?

— Le lin…, ai-je à peine prononcé.

— Ne dis rien au téléphone ! Tu peux venir chez moi ?

— Quand ?

— Il faut que je m'occupe du camion et que je loue une voiture… (Une pause.) Onze heures, ça te va ?

— Où ça ?

J'ai filé jusqu'à la table noter l'adresse ainsi que des noms de rues et des repères qui ne me disaient rien.

— Il faut que j'appelle l'AAI, Jake.

À l'idée de leur dire que j'avais perdu le squelette, j'étais dans mes petits souliers.

— Attends que je te montre d'abord ce que j'ai sorti de ce tombeau.

— Je dois absolument appeler Blotnik. Ça fait déjà deux jours que je suis arrivée.

— Tu le feras quand tu auras vu ce que j'ai.

— Aujourd'hui.

— Ouais, ouais, a-t-il jeté sèchement. Et n'oublie pas mon téléphone, merde !

Tonalité.

Jake, c'était clair, souffrait encore d'irritabilité. Et peut-être aussi de paranoïa. Croyait-il vraiment que son téléphone était sur écoute ?

J'étais toute nue, le téléphone dans une main, le stylo dans l'autre, quand quelqu'un a donné un coup de pied dans la porte.

Merde. Quoi encore, maintenant ?

J'ai regardé par l'œilleton.

Ryan était de retour avec des bagels et du café. Rasé de frais, les cheveux humides après sa douche.

Tout en faisant ma toilette du matin, je lui ai raconté le coup de fil de Jake.

— Il habite où ?

— À Beit Hanina.

— Je t'y emmènerai. On en aura fini avec Kaplan bien avant onze heures.

— J'ai le chemin pour y aller.

— Il est comment, Jake ?

— Enragé.

Kaplan était gardé dans un poste de police du secteur russe, l'un des tout premiers à avoir été ouverts en dehors de la vieille ville. L'édifice, bâti à l'origine pour accueillir les pèlerins russes, était à présent dans un état de décrépitude avancé et en bonne place sur la liste des rénovations inscrites au plan de réaménagement des quartiers intérieurs.

Coincés entre la rue de Jaffa et l'église russe, le poste de police et la prison formaient un conglomérat de bâtiments ternes et vétustes qui se fondaient parfaitement dans l'entourage, si l'on oubliait les fenêtres grillagées.

Les voitures de police stationnées devant avaient le nez pointé dans toutes les directions. Friedman s'est garé le long de la barricade en ciment qui protégeait les lieux, à côté d'un énorme pilier renversé, à demi enfoui dans la terre.

Le vestige, entouré d'une grille en fer, servait de cendrier à des millions de mégots. Je me suis représenté des prisonniers nerveux, seuls ou en troupeau, tirant une dernière bouffée à l'air libre avant d'être conduits à l'intérieur.

— 1er siècle, a déclaré Friedman, en me voyant admirer le pilier.

— Encore un méfait d'Hérode ? s'est enquis Ryan.

— Oui, a acquiescé Friedman. À ce qu'on dit, il était prévu pour le portique du palais royal d'Hérode sur le mont du Temple.

— Un grand bâtisseur, ce garçon ! l'a coupé Ryan.

— Mais voilà. Les maçons auraient remarqué une fissure dans le marbre. Deux mille ans plus tard, il est toujours là où ils l'ont abandonné.

Nous sommes entrés dans un petit corps de garde. Détecteur à métaux et interrogatoire. À l'intérieur du poste de police, nouvel interrogatoire par une autre sentinelle tout juste sortie des bancs de l'école. Enfin, nous avons été conduits dans un bureau libéré exprès pour nous, à en croire l'odeur de fumée, les papiers et les piles de rapports qui jonchaient la table, le répertoire ouvert à la lettre T et la demi-douzaine de tasses de café à moitié bues dont l'une portait un nom : Solomon.

Le chef de l'escouade ? Comment prenait-il le fait d'être chassé de ses quartiers ?

L'air avait cette odeur propre à tous les postes de police du monde. Un petit ventilateur faisait de son mieux pour rafraîchir l'atmosphère. Hélas, ses efforts n'étaient pas suffisants.

Ryan s'est adossé à un mur, moi à un autre. Friedman s'est éclipsé pour revenir très vite, suivi d'un policier en uniforme qui a introduit le prisonnier dans le bureau et est ressorti dans le couloir prendre position devant la porte.

Kaplan portait la même chemise blanche et le même pantalon noir que le jour où je l'avais vu, mais pas de ceinture ni de lacets.

Il était propre et rasé de frais. Ses poches sous les yeux étaient plus marquées que dans mon souvenir. Il a décoché à Friedman un sourire chambre de commerce.

— J'imagine que M. Litvak a repris ses esprits.

Sa voix rocailleuse a dissipé mes doutes : Kessler et Kaplan étaient bien une seule et même personne.

Friedman lui a désigné une chaise. Il s'est assis.

— C'est un malentendu tellement stupide.

Il est parti de ce rire bête qu'ont les gens dans ce genre de situation.

Friedman a pris place dans le fauteuil du dénommé Solomon et s'est plongé dans l'étude de ses ongles. Kaplan s'est retourné sur son siège et m'a vraiment regardée pour la première fois. Quelque chose est passé dans ses yeux, aussitôt effacé par un battement de paupières.

M'avait-il reconnue? Se doutait-il qu'il était ici pour une raison plus sérieuse que le collier?

Ryan a fait un pas en avant. Sans un mot, il lui a montré la photo de notre Massada Max. Le sourire de Kaplan a chancelé brièvement.

— Vous reconnaissez le Dr Brennan? a demandé Ryan en hochant la tête dans ma direction.

Kaplan n'a pas répondu.

— Avram Ferris? a insisté Ryan. Toute cette vilaine affaire d'autopsie?

Kaplan a dégluti.

— Eh bien, parlez-m'en un peu.

— Qu'est-ce que vous voulez que je vous dise?

— Je ne me suis pas tapé le voyage jusqu'en Israël pour vous interroger sur des chèques sans provision, monsieur Kaplan..., a laissé tomber Ryan d'une voix capable de trancher en deux un iceberg. Ou devrais-je dire monsieur Kessler?

Kaplan a croisé les bras.

— Oui, détective. Je connaissais Avram Ferris, si c'est pour vous en convaincre que vous avez fait le déplacement.

— Où avez-vous trouvé ça? a rétorqué Ryan en tapotant la photo.

— C'est Ferris qui me l'a donnée.

— Je vois.

— C'est la vérité.

Ryan a offert une minute de silence à l'appréciation de Kaplan qui a aussitôt décidé de le remplir.

— Pour de vrai.

Il a lancé un coup d'œil à Friedman. Celui-ci continuait d'admirer ses doigts manucurés.

— Il nous arrivait de faire affaire ensemble, Ferris et moi.

— Quel genre d'affaires ?

— On étouffe ici. Je voudrais de l'eau.

La bonhomie de Kaplan fondait comme neige au soleil.

— Monsieur Kaplan…, est intervenu Friedman sur un ton profondément déçu, comment demande-t-on ?

Soupir bruyant de la part de l'interpellé.

— S'il vous plaît.

Friedman s'est levé pour aller dire un mot au policier dans le couloir. Ayant repris place dans son siège, il a souri à Kaplan. Cordialité d'amphibien.

— Des affaires ? a répété Ryan.

— J'achetais et je vendais des choses pour lui.

— Quel genre de choses ?

Un type de petite taille, précédé d'un gros nez, est entré dans la pièce pour remettre un verre sale à Kaplan. Visiblement, il était de méchante humeur. Était-ce Solomon ?

Kaplan a avalé une bonne rasade puis a relevé les yeux sans dire un mot.

— Quel genre de choses ?

Kaplan a haussé les épaules. L'eau a tremblé dans son verre.

— Des choses.

— On protège la confidentialité du client, monsieur Kaplan ?

Kaplan a haussé encore une fois les épaules.

— Des choses du genre squelette ? a insisté Ryan en agitant la photo de Max.

Le visage de Kaplan s'est fermé. Ayant vidé son verre, il l'a reposé délicatement sur le sous-main de Solomon et s'est calé contre le dossier de sa chaise, les bras croisés.

— Je veux un avocat.

— Parce que vous avez besoin d'un avocat ?

— Si vous croyez m'intimider...

— Vous me cachez quelque chose, monsieur Kaplan. Qu'est-ce que tu en penses, Ira ? Tu ne crois pas que monsieur Kaplan faisait un peu de marché noir ?

— C'est possible, Andy.

Le visage de Kaplan restait de marbre.

— Peut-être qu'il s'est dit que le trafic d'antiquités, c'était bon pour les amateurs et qu'il a décidé de s'engager dans une voie plus ambitieuse.

Kaplan étreignait si fort ses longs doigts fuselés qu'il en avait les articulations toutes blanches.

— C'est possible, Andy. Maintenant que tu en parles, je trouve qu'il a tout d'un gars de la Renaissance.

— C'est ça ? a repris Ryan en s'adressant à Kaplan. On voulait faire monter les enchères ?

— Je ne sais pas de quoi vous parlez.

— Je parle de meurtre, Hershel. C'est bien Hershel, n'est-ce pas ?

— Jésus-Christ, mais vous êtes fou ou quoi ?

Une plaque rouge partant du cou de Kaplan a grimpé droit au nord.

— Qu'est-ce que tu en dis, Ira ? Tu crois qu'Hershel aurait pu descendre Avram ?

— Moi ! s'est exclamé Kaplan en se jetant en avant. Mais jamais de la vie !

Ryan et Friedman se sont regardés l'un l'autre, les épaules levées, comme deux types plongés dans la plus grande ignorance.

— Mais c'est insensé. J'ai tué personne, j'en serais incapable.

À présent le visage de Kaplan n'était plus qu'une immense plaque rouge.

Ryan et Friedman n'ont pas réagi, attendant qu'il poursuive.

— D'accord, a-t-il dit en levant les deux mains. C'est vrai que j'ai pu garder des objets de provenance incertaine de temps en temps.

Il choisissait ses mots avec soin.

— À l'intention de Ferris ?

Il a acquiescé.

— Il m'a téléphoné pour me demander si je pouvais lui trouver un acheteur pour un truc spécial.

— Spécial ?

— Extraordinaire. Un truc qu'on rencontre une seule fois dans sa vie.

Silence épais, côté policier.

— Quelque chose qui pouvait causer des ravages dans le monde chrétien. Ce sont ses mots exacts.

Ryan a montré la photo.

Kaplan a hoché la tête.

— Il me l'a donnée en me disant de ne dire à personne de qui je la tenais.

— C'était quand ?

— Je ne sais plus. Cet hiver.

— C'est un peu vague, Hersh.

— Début janvier.

Ryan et moi avons échangé un regard. Ferris avait été tué au milieu du mois de février.

— Et ensuite ?

— J'ai fait passer le mot. Comme la marchandise avait l'air de susciter un certain intérêt, j'ai dit à Ferris que je voulais bien me charger de la vente, mais que j'aurais besoin d'arguments plus convaincants que sa parole et la photo. Il a dit qu'il allait m'obtenir un certificat d'authenticité. Il est mort avant que je le revoie.

À ce moment-là, j'ai jugé bon d'intervenir.

— Que vous a dit exactement Ferris à propos de ce squelette ?

Kaplan s'est tourné vers moi. Un bref éclat est passé dans ses yeux.

— Qu'il venait de Massada.

— De qui Ferris le tenait-il ?

— Ça, il ne me l'a pas dit.

— Il vous a dit autre chose ?

— Que c'était un personnage historique important et qu'il en avait la preuve.

— C'est tout ?

— C'est tout.

Nous sommes restés un moment à retourner cette information dans nos têtes. Quelle preuve Ferris pouvait-il bien détenir ? Les déclarations de Lerner ? Des renseignements en provenance du Musée de l'Homme, peut-être même le dossier volé par Lerner ? Peut-être aussi le rapport des fouilles effectuées à Massada ?

Dans le couloir, quelqu'un s'est adressé au policier. Le malheureux Solomon chassé de son bureau ?

— Et Miriam Ferris ? a demandé Ryan, changeant brutalement d'angle d'attaque.

— Quoi, Miriam Ferris ?

— Vous la connaissez ?

Haussement d'épaules de Kaplan.

— Je prends ça pour un oui ?

— Je la connais.

— Dans le sens biblique du terme ?

— Vous êtes répugnant.

— Je reformule la phrase, Hersh. Je t'ai demandé si tu étais bien Hersh, n'est-ce pas ? As-tu eu une aventure avec Miriam Ferris ?

— Quoi ?

— OK. D'abord, je t'ai demandé confirmation de ton nom. Ensuite, je t'ai demandé si tu te tapais Miriam. Deux questions à la fois, c'est trop dur pour toi ?

— Miriam était mariée au frère de mon ex-femme.

— Tu es resté en contact avec elle après la mort de ton beau-frère ?

Kaplan n'a pas répondu. Ryan a attendu. Kaplan s'est rendu.

— Oui.

— C'est comme ça que tu as fait la connaissance de Ferris ?

Re-silence. Re-attente des policiers. Re-abandon de Kaplan.

— Miriam est quelqu'un de bien.

— Réponds à la question, Hersh.

— Oui.

Admis sur un ton empli d'amertume.

— Pourquoi rappliquer à l'autopsie de Ferris avec cette photo ?

— C'était juste pour aider, a fait Kaplan en levant une épaule.

Ryan est revenu à la charge à plusieurs reprises. Kaplan a commencé à s'énerver mais n'a rien ajouté de plus à son histoire : il avait connu Miriam par son ex-beau-frère, et Ferris par Miriam. Il faisait de temps en temps des petits boulots pour lui, pas vraiment légaux, comme acheter et vendre des marchandises, et il avait accepté de s'occuper du squelette. Mais Ferris avait été tué sans lui avoir donné plus de détails. En tout cas, ce n'était pas lui qui l'avait descendu. Et s'il avait pris la photo avec lui à l'autopsie, c'était parce que sa conscience lui avait dicté de la remettre à qui de droit.

Kaplan n'a pas dévié de sa version.

En tout cas, pas cette fois-ci.

Chapitre 27

À dix heures et demie, Ryan et moi avons repris possession du suaire et des os et laissé Kaplan aux bons soins de Friedman, lequel nous a prêté sa voiture personnelle, une Tempo 1984 avec un autocollant portant la lettre K sur la lunette arrière.

— Qu'est-ce qu'il va faire maintenant ?

— Donner à ce gentleman le temps de reconsidérer son histoire.

— Et ensuite.

— Il lui demandera de la lui redire.

— C'est toujours bon de répéter les choses.

— Ça fait ressortir les incohérences.

— Et les détails oubliés.

— À commencer par Miriam Ferris.

— Ce qui nous ramène à Yossi Lerner et à l'abbé Morissonneau.

Beit Hanina est un village arabe qui a eu la chance de se retrouver à l'intérieur des nouvelles limites municipales de la Jérusalem moderne. Il s'appelle maintenant Beit Hanina Hadashah, ou Nouvelle Beit Hanina. Jake y a un appartement depuis aussi longtemps que je le connais.

Le trajet pour nous rendre chez lui nous a fait pénétrer dans un territoire jadis jordanien, de 1948 à 1967. Dix minutes après avoir quitté le secteur russe, nous sommes arrivés au poste de contrôle de Névé Yakov, sur la route de Ramallah, autrefois appelée route de Naplouse. Nous avions bien choisi notre moment, la queue ne faisait qu'un pâté de maisons et demi.

Ryan s'est placé en bout de file.

La veille, en route vers la vallée du Cédron, Jake m'avait dit que le mur destiné à maintenir Israël dans un cocon allait passer juste au milieu de la route que nous suivions. J'avais regardé les magasins des deux côtés. Pizzerias. Nettoyeurs. Confiseries. Fleuristes. J'aurais pu me croire à Saint-Lambert, à Scarsdale, à Pontiac, à Elmhurst. Sauf que j'étais en Israël.

À gauche, les gens à l'intérieur du cocon, dont les entreprises continueraient à prospérer malgré le mur. À droite, les étrangers, ceux qui n'auraient bientôt plus qu'à déposer le bilan. Triste. Tous ces gens simples qui se tuaient à la tâche pour nourrir leur famille, c'était eux les vrais gagnants et perdants de la lutte pour cette terre si contestée.

Sans Friedman, nous avions peur d'être sur le gril au moment de franchir le poste de contrôle. Ça n'a pas été le cas. Le garde s'est contenté d'un coup d'œil à nos passeports et à l'insigne de Ryan, suivi d'un regard un peu plus appuyé à l'intérieur de la voiture.

Arrivés dans Jérusalem-Ouest, nous avons pris tout de suite à gauche et tourné encore une fois. Nous étions dans la rue de Jake.

Il louait le dernier étage d'une petite maison en stuc appartenant à une archéologue italienne, Antonia Fiorelli, qui en occupait le bas avec ses sept chats.

Ryan a annoncé notre arrivée par l'intermédiaire d'un interphone cimenté dans le mur. Un instant plus tard, Jake nous ouvrait la porte et nous conduisait jusqu'à un escalier extérieur, par une allée en galets longeant un poulailler peuplé de chèvres et de lapins. Au premier étage, trois chats se sont dévoués pour nous servir d'escorte.

Il existe différents types de chats. Il y a le chat « je-t'adore-laisse-moi-ronronner-sur-tes-genoux », qui a généralement le poil tacheté ; le chat « nourris-moi-mais-fiche-moi-la-paix », qui est le plus souvent siamois ; et le chat de gouttière, spécialiste du « je-te-grimpe-sur-la-poitrine-pendant-que-tu-dors-juste-pour-voir-si-tu-respires ».

À première vue, ce trio-là entrait dans la catégorie n° 3.

L'appartement de Jake se composait d'une pièce centrale qui occupait la majeure partie de l'appartement. Murs blanchis à la chaux, sol en carrelage brun, arcs de fenêtre et linteaux de porte en brique. Des placards en bois sur le mur du fond et un coin cuisine séparé des parties salon et salle à manger.

La chambre à coucher avait la taille d'un four de cuisine. Elle contenait un lit défait, une commode et une boîte en carton destinée au linge sale.

Tout le reste de l'appartement composait le « bureau ». L'entrée avait été transformée en salle d'ordinateurs et de cartes ; la véranda était utilisée pour nettoyer les artefacts, et la pièce sur l'arrière pour les trier, les répertorier et les analyser.

L'humeur de Jake s'était améliorée depuis le coup de fil de ce matin. Avant de demander à voir le linceul, il s'est enquis de ce que nous avions fait dans la matinée et a même dit : « s'il te plaît ». Et il a souri.

— Compte tenu des circonstances, je n'ai guè…

— Ouais. Ouais, a lancé Jake en me signifiant d'abréger avec les mains.

OK. Pour l'humeur, ce n'était pas encore le beau fixe.

J'ai posé les Tupperware que m'avait donnés Mme Hanani sur le plan de travail de la cuisine. Jake en a ouvert un et inspecté son contenu.

— Oh mon Dieu !

Il a soulevé le couvercle du deuxième.

— Oh mon Dieu !

Ryan m'a regardée.

Jake est passé aux récipients contenant le linceul.

— *Oh mon Dieu !* m'a lancé tout bas Ryan, debout derrière lui.

Je l'ai fusillé du regard.

Jake contemplait le morceau de tissu le plus grand dans un silence ébahi. Sur un « Oh... mon... Dieu... », il est parti dans la pièce du fond pour en revenir, armé d'une loupe.

— Je vais montrer ça à Esther Getz dès cet après-midi.

Il a étudié le tissu pendant toute une minute avant de se redresser pour préciser :

— C'est l'experte en textiles du musée Rockefeller. Bon. Les os, maintenant. Tu les as examinés ?

— Il n'y a pas grand-chose à examiner.

Jake a posé sa loupe. S'étant reculé, il m'a désigné les boîtes d'un ample mouvement du bras. Ryan a fait semblant de sonner les trompettes de la victoire.

Je me suis résolue à vider très délicatement le contenu de toutes les boîtes sur leur couvercle.

— Tu as des gants ?

Jake est reparti dans la pièce à l'arrière.

— Une pince à épiler, aussi ! ai-je lancé à sa suite. Et une sonde. Un cure-dents fera l'affaire.

Il m'a rapporté les trois choses demandées. Sous le regard attentif de mes compagnons, j'ai entrepris de trier les fragments d'os, en les nommant au fur et à mesure.

— Phalange. Calcanéum.

Ceux-là, c'était les plus faciles à identifier. Les autres n'étaient pas plus grands qu'un lobe d'oreille.

— Cubitus, fémur, bassin, crâne.

— Alors, qu'est-ce que tu en penses ? a demandé Jake, une fois le tri achevé.

— Qu'il n'y a pas grand-chose à examiner.

— Homme ou femme ?

— Forcément.

— Ça va, Tempe. C'est du sérieux.

Il y avait bien un morceau d'occiput plutôt proéminent, mais cette caractéristique était loin d'en faire l'occiput le plus proéminent du monde. Idem pour la *linea aspera*, ou ligne de jonction, que l'on reconnaissait sur plusieurs éclats de fémur. Quant au bassin, son seul fragment encore intact correspondait à la partie épaisse et volumineuse qui formait l'articulation avec le sacrum. Aucun de ces os ne permettait de définir le sexe.

— Les attaches des muscles étant robustes, je pencherais pour un homme. Je ne peux pas faire mieux. Aucun morceau n'est assez complet pour en tirer une estimation de la taille.

J'ai pris en main l'os du talon et je l'ai retourné. Une petite anomalie de forme circulaire a attiré mon attention. Ce que Jake a immédiatement remarqué.

— Qu'est-ce qu'il y a ?

Je lui ai désigné le petit trou sur le côté extérieur de l'os.

— Ce n'est pas normal.

— Qu'est-ce que tu entends par « pas normal » ? a demandé Jake.

— Cette sorte de petit tunnel. Ça ne devrait pas exister.

Jake a réitéré son geste me signifiant d'accoucher avec encore plus d'impatience que tout à l'heure.

— Ce n'est pas une encoche pour le passage d'une veine ou d'un nerf. L'os est assez endommagé mais, pour autant que je voie, le bord du trou est ébréché, pas du tout arrondi.

J'ai reposé le calcanéum et passé la loupe à Jake. Il s'est penché sur l'os en se focalisant sur la partie centrale.

— C'est quoi, à ton avis ? m'a demandé Ryan.

Je n'ai pas eu le temps de répondre que Jake avait filé dans la salle des cartes. Des tiroirs se sont ouverts et refermés en claquant.

Il est revenu en feuilletant des pages agrafées ensemble, qu'il a plaquées bruyamment sur le plan de travail. J'ai baissé les yeux sur le titre de l'article qu'il me désignait de son doigt : « Observations anthropologiques sur les fragments de squelettes retrouvés à Giv'at ha-Mivtar. »

Bon nombre de détails sur les quatre photos avaient disparu à la photocopie, mais on reconnaissait facilement le sujet représenté : un calcanéum et d'autres os du pied, avant et après reconstruction.

Le calcanéum était traversé de part en part par ce qui devait être un clou en fer, bien que l'objet soit recouvert d'une épaisse croûte de calcaire. On distinguait même une plaque en bois sous la tête du clou.

Une cinquième photo montrait, à titre de comparaison, un os de talon contemporain sur lequel on avait tracé un rond à l'endroit précis où notre calcanéum présentait l'anomalie.

J'ai interrogé Jake du regard.

— En 1968, quinze ossuaires en calcaire ont été retrouvés dans trois grottes utilisées comme sépultures. Treize d'entre eux contenaient des restes humains et d'autres choses dans un état de conservation remarquable : des fleurs sauvages, des épis de blé, ce genre de trucs, quoi. Des traumas sur les os de plusieurs individus indiquaient qu'ils étaient décédés de mort violente. Blessure par flèche, par objet contondant. Celui-là…, a ajouté Jake en tapotant la photo, il a été crucifié, le malheureux.

Il a posé un second article à côté du premier. Y était dessiné un corps sur une croix. Le supplicié avait les bras écartés, mais, contrairement aux crucifixions telles qu'on les représente d'habitude, il avait les mains attachées par des liens à la barre horizontale, et non pas clouées dans le bois. Quant à ses jambes, elles étaient écartées de part et d'autre du montant de la croix, et ses pieds maintenus en place par un clou planté sur le côté, et non pas devant.

— Nous savons par Flavius Josèphe qu'en ce temps-là le bois était rare à Jérusalem. Les Romains laissaient le poteau vertical sur les lieux et ne faisaient transporter au supplicié que la barre transversale. En fait, les deux morceaux de la croix étaient utilisés plusieurs fois.

— Et les bras étaient attachés, et non pas cloués ? a demandé Ryan.

— Oui. La crucifixion a vu le jour en Égypte et, là-bas, on attachait les gens. En vérité, ce n'est pas le fait d'être cloué qui provoque la mort, mais le fait de pendre. Cette position affaiblit les intercostaux et le diaphragme, les deux muscles qui participent à la respiration, et cela provoque l'asphyxie.

« La personne enveloppée dans ce suaire a dû être crucifiée, les jambes écartées de chaque côté du poteau et les pieds cloués sur le côté. Le calcanéum est l'os du pied le plus grand. C'est pourquoi on y enfonçait le clou, de l'extérieur vers l'intérieur.

Le tombeau de la famille de Jésus… Un linceul contenant le squelette d'un homme crucifié… Je commençais à comprendre où Jake voulait en venir.

— Il n'y a aucun moyen de savoir si ce trou est dû à ce genre de trauma, ai-je déclaré, la main posée sur la boîte contenant l'os de talon. Il peut s'agir d'une maladie. Il peut être apparu *post mortem*, avoir été causé par un ver ou par un escargot.

— D'accord, mais est-ce qu'il peut avoir été causé par un clou ? a lancé Jake, le regard brûlant d'excitation.

— C'est possible, ai-je répondu sans grande conviction.

Un homme crucifié ? Mais qui ? Avec notre Max, nous avions déjà écarté la possibilité de retrouver un Jésus potentiel, puisqu'il était mort trop vieux si l'on s'en tenait au Nouveau Testament, ou trop jeune si l'on admettait la théorie de Joyce fondée sur le rouleau de Grosset. Jake pensait-il vraiment que ces nouveaux ossements puissent être ceux de Jésus de Nazareth ?

Comme avec Max, une minuscule partie de mon cerveau voulait bien y croire. Mais la plus grande partie s'y refusait.

— Tu m'as dit que tu avais récupéré d'autres ossements dans cette tombe ?

— Ouais. Les pilleurs n'en ont rien à foutre des restes humains. Quand ils ont emporté les ossuaires intacts, ils les ont vidés par terre. On a récupéré les os.

On a également récupéré ceux qui étaient restés collés à l'intérieur des ossuaires brisés et abandonnés.

— J'espère qu'ils sont en meilleur état que ceux-ci.

Jake a secoué la tête.

— Tout était en morceaux, dans un état de conservation lamentable. Comme les os et les fragments d'ossuaire étaient rassemblés en petits tas distincts, nous avons pu savoir avec exactitude de quelle chambre ils provenaient.

— Vous les avez analysés ?

— Oui. Un spécialiste en anatomie du département des Sciences et des Antiquités de l'université hébraïque a pu identifier sept adultes : trois femmes et quatre hommes. C'est tout ce qu'il est arrivé à tirer de l'ensemble. Aucun élément n'était mesurable, il n'a donc pas pu calculer la taille des individus ni les comparer à des populations connues. Il n'a trouvé aucun marqueur d'âge particulier, aucune caractéristique qui soit propre à un seul individu.

— Il a découvert des anomalies semblables à celle-ci ?

— En matière de trauma ou de maladie, il n'a parlé que d'ostéoporose et d'arthrite, c'est tout.

Jake a repris après une pause.

— Dieu merci, ces salauds n'ont pas tapé sur les murs. Je n'arrive pas à croire que tu aies pu découvrir un loculus encore inexploré. Et contenant un linceul par-dessus le marché ! Deux mille ans… Oh mon Dieu ! Tu sais combien de personnes ont tournicoté dans ce tombeau ? Et toi, à peine débarquée, tu mets au jour une sépulture ! Oh mon Dieu !

Ryan m'a refait des lèvres son imitation de Jake.

— Où sont tous ces os, maintenant ? ai-je demandé.

— Ensevelis dans la terre sainte, a répondu Jake.

Il a fait virevolter son doigt à la façon d'E.T., geste aussitôt imité discrètement par Ryan.

— Et le Hevrat Kadisha ne dira pas où, tu penses bien, a continué Jake. Enfin, j'ai toujours les échantillons anthropologiques. De presque tous ces individus, je veux dire.

— Comment ça ?

Un sourire a éclairé son visage.

— Disons que des petits fragments ont pu s'égarer.

— S'égarer ?

— Tu te rappelles, au téléphone, quand je t'ai demandé pour le test d'ADN du squelette de Massada ?

J'ai hoché la tête.

— Ils ont été très sympathiques à ce labo.

— L'AAI a accepté de leur envoyer des échantillons ?

— Pas exactement.

— Tu les as envoyés toi-même ?

— Qu'est-ce que je pouvais faire ? s'est défendu Jake. Puisque Blotnik refusait.

— Un acte qui ne manque pas de punch ! s'est exclamé Ryan.

Pour ma part, j'étais plus réservée.

— Je vais te redemander ce que je t'ai demandé l'autre jour : quel est l'intérêt d'établir un profil génétique quand on n'a rien à sa disposition pour faire des comparaisons ?

— Les analyses doivent être faites, un point c'est tout. Maintenant, suis-moi.

Jake nous a précédés dans la pièce du fond. La table croulait sous un tas de photos. Certaines représentaient des ossuaires entiers, la plupart seulement des fragments.

— Les pilleurs ont emporté un grand nombre d'ossuaires, a expliqué Jake. Ils en ont cassé d'autres, mais ils ont laissé assez de morceaux pour qu'on puisse en reconstituer quelques-uns.

Il a sorti un cliché de la pile et me l'a tendu. Il représentait huit ossuaires. Tous fissurés, un grand nombre avec des parties manquantes.

— Les ossuaires sont tous différents par leur style, leur forme, leur taille, l'épaisseur de la pierre, la façon dont s'adapte le couvercle. En général, ils sont assez simples, mais certains présentent une décoration raffinée. Celui de Joseph Caïphe, par exemple.

— Si je ne me trompe, c'est le chef du sanhédrin qui a livré Jésus à Ponce Pilate, est intervenu Ryan.

— Oui. Son nom hébreu était Yehosef bar Qayafa. Il a été grand prêtre de Jérusalem de l'an 18 à l'an 36 de notre ère. Son ossuaire a été découvert en 1990. Il est étonnant, gravé d'inscriptions incroyablement belles. Vers la même époque, un autre ossuaire portant l'inscription *Alexandre, fils de Simon de Cyrène* a été découvert. Amplement décoré lui aussi.

— Simon, c'est l'homme qui a aidé Jésus à porter la croix sur le chemin du Golgotha ?

Ryan, dans sa version spécialiste de la Bible.

— Vous êtes imbattable sur le Nouveau Testament ! s'est exclamé Jake. Simon et son fils Alexandre sont mentionnés chez Marc au chapitre 15, verset 21.

Ryan a souri d'un air modeste. Désignant la photo représentant les ossuaires reconstitués de Jake, il a déclaré :

— J'aime assez ceux avec ces trucs en forme de fleur.

— Des rosettes.

Jake a retiré deux autres clichés du tas et les a passés à Ryan.

— Admirez celui-là.

Je me suis penchée pour mieux voir.

L'ossuaire, de forme presque rectangulaire, avait un couvercle parfaitement adapté et une surface grumeleuse, sur laquelle on distinguait la trace de rosettes. Ces cercles se chevauchant m'ont rappelé ceux que nous dessinions, enfants, à l'aide de nos compas.

Sur la seconde photo, on voyait qu'il était fendu à une extrémité, et que la fissure remontait en haut à gauche en faisant un angle de presque quatre-vingt-dix degrés.

Ce petit sarcophage ressemblait exactement à ceux que Jake avait recollés.

— C'est l'ossuaire de Jacques ? ai-je demandé.

— Regardez l'inscription.

Il nous a remis une loupe à chacun.

— Vous savez lire l'araméen ? a-t-il demandé à Ryan.

Comme celui-ci secouait la tête, je lui ai adressé un regard faussement étonné.

Jake n'a pas vu, ou a préféré ne pas remarquer, notre échange muet.

— Ce qui est surprenant, c'est l'extraordinaire raffinement de l'inscription. Un raffinement qu'on trouve généralement sur des ossuaires plus ornementés.

J'aurais pu me faire avoir, car, même observée à la loupe, cette inscription semblait gravée par un enfant.

Le doigt de Jake s'est posé sur le groupe de lettres au bout à droite.

— C'est le nom Jacob, ou Ya'akov. « James » en anglais et « Jacques » en français.

— D'où le terme de jacobites donné aux partisans du roi d'Angleterre James II.

Ryan commençait à me taper sur les nerfs.

— Exact, a répondu Jake.

Et de lire, tout en déplaçant son doigt de droite à gauche, en suivant les lettres : *Jacques, fils de Joseph, frère de Jésus*. Arrivé au bout de la ligne, il a désigné le dernier mot.

— Yeshua, ou Joshua. C'est-à-dire « Jésus ».

Il a remis les photos en pile.

— Maintenant, venez avec moi.

Dans le patio, il a ouvert les deux portes d'un grand placard. Des morceaux de calcaire s'entassaient sur les deux étagères du haut. Les six du bas accueillaient des ossuaires reconstitués.

— Apparemment, ces pilleurs n'étaient pas les types les plus intelligents de la planète. Ils ont oublié un certain nombre de fragments portant des inscriptions.

Jake m'a remis un morceau triangulaire, rangé sur l'étagère supérieure. Les lettres, peu profondes, étaient presque invisibles. Je les ai placées sous ma loupe. Ryan a approché son visage du mien.

— Maria, a traduit Jake. Marie pour nous.

Il a montré une inscription sur un des ossuaires reconstruits. Les symboles qu'il portait étaient presque identiques.

— Matia, a-t-il dit. Matthieu.

Il a souligné de son doigt l'inscription sur un coffret plus grand, rangé une étagère plus bas.

— Yehuda, fils de Yeshua. Jude, fils de Jésus.

Il est passé à la troisième étagère.

— Yose. Joseph.

Il a désigné l'ossuaire voisin.

— Yeshua, fils de Yehosef. Jésus, fils de Joseph.

Étagère quatre :

— Mariamné. La dénommée Maria.

— Cette écriture-là a l'air différente, a fait remarquer Ryan.

— Vous avez l'œil. C'est du grec. À l'époque, le Moyen-Orient était une mosaïque de langues. On y parlait l'hébreu, le latin, l'araméen, le grec… Maria, Miriam et Mara sont un même nom. Le plus souvent on disait Miriam ou Marie, mais on utilisait aussi des surnoms, comme on le fait aujourd'hui. Mariamné est un diminutif de Miriam… De même, Yehosef et Yose correspondent tous les deux à Joseph, a-t-il enchaîné en montrant l'étagère n° 3.

Revenant à l'étagère du haut, il a pris un fragment et l'a échangé avec celui que je tenais. Sur celui-là, les lettres étaient si usées, à peine visibles, qu'en comparaison le Maria du début semblait avoir été gravé hier.

— Le nom ici est probablement Salomé, a-t-il dit, mais je ne peux pas le jurer.

Des noms ont défilé dans mon esprit.

Mariamné. Maria (les deux Marie). Salomé. Joseph. Matthieu. Jude. Jésus.

La famille de Jésus ? Le tombeau de la famille de Jésus ? Ça collait pour tout le monde, sauf pour Matthieu.

« Oh… mon… Dieu… », ai-je pensé en moi-même.

Chapitre 28

— Comment est-ce que les historiens ou les spécialistes de la Bible se représentent la famille de Jésus ? ai-je demandé en m'efforçant de conserver un ton de voix égal.

— Pour les historiens, Jésus, ses quatre frères, Jacques, Joseph, Simon et Jude, ainsi que ses deux sœurs, Marie et Salomé, sont les enfants biologiques de Joseph et de Marie. Pour les protestants, Jésus n'a pas pour père un homme, et sa mère, Marie, a eu d'autres enfants avec Joseph.

— Ce qui ferait de Jésus l'aîné des enfants ? est intervenu Ryan.

— Oui, a dit Jake.

— Mais les catholiques considèrent que Marie est restée vierge tout au long de sa vie, ai-je fait remarquer.

— Elle n'a donc pas pu donner des petits frères ou des petites sœurs à Jésus, a renchéri Ryan.

— Pour le Vatican, les autres enfants de Marie sont en réalité les cousins de Jésus, les enfants de Clopas, le frère de Joseph, marié lui aussi à une dame qui s'appelait Marie. Pour les orthodoxes, Jésus a Dieu pour père et Marie pour mère. Marie est toujours restée vierge, et les frères et sœurs de Jésus sont en réalité les enfants que Joseph a eus d'une première épouse décédée, autrement dit : des quasi demi-frères et demi-sœurs.

— Dans ce cas-là, Jésus est le plus jeune des enfants.

L'ordre de naissance semblait être devenu une idée fixe pour Ryan.

— Exactement, a confirmé Jake.

En moi-même, j'ai fait le compte des enfants : deux Marie — Mariamné et Maria —, une Salomé, un Jude, un Joseph. Et il y avait aussi quelqu'un du nom de Matthieu.

Là-dessus, mon estomac s'est mis à gargouiller. Je me suis empressée de demander :

— Est-ce que ce n'était pas des noms aussi courants que Tom ou Joe aujourd'hui ?

— Si, très courants. Vous avez faim ?

— Non, ai-je répondu.

— Oui, a répondu Ryan.

Nous sommes revenus à la cuisine. Jake a sorti de la viande froide, du fromage, un pain plat, des oranges, des cornichons et des olives. Les chats nous ont regardés préparer nos sandwiches. Ryan s'est jeté sur les olives.

Nous avons pris place autour d'une table de pique-nique dans la partie salle à manger. La conversation a repris.

— Dans la Palestine romaine du 1er siècle, a dit Jake, Marie était le prénom le plus courant. Pour les hommes, c'était Simon, et ensuite Joseph. Alors, il n'y a pas de quoi sauter au plafond quand on découvre un ossuaire portant ces noms. Ce qui est plus étonnant, en revanche, c'est de retrouver tous ces noms dans un même tombeau. Ça, c'est carrément époustouflant.

— Mais…

— J'ai consulté une quantité de catalogues. Sur les milliers d'ossuaires juifs conservés dans les collections de ce pays, six seulement portent le nom de Jésus. Et sur ces six, un seul porte l'inscription *Jésus, fils de Joseph*. Et maintenant, il y a le nôtre.

Il s'est interrompu pour repousser un chat du pied.

— Vous avez déjà entendu parler d'onomastique ?

Ryan et moi avons fait non de la tête simultanément.

— C'est la branche de la lexicologie qui étudie l'origine des noms propres.

Il a envoyé une olive dans sa bouche et a continué de parler tout en la grignotant.

— Un archéologue israélien du nom de Rahmani, par exemple, indique dans son catalogue d'ossuaires qu'il a trouvé dix-neuf Joseph, dix Joshua et cinq Jacob ou Jacques.

Il a recraché le noyau dans sa main et pris une autre olive.

— Un autre expert qui a étudié les noms enregistrés dans la Palestine du Ier siècle a dénombré 14 % de Joseph, 9 % de Jésus et 2 % de Jacob. En reprenant ces chiffres, un paléographe français, André Lemaire, a calculé que seulement 0,14 % de la population de Jérusalem correspondait au critère « Jacob (Jacques), fils de Joseph ».

Un noyau craché, une olive enfournée.

— En supposant que chaque homme avait en gros deux frères, Lemaire a calculé que seuls 18 % des « Jacob, fils de Joseph » pouvaient avoir un frère qui s'appelle Jésus. Ainsi, en l'espace de deux générations, il ne restait plus que 0,05 % de la population totale des hommes à avoir une chance d'être un « Jacob, fils de Joseph, frère de Jésus ».

— Combien de gens vivaient à Jérusalem au Ier siècle de notre ère ? ai-je demandé.

— Lemaire estime la population à quatre-vingt mille personnes.

— Ce qui nous donne environ quarante mille hommes, a dit Ryan.

Assentiment de Jake.

— Lemaire conclut qu'à Jérusalem, dans les deux générations précédant l'an 70 de notre ère, il n'y a pas eu plus de vingt hommes à pouvoir correspondre à l'inscription sur l'ossuaire de Jacques.

— Et tous ces hommes n'ont pas fini dans un ossuaire, ai-je fait remarquer.

— Non.

— Et les ossuaires ne portaient pas tous des inscriptions.

— Réflexion hautement pertinente, docteur Brennan. Surtout, il est rare qu'ils indiquent le nom d'un frère. Combien de Jacques, fils de Joseph, ont eu un frère s'appelant Jésus suffisamment célèbre pour que son nom soit inscrit sur leur ossuaire ?

N'ayant pas de réponse à cette question, j'en ai posé une autre.

— La communauté des experts souscrit aux estimations de Lemaire ?

— Bien sûr que non, a ricané Jake. Certains soutiennent que la population était plus nombreuse, d'autres moins. Mais combien de chances y a-t-il pour que tout ce groupe de gens se retrouve ensemble dans le même tombeau, les deux Marie, Joseph, Jude, Salomé ? La probabilité est sûrement infinitésimale.

— C'est à ce même Lemaire qu'Oded Golan a mentionné pour la première fois l'existence de son ossuaire de Jacques ? ai-je demandé.

— Oui.

En regardant l'os de talon et son trou si particulier, j'ai repensé à Donovan Joyce et à sa théorie bizarre de Jésus survivant à la crucifixion et mourant à Massada. J'ai repensé à Yossi Lerner et à son autre théorie, tout aussi bizarre, selon laquelle le squelette du Musée de l'Homme de Paris était celui de Jésus, raison pour laquelle il l'avait dérobé. Théorie fausse, car, d'après mes calculs, l'âge de Max se situait entre quarante et soixante ans.

Et voilà que Jake avançait maintenant une thèse encore plus incongrue selon laquelle Jésus serait mort sur la croix et que son corps serait resté dans ce tombeau de la vallée du Cédron où sa famille avait été ensevelie par la suite. Tombeau découvert par des pilleurs qui en auraient dérobé l'ossuaire de Jacques, puis redécouvert par Jake qui y avait récupéré tout ce que les pilleurs avaient laissé, à commencer par les ossuaires brisés.

Tombeau, enfin, où j'avais découvert à mon tour un loculus ignoré de tous renfermant des ossements dans un suaire. À savoir : Jésus.

Mes gargouillements ont cédé la place à des crispations qui m'ont tordu l'estomac.

J'ai posé mon sandwich. Un des matous a entamé des travaux d'approche.

— Est-ce que Jacques était célèbre en son temps ? a demandé Ryan.

— Et comment ! Je vous résume les faits. Des preuves historiques tendent à suggérer que Jésus aurait appartenu à la lignée du roi David d'Israël qui vécut au Xᵉ siècle avant notre ère. Qu'il en descendrait même en ligne directe. Or, selon les prophètes, le Messie — c'est-à-dire le dernier roi de la nation d'Israël reconstituée — devrait appartenir à cette lignée royale. Hérode, qui gouvernait la Palestine en ce temps-là, était parfaitement au courant du potentiel révolutionnaire que représentaient les descendants de David. Les Romains aussi, et l'empereur lui-même. De sorte que les descendants des anciens rois étaient étroitement surveillés, parfois même pourchassés et tués.

« À la mort de Jésus, crucifié en l'an 30 de notre ère pour avoir proclamé son appartenance à la lignée royale du Messie, c'est son frère Jacques, le suivant dans la lignée de David, qui ·a pris la tête du mouvement chrétien à Jérusalem.

— Pas Pierre ? s'est étonné Ryan.

— Pas Pierre et pas Paul non plus. Jacques le Juste. C'est un fait assez peu connu et qui mérite plus d'attention qu'il n'en reçoit. Jacques a été lapidé en l'an 62 de notre ère, grosso modo pour les mêmes raisons que Jésus, c'est-à-dire pour s'être proclamé le Messie. Son frère Simon a pris la suite. Quarante-cinq ans plus tard, il a été crucifié sous l'empereur Trajan, au motif qu'il appartenait à cette même lignée. Et vous savez qui a assuré la relève ?

J'ai secoué la tête, Ryan aussi.

— Un troisième monsieur apparenté à Jésus. Jude. C'est lui qui est devenu tête de liste du mouvement à Jérusalem.

J'ai réfléchi. Jésus et son frère se réclamant du titre messianique de roi des Juifs ? OK. Je pouvais admettre cette vision politique des choses. Mais que Jake laissait-il entendre quand il affirmait que Jésus était toujours dans son tombeau ?

J'ai demandé :

— Tout d'abord, sur quoi te bases-tu pour affirmer que ce tombeau de Jésus est bien de la bonne période ?

J'ai eu l'impression d'avoir parlé d'une voix tendue. Et de fait, je commençais à m'énerver.

— L'habitude de conserver les os dans des ossuaires n'a été pratiquée que pendant une période très courte qui va à peu près de l'an 30 avant notre ère à l'an 70 de notre ère.

— Mais l'une des inscriptions est en grec. Peut-être que ces gens-là n'étaient même pas des Juifs ! ai-je rétorqué en désignant les boîtes Tupperware sur le comptoir de la cuisine.

— Il n'est pas rare de trouver des inscriptions mélangeant le grec et l'hébreu dans les tombeaux du Ier siècle. En plus, seuls les Juifs conservaient leurs morts dans des ossuaires… Et presque exclusivement ceux de la région de Jérusalem, a ajouté Jake, répondant à l'avance à la question que je m'apprêtais à lui poser.

— Je croyais que le tombeau du Christ se trouvait sous l'église du Saint-Sépulcre, en dehors de la vieille ville, est intervenu Ryan sans lever le nez du roulé aux cornichons qu'il était en train de se fabriquer à partir d'une tranche de munster.

— Beaucoup de gens le croient.

— Pas vous ?

— Non.

Étonnée, j'ai objecté :

— Pourtant, Jésus était de Nazareth. Pourquoi est-ce que sa famille aurait été enterrée ailleurs ?

— Il est dit dans le Nouveau Testament que Marie et ses enfants se sont établis à Jérusalem après la mort de Jésus sur la croix. La tradition veut que Marie ait été enterrée ici, où elle était morte, et non pas dans le Nord, en Galilée.

Il y a eu un long silence. Un des matous l'a mis à profit pour se couler jusqu'à dix centimètres de mes pieds.

— Attends que je comprenne bien.

Au son de ma voix, le chat a battu en retraite.

— Tu es sûr que l'inscription sur l'ossuaire de Jacques est authentique ?

— Absolument.

— Tu es sûr aussi que cet ossuaire provient du tombeau que nous avons visité.

— Les rumeurs l'ont toujours affirmé.

— Tu es sûr enfin que ce tombeau est le lieu de sépulture de la famille de Jésus ?

— Oui.

— Et, selon toi, cette lésion sur le calcanéum retrouvé dans le linceul prouverait qu'un des occupants de ce tombeau a été crucifié ?

Jake a hoché la tête en silence.

J'ai croisé le regard de Ryan. Ses yeux ne recelaient pas l'ombre d'un sourire.

— Tu as fait part de ta théorie à Blotnik ?

— Oui. Sauf que je n'ai pas mentionné le calcanéum troué, évidemment, puisque tu viens seulement de le découvrir. Je n'arrive toujours pas à y croire.

— Et alors ?

— Il m'a envoyé promener. Un con fini, cet homme. Et borné !

— Jake !

— Tu verras toi-même quand tu le rencontreras.

Je l'ai laissé s'énerver tout seul, préférant changer de sujet.

— Quand est-ce que tu as prélevé des échantillons sur les ossements que tu as retrouvés par terre ou collés aux parois des ossuaires brisés, et quand est-ce que tu les as envoyés au labo pour faire pratiquer des tests d'ADN ?

— Je les ai prélevés au moment de remettre le tout à qui de droit pour être analysé et réenterré. Je les ai envoyés au labo tout de suite après t'avoir eue au téléphone. Ce que tu m'avais dit renforçait mes espoirs que les individus ensevelis dans ce tombeau soient tous apparentés. L'ADN mitochondrial pouvait le démontrer par voie maternelle et l'ADN ancien établir le sexe.

Mon regard s'est porté une nouvelle fois sur les boîtes alignées sur le plan de travail. Une question se formait dans mon esprit, mais je n'étais pas encore prête à la poser. D'ailleurs, Ryan m'a devancée.

— Si les corps étaient abandonnés pendant un an, le temps de se décomposer, puis rassemblés et scellés dans ces ossuaires, comment expliquez-vous que ce loculus ait encore contenu les restes de quelqu'un dans un linceul ?

— Peut-être que le défunt n'avait pas de garçon. Selon la loi rabbinique, c'est le fils qui devait rassembler les os du père décédé. Peut-être que c'est lié à la façon dont cet individu est mort. Peut-être aussi qu'une crise grave a empêché la famille d'accomplir les derniers rites.

Une crise grave ? Comme l'exécution d'un opposant et l'interdiction de son mouvement ? Comme l'obligation pour la famille et les adeptes de se terrer quelque part ? Le sous-entendu de Jake était clair.

Ryan m'a regardée comme s'il voulait dire quelque chose. Finalement, il a gardé ses pensées pour lui.

Je me suis levée pour aller chercher l'article avec les photos d'os du pied. En revenant m'asseoir à table, j'ai remarqué l'en-tête en haut des pages.

N. Haas. Département d'Anatomie, école de médecine Hadassah, université hébraïque.

Mon cerveau a immédiatement saisi l'occasion de penser à autre chose qu'à ce talon percé d'un curieux trou. De penser à Massada, à Max, à mille et une choses.

— Ce Haas, c'est celui qui a travaillé sur les fouilles de Massada ?

— Oui, madame.

J'ai parcouru l'article. Âge. Sexe. Mesures crâniennes. Trauma et pathologie. Diagrammes. Tableaux.

— C'est drôlement détaillé, dis donc !

— Il y a des erreurs, mais c'est vrai que c'est détaillé, a admis Jake.

— Pourtant Haas n'a jamais rien écrit sur les squelettes de la grotte 2001.

— Pas un mot.

Le squelette de Massada n'avait jamais fait l'objet d'un rapport. Il avait quitté Israël, avait été dérobé dans un musée et était entré au Canada, tout cela en catimini, alors que c'était celui d'un personnage historique important découvert à Massada, à en croire Kaplan, qui tenait l'information de Ferris.

De son côté, Jake admettait avoir entendu plus que des rumeurs à propos d'un tel squelette, puisqu'une bénévole qui avait travaillé sur le chantier de Massada lui en avait confirmé la découverte de vive voix. En apprenant que je détenais une curieuse photo de squelette, il n'avait fait ni une ni deux pour sauter dans le premier avion en partance pour Montréal et, après l'avoir vue, pour filer aussitôt à Paris, oubliant son rendez-vous de Toronto. Quant à moi, si j'étais aujourd'hui en Israël, c'était bien à cause de ce squelette. Parce que Jake m'avait persuadée de venir.

Lerner pensait que c'était celui de Jésus. Il se trompait. L'âge au jour de la mort ne correspondait pas. Jake suggérait que le vrai Jésus était enfermé dans le Tupperware, sur le plan de travail.

Pourquoi ces décennies d'intrigue à propos de ce squelette retrouvé à Massada ? Qui avait donc été cet homme, que nous avions baptisé Max ?

Ce Max à présent volé et, probablement, perdu à jamais.

Cette pensée m'a rappelé mon retour en camion avec Jake, ma chambre mise à sac. La colère m'a prise.

Surtout, l'employer à bon escient. Me concentrer sur Max. Éviter de penser à cette chose impossible, découverte par hasard dans un tombeau de la vallée du Cédron. À cette chose impossible qui reposait dans un Tupperware sur le comptoir d'une cuisine. J'ai demandé :

— À ton avis, notre squelette de Massada a disparu pour de bon, n'est-ce pas ?

— Pas si j'arrive à intervenir.

Une drôle d'expression est passée sur le visage de Jake. Je n'ai pas su la déchiffrer.

— Je vais aller voir Blotnik aujourd'hui.

— Blotnik est de mèche avec le Hevrat Kadisha ? a demandé Ryan.

Jake n'a pas répondu. Dehors, une chèvre a bêlé.

— À quoi tu penses ? ai-je demandé.

Il a seulement froncé les sourcils.

— À quoi ? ai-je insisté.

— Des choses bien plus importantes sont en jeu.

Il s'est frotté les yeux du revers de ses mains.

J'ai voulu parler. Ryan a accroché mon regard discrètement. J'ai pris bonne note du signal et me suis tue.

Jake a laissé retomber ses mains. Ses avant-bras ont cogné la table avec bruit.

— Ça va plus loin que cette connerie habituelle de remise en terre. Le Hevrat Kadisha a dû recevoir des instructions de gens haut placés. C'est à cause de ce squelette de Massada qu'ils nous ont suivis jusqu'au tombeau.

Il a commencé à jouer avec des miettes.

— Yadin a dû découvrir des choses sur ce squelette qui lui ont vraiment foutu la trouille, voilà ce que je pense.

— Quel genre de choses ?

— Je ne sais pas. Mais être prêt à envoyer quelqu'un d'ici au Canada pour transporter un squelette, mettre à sac une chambre d'hôtel, risquer même de tuer quelqu'un, c'est trop gros pour que ça vienne exclusivement du Hevrat Kadisha.

J'ai regardé Jake transformer sa petite colline de miettes en une longue ligne toute fine. J'ai pensé à Yossi Lerner, à Avram Ferris, à Sylvain Morissonneau.

J'ai pensé aux deux Palestiniens garés devant l'abbaye de Sainte-Marie-des-Neiges.

Je ne connaissais ni le terrain ni les joueurs. Pourtant mon instinct me disait que Jake avait raison. Il s'agissait bien d'une partie mortelle dont Max était l'enjeu. Et nos adversaires étaient déterminés à gagner.

Toujours cette même question : qui donc avait été notre Max de son vivant ?

— Jake, écoute…

Il s'est laissé retomber en arrière. Les jambes tendues, les bras croisés sur la poitrine, il nous a considérés, Ryan d'abord, moi ensuite. J'ai jugé bon de l'apaiser.

— Tu vas les recevoir, tes résultats d'ADN. Tu l'auras, ton analyse textile. C'est ton tombeau et c'est important pour toi, je le comprends. Mais pour le moment, j'aimerais qu'on se concentre sur Massada.

À ce moment-là, le cellulaire de Ryan a sonné. Ayant lu le nom affiché à l'écran, il a quitté la pièce.

J'ai reporté les yeux sur Jake.

— Haas n'a jamais fait état des squelettes de la grotte, n'est-ce pas ?

— Non.

— Et les rapports de chantier ?

— Certains bénévoles ont bien tenu des journaux intimes, mais des notes dans le sens où toi et moi l'entendons, ça n'avait pas cours à Massada.

J'ai dû lui paraître étonnée, car il a enchaîné :

— Tous les soirs, Yadin réunissait les chefs des différents secteurs pour discuter de la journée. Les comptes rendus des réunions étaient attachés ensemble, en attendant d'être retranscrits.

— Où se trouvent ces transcriptions, aujourd'hui ?

— À l'Institut d'archéologie de l'université hébraïque.

— Il faut une autorisation spéciale pour les consulter ?

— Je peux passer deux ou trois coups de fil.

— Comment te sens-tu ?

— En super-forme.

— Que dirais-tu de feuilleter de vieux grimoires ?

— Que dirais-tu d'aller d'abord montrer le linceul à Esther Getz. Ensuite, on se taperait l'université.

— Elle travaille où ?

— Au musée Rockefeller.

— Ce n'est pas là que se trouve aussi l'AAI ?

— Si, malheureusement.

Il a accompagné ses mots d'un soupir dramatique.

— Parfait. J'en profiterai pour rendre visite à Tovya Blotnik.

— Tu ne vas pas l'aimer du tout.

Jake a passé ses deux-trois coups de fil pendant que je débarrassais la table. J'en étais à refermer le couvercle des cornichons quand Ryan est réapparu. Sa mine disait haut et fort qu'il n'avait pas reçu une nouvelle réjouissante.

— Kaplan est revenu sur sa déposition.

J'ai attendu qu'il poursuive.

— Maintenant, il prétend avoir été engagé par quelqu'un pour faire la peau à Ferris.

Chapitre 29

J'ai cligné des yeux, posé le pot de cornichons et pris le temps de digérer la nouvelle.

— Kaplan a été payé pour tuer Ferris ?

Acquiescement contraint de Ryan.

— Par qui ?

— Un petit détail dont il n'a pas encore fait part.

— Lui qui se prétendait plus innocent que l'agneau qui vient de naître ! Pourquoi avoue-t-il maintenant ?

— Qui sait ?

— Friedman le croit ?

— Il prend note. ·

— On dirait un épisode des *Sopranos*.

— On peut dire ça, a laissé tomber Ryan en consultant sa montre. Bon, faut que j'y retourne.

Il n'était pas parti depuis cinq minutes que Jake a refait surface avec deux bonnes nouvelles : premièrement, nous étions autorisés à consulter les transcriptions des rapports de fouilles de Massada ; deuxièmement, Esther Getz pouvait nous recevoir. Jake lui avait parlé du linceul, mais pas du calcanéum. J'ai émis des doutes sur l'opportunité de dissimuler certains éléments, mais, finalement, c'était à lui de décider. Israël était son terrain de chasse, pas le mien. Il m'a assuré que ce n'était qu'une cachotterie temporaire, l'affaire de quelques jours seulement.

L'affaire aussi de quelques spécimens à prélever subrepticement, me suis-je dit par-devers moi.

Sur ce, il a avalé deux aspirines pendant que je remballais le suaire. Restaient les os. Qu'en faire ? Le Hevrat Kadisha ayant récupéré Max, il n'avait plus tellement de raisons de me surveiller. Je pouvais donc emporter les Tupperware chez moi. Après force débats, nous avons décidé qu'il était plus sûr de les conserver ici, chez Jake. Nous les avons donc rangés dans l'armoire aux ossuaires.

Toutes les portes de la maison et le portail fermés à double tour, nous sommes partis pour le musée Rockefeller. À voir la façon dont il serrait les mâchoires, Jake devait souffrir d'un sacré mal de tête. Néanmoins, il a tenu à prendre le volant de sa Honda de location.

Nous avons repassé en sens inverse le poste de contrôle de la route de Naplouse et rejoint la rue Soliman Pacha, dans Jérusalem-Est. La circulation était dense. Arrivé à l'angle nord-est du mur de la vieille ville, Jake s'est engagé dans une allée située juste en face de la Porte aux fleurs. Elle menait à un portail en fer à deux battants. Un panneau délavé en hébreu et en anglais annonçait le musée Rockefeller.

Jake est descendu de voiture pour aller parlementer dans un interphone rouillé. Quelques instants plus tard, les portes s'ouvraient sur un ravissant parc paysager dont nous avons contourné la pelouse parfaitement entretenue.

Tout en marchant vers une entrée latérale, j'ai remarqué un panneau sur la façade : GOUVERNEMENT DE LA PALESTINE. DÉPARTEMENT DES ANTIQUITÉS.

Les temps changent, on ne le dira jamais assez.

— De quand date ce superbe bâtiment ? ai-je demandé.

— Il a été inauguré en 1938. Il renferme principalement des antiquités mises au jour à l'époque du mandat britannique.

— 1919-1948. (Information dénichée dans le guide prêté par mon concierge canadien.) C'est beau.

Et, de fait, la construction de calcaire blanc agençait joliment tourelles, arches et jardins.

— La collection comporte aussi plusieurs objets préhistoriques et des ossuaires à tomber sur le cul.

À tomber sur le cul ou pas, les splendeurs exposées n'attiraient pas les foules. Jake m'a menée à travers plusieurs salles jusqu'à un escalier que nous avons grimpé dans l'écho de nos pas et une puissante odeur de désinfectant.

En haut, nous avons franchi plusieurs arches et tourné à droite. Une plaque dans un renfoncement indiquait le bureau d'Esther Getz.

Jake a frappé doucement avant d'entrebâiller la porte.

À l'autre bout de la salle, une femme robuste d'à peu près mon âge a quitté son microscope pour s'avancer vers nous. Elle avait la mâchoire idéale pour découper la glace du Saint-Laurent au printemps. Jake a fait les présentations. J'ai tendu la main en souriant. Esther Getz l'a serrée comme si elle craignait d'attraper une maladie honteuse.

— Tu as le linceul ?

Elle a libéré de l'espace sur une table. Jake a posé les deux Tupperware au milieu.

— Tu vas voir, c'est gé…

— Redis-moi où tu l'as trouvé, l'a-t-elle interrompu.

Jake a décrit le tombeau sans s'appesantir sur son emplacement.

— Tout ce que je pourrai te dire aujourd'hui ne sera jamais qu'une approximation préliminaire.

— Naturellement.

Esther Getz a soulevé un couvercle et étudié un fragment de linceul. Elle a répété l'opération avec la deuxième boîte. Ce n'est qu'après avoir enfilé des gants qu'elle s'est décidée à sortir du Tupperware le plus petit morceau de tissu. Un quart d'heure plus tard, elle l'avait entièrement déroulé.

Nous nous sommes penchés de concert, tels des élèves dans un cours de chimie. Nous avons tous les trois reconnu en même temps ce que nous avions sous les yeux, mais c'est Esther Getz qui a réagi la première, et plus pour elle-même que pour nous.

— Des cheveux…

Un second quart d'heure plus tard, tous les cheveux avaient été retirés à l'aide d'une pince à épiler et la plupart d'entre eux enfermés dans une fiole. Le reste, une demi-douzaine, était placé sous un microscope.

— Coupés peu de temps avant la mort… Un certain brillant… Pas trace de poux ou de vermine.

Elle les a remisés pour s'intéresser à l'autre morceau de tissu.

— Tissage simple, fil à fil.

— Typique du Ier siècle, a dit Jake en étirant un bras.

Esther Getz a fait tourner le fragment sous l'œilleton.

— Les fibres sont abîmées, mais elles n'ont pas cet aspect plat et varié qu'on serait en droit d'attendre d'un tissu en lin.

— Ce serait de la laine ? a demandé Jake.

— À première vue, je dirais oui.

Elle a de nouveau fait bouger le tissu sous le microscope.

— Pas de défaut dans le tissage. Pas de trous. Pas de ravaudage.

Une pause, puis :

— Bizarre…

— Quoi donc ?

Le bras de Jake s'est immobilisé en l'air.

— Les brins n'ont pas été filés dans le sens habituel, comme on le faisait chez nous à cette époque.

— Ce qui veut dire ?

— Qu'il s'agit d'un tissu d'importation.

— Importé d'où ?

— Je dirais d'Italie ou de Grèce.

Une demi-heure plus tard, l'experte en textile se penchait sur le premier fragment de tissu.

— De la toile. Pourquoi avez-vous placé ces deux morceaux dans des boîtes séparées ?

Jake s'est tourné vers moi pour que je réponde.

— Le plus petit se trouvait au fond du loculus. Des fragments crâniens y étaient collés. Le plus grand était près de l'entrée. Lui, il comportait des fragments postcrâniens.

— On utilisait un linge pour envelopper la tête et un autre pour envelopper le reste du corps, a expliqué Jake. Au chapitre 20, versets 6-7, Jean dit à propos de Simon Pierre entrant dans le sépulcre : « et il aperçoit les linges à terre et le suaire qui avait été sur sa tête, lequel n'était pas avec les linges, mais plié en un lieu à part ».

L'experte a jeté un coup d'œil à sa montre.

— Vous comprenez bien sûr que ces échantillons doivent être remis à l'AAI. Vous pouvez me les laisser.

Mise en demeure sans grande subtilité.

— Évidemment. De toute façon, nous avons déjà déclaré la découverte, a rétorqué Jake en accentuant le « nous » avec une finesse qui n'avait rien à envier à celle d'Esther Getz. Nous comptons demander une datation au carbone 14.

Et d'ajouter, avec son sourire le plus rayonnant :

— Tant que je n'aurai pas eu le plaisir de lire ton rapport, je sens que je vais être sur les charbons ardents.

— Comme nous tous, a-t-elle répondu.

Et elle a accompagné ses mots de petits gestes en direc-tion de la porte.

Nous étions remerciés. Le charme de Jake était resté sans effet.

Je l'ai suivi dans le couloir, intimement persuadée qu'Esther Getz n'avait jamais été de ces filles à qui les autres élèves de la classe donnent un gentil surnom.

Arrêt suivant : Tovya Blotnik.

Le bureau du directeur de l'AAI se trouvait quatre portes plus loin. S'il s'est levé à notre entrée, il n'a pas considéré comme nécessaire de s'avancer vers nous pour nous accueillir.

C'est drôle. Les images qu'on associe aux voix entendues au téléphone tombent ou bien pile dans le mille, ou bien complètement à côté de la plaque.

Ce directeur de l'AAI, je me l'étais imaginé sous les traits d'un père Noël. Avec sa barbichette grise et le paillasson de cheveux raides entourant sa kippa en soie bleue, il ressemblait plutôt à un elfe juif.

Jake m'a présentée.

Blotnik m'a serré la main en s'inclinant, sans paraître surpris de me voir.

— *Shabbat shalom.* Je vous en prie, prenez donc un siège.

Gêné, le sourire. Mais la voix, exactement celle du père Noël.

Nous n'avions guère l'embarras du choix pour poser nos fesses, puisque toutes les chaises sauf deux croulaient sous les papiers et les livres. Blotnik a posé les siennes dans le fauteuil derrière son bureau.

Ce n'est qu'à ce moment-là qu'il a remarqué l'état de mon visage.

— Vous avez été blessée ?

— Oh, c'est du passé, n'en parlons plus.

Il a ouvert la bouche et l'a refermée, ne sachant comment réagir, puis il s'est décidé.

— En tout cas, vous ne devez plus souffrir du décalage horaire.

— Non-non, je vous remercie.

Les mains à plat sur son bureau, il a agité la tête de haut en bas. Ses mouvements étaient brusques et vifs comme ceux d'un colibri.

— C'est tellement gentil de votre part d'avoir fait le voyage exprès pour m'apporter le squelette. C'est même plus que gentil : extraordinaire. (Véritable sourire d'elfe.) Vous l'avez avec vous ?

— Pas exactement, est intervenu Jake.

Blotnik s'est tourné vers lui.

Jake a décrit la scène avec le Hevrat Kadisha, omettant tout ce qui se rapportait au tombeau. Les traits de Blotnik se sont affaissés.

— Une absurdité, continuait Jake.

— En effet. (Ton glacial.) Vous connaissez le Hevrat Kadisha ? a enchaîné Blotnik, s'adressant à moi.

— Pas vraiment.

Jake a froncé les sourcils, mais il n'a rien dit.

— Où se trouve ce tombeau ? lui a demandé Blotnik.

Il a joint les doigts. Deux empreintes parfaites de ses paumes sont restées sur son buvard.

— Dans la vallée du Cédron.

— C'est de là aussi que proviennent les textiles dont Esther m'a parlé ?

— Oui.

Blotnik a posé d'autres questions sur le tombeau. Jake y a répondu en termes vagues et sur un ton réfrigérant.

Blotnik s'est levé.

— Excusez-moi, mais je m'apprêtais à partir quand vous êtes arrivés.

Il nous a décerné ce qu'il considérait à coup sûr comme un sourire timide.

— C'est le sabbat. Nous finissons plus tôt aujour-d'hui.

— *Shabbat shalom*, lui ai-je souhaité.

— *Shabbat shalom*, m'a-t-il répondu. Et merci encore de vous être donné tout ce mal, docteur Brennan. L'AAI vous en est profondément redevable. Un si long voyage. Une telle perte. Votre démarche est vraiment remarquable.

Nous nous sommes retrouvés dans le couloir.

Tout en roulant vers l'université hébraïque, nous avons parlé de Blotnik.

— On ne peut pas dire que tu l'aimes, ce gars-là.

— C'est un nul et un égoïste qui ne pense qu'à sa gueule.

— Ne t'arrête pas en si bon chemin, Jake.

— Je ne lui donnerais pas mon chien à garder.

— Pourquoi ?

— Il est malhonnête sur le plan professionnel.

— Comment ça ?

— Dans ses publications, il pompe le travail d'autrui sans jamais citer personne. Tu veux que je continue ?

Jake déteste les savants qui s'approprient les recherches de leurs collègues ou de leurs étudiants. L'ayant souvent entendu râler à ce sujet, je l'ai laissé bougonner à son goût, avant de faire remarquer :

— En tout cas, ta copine Esther, on n'a pas eu le temps de quitter son labo qu'elle s'empressait de tout rapporter à Blotnik.

— J'étais quasiment sûr qu'elle le ferait. Mais il n'y a pas meilleur expert en textiles anciens et j'ai besoin que ce suaire soit authentifié. Et puis, le fait qu'on soit passé par elle empêche Blotnik de s'approprier la découverte.

— Mais pour les os, tu ne fais confiance pas plus à l'un qu'à l'autre, n'est-ce pas ?

— Personne ne posera les yeux dessus tant que je n'aurai pas rassemblé toutes les preuves permettant de les identifier.

— Tu as remarqué ? Blotnik avait l'air de s'en ficher complètement que le squelette ait disparu. Et pas très surpris de me voir.

Comme Jake me lançait un coup d'œil étonné, j'ai expliqué :

— Quand je l'ai appelé de Montréal, je ne lui ai donné aucune date d'arrivée.

— Ah bon ?

Il a tourné à gauche.

— Et sa phrase sur le décalage horaire ? C'est comme s'il savait exactement depuis combien de temps je suis ici.

Jake a voulu dire quelque chose. J'ai été plus rapide.

— Est-ce qu'il se ficherait du squelette parce qu'en fait il l'a déjà ?

— Ça m'étonnerait. Le bonhomme est une lavette ! Mais si jamais c'est le cas… (regard dans ma direction), je te prie de croire qu'il va recevoir de ma part un de ces coups de pied au cul qui l'enverra rouler jusqu'à Tel-Aviv !

Après cela, le sujet Esther Getz est venu sur le tapis.

— Pas loquace, ta copine.

— C'est vrai qu'elle est du style droit au but.

C'était le moins qu'on puisse dire. Plus j'y pensais, moins je lui trouvais de ces qualités qui font d'une élève la coqueluche de sa classe.

— Mais quand même, ça t'a plu, hein, ce qu'elle a vu au microscope ? ai-je ajouté.

— Tu parles ! Des cheveux propres et sans vermine. Du tissu d'importation… La laine, mais c'était un luxe en ce temps-là ! En général, les suaires sont entièrement en toile. Qui que ce soit, la personne enveloppée dedans était de haut statut social… Et le trou dans l'os du pied ? (Nouveau regard vers moi.) Et ces gens ensevelis avec ce garçon qui ont tous des noms tirés de l'Évangile ?

— Jake, je reste quand même sceptique. D'abord le squelette de Massada, maintenant ces os dans le linceul. Est-ce que tu ne serais pas en train de te monter la tête avec des preuves qui n'en sont pas, tellement tu aimerais retrouver Jésus ?

— Je n'ai jamais cru une seconde que le squelette de Massada était Jésus. Ça, c'est la conclusion de Lerner à partir des élucubrations de Donovan Joyce. Mais ces os-là, je pense que ce sont ceux de quelqu'un qui ne devrait pas se trouver dans cette vallée. Quelqu'un dont la présence va faire chier les Israéliens dans leurs frocs, et peut-être aussi le Vatican.

— Qui ça ?

— C'est ce que je compte bien découvrir avec toi.

Nous avons roulé un moment en silence, puis j'ai demandé :

— Est-ce que ce linceul ressemble au suaire de Turin ?

— Le suaire de Turin est en toile et d'un tissage plus compliqué, un sergé de trois sur un. Ce qui est compréhensible puisqu'il date en réalité du Moyen Âge, entre 1260 et 1390.

— Datation pratiquée au carbone 14 ?

— Oui. Et confirmée par plusieurs laboratoires de Tucson, d'Oxford et de Zurich. Le suaire de Turin est fait d'une seule pièce qui enveloppait le corps tout entier. Le nôtre est en deux parties.

— Que disent les scientifiques de l'image imprimée sur le tissu ? ai-je demandé.

— Qu'elle résulte probablement de l'oxydation du tissu lui-même et de la déshydratation des fibres de cellulose.

Autre coup dur pour le Vatican.

Arriver à l'université nous a pris moins de temps que trouver une place de stationnement. En désespoir de cause, Jake a garé sa Honda dans un espace tout juste bon à accueillir un scooter. Nous sommes partis à pied vers l'est du campus.

Le soleil dardait ses rayons dans un ciel limpide. L'air sentait l'herbe coupée.

Nous passions de l'ombre à la lumière, longeant des salles de classe, des bureaux, des foyers, des laboratoires. Des étudiants portant bandanas, Birkenstocks et sacs à dos flânaient dans le parc ou buvaient du café à des tables dehors. Un jeune s'amusait à lancer un frisbee à son chien.

Nous aurions pu nous trouver dans n'importe quel campus de n'importe quelle ville du monde. Juchée sur son mont Scopus, l'université hébraïque de Jérusalem était une île de tranquillité dans cette mer urbaine de pollution, de ciment et de barrages de police.

Mais rien sur cette terre n'est jamais immunisé contre tous les dangers. Et tandis que nous marchions au beau milieu de ce tableau paisible, mon esprit y surimposait involontairement des flashes tirés de journaux télévisés. Le 31 juillet 2001, jour en tout point semblable à celui-ci : des étudiants passent des examens ou s'inscrivent aux cours d'été ; un colis explose sur une table de café. Sept morts et quatre-vingts blessés. Le Hamas avait revendiqué l'acte en représailles du meurtre de Salah Shehadeh par Tsahal au cours d'un assaut à Gaza dans lequel quatorze Palestiniens avaient aussi trouvé la mort.

Et aujourd'hui ça continue.

La gardienne des archives à l'Institut d'archéologie était une dame du nom d'Irena Porat que ses goûts en matière de mode portaient sur le fouillis floral. D'une dizaine d'années plus âgée qu'Esther Getz et mille fois moins menaçante.

Après avoir échangé avec moi les *shalom* d'usage, Mme Porat a poursuivi la conversation en hébreu. Jake, je suppose, lui a exposé le but de notre visite, car j'ai reconnu dans son discours les mots « Massada » et « Yadin ».

Mme Porat l'écoutait attentivement tout en examinant une petite boule friable extirpée du fond de son oreille. Quand il s'est tu, elle lui a posé une question.

Jake y a répondu.

Mme Porat m'a désignée de la tête.

Jake lui a fourni une explication.

Mme Porat s'est alors penchée vers lui pour s'entretenir à voix basse.

Jake a acquiescé d'un air solennel.

Mme Porat m'a décerné son plus beau sourire de bienvenue.

Je lui en ai retourné un, version conspirateur.

Elle nous a conduits par deux volées de marches jusqu'à une salle sinistre dépourvue de fenêtres. Murs et plancher gris, tables usagées, chaises pliantes et rayonnages du sol au plafond. De grandes boîtes étaient empilées dans deux des coins.

— Je vous en prie.

Mme Porat a pointé sur moi son doigt explorateur d'oreille, puis l'a dirigé sur une table. Je suis allée m'y asseoir tandis qu'elle disparaissait derrière les rayonnages, suivie de Jake.

Ils en sont ressortis les bras chargés de grands dossiers bruns. Laissant tomber sa pile sur la table, Mme Porat m'a prodigué une ultime recommandation et, sur un sourire, s'est retirée.

— Elle est gentille.

— Un peu lourde sur les fleu-fleurs, a rétorqué Jake tout en classant les dossiers par ordre chronologique.

Chacun d'eux portait une étiquette en hébreu écrite au marqueur noir. Jake a ouvert le premier et en a sorti les différents cahiers qu'il contenait.

Il en a pris un, je l'ai imité.

Papier ordinaire de format A4. Texte dactylographié sur un seul côté de la page. En hébreu du début à la fin.

Illisible pour moi.

Jake s'est empressé de me faire une liste de mots pouvant me faciliter la tâche : Yoram Tsafrir. Nicu Haas. Locus 2001. Grotte. Squelette. Os. Il m'a également montré comment lire les dates hébraïques.

Il a commencé par le cahier le plus ancien. J'ai pris le suivant. Armée de ma liste, je suis partie à la pêche aux mots.

Je l'ai interrompu un bon nombre de fois pour lui montrer des passages qui n'avaient rien à voir avec ce que nous cherchions. Je m'escrimais sur le texte depuis plus d'une heure quand j'ai enfin reconnu un mot.

Jake a survolé le texte.

— Ça parle bien du locus 2001. C'est la réunion du 20 octobre 1963.

— Qu'est-ce qu'ils disent ?

— Yoram Tsafrir rend compte de ce qu'il a exhumé à côté, dans la grotte 2004. Écoute ça.

J'ai ouvert grand mes oreilles.

— Il explique que ces découvertes-là sont « beaucoup plus belles que ce qui a été trouvé dans les loci 2001 et 2002 ».

— Ce qui veut dire que la grotte 2001 a été explorée avant le 20 octobre.

— Oui.

— Tu m'as bien dit que le chantier avait démarré au début du mois d'octobre ?

— Absolument.

— Ça veut donc dire que le locus 2001 a été fouillé au cours des deux premières semaines.

— C'est drôle, je n'ai rien vu sur le sujet. Continue de chercher, pendant que je reviens sur les pages que j'ai déjà lues.

La référence suivante apparaissait en date du 26 novembre 1963, soit plus d'un mois après, alors que Haas avait rejoint l'équipe. Jake m'a traduit le passage en soulignant les mots de son doigt.

— Haas rend compte de la découverte des trois squelettes au niveau 8, dans le palais du nord, mais aussi des ossements trouvés dans la grotte 2001. Il dit que leur décompte fait apparaître entre vingt-quatre et vingt-six individus, plus un fœtus de six mois. Quatorze hommes, six femmes, quatre enfants, sous forme de restes épars.

— Le total ne tombe pas juste, mais, ça, nous le savions déjà.

Jake a relevé les yeux.

— C'est exact. Revenons à la question importante : est-ce que cette grotte et son contenu ont été mentionnés auparavant ?

— Peut-être qu'on a sauté la page.

— Peut-être.

J'ai proposé qu'on relise toute la partie avant le 20 octobre. Jake a accepté.

Nous nous sommes attelés à la tâche.

La fouille de la grotte et les objets qui en avaient été sortis n'étaient mentionnés nulle part.

Néanmoins, j'ai fait une découverte.

À savoir que les pages des cahiers étaient numérotées, et en chiffres arabes.

Je pouvais donc les lire !

Dans les premières semaines d'octobre, plusieurs pages manquaient.

Saisis d'une crainte croissante, nous avons revérifié tous les folios de tous les dossiers.

Il n'y avait ni erreur de numérotation ni déplacement malencontreux.

Ces pages avaient tout simplement disparu.

Chapitre 30

— Est-ce que les matériaux conservés ici peuvent être sortis ? ai-je demandé.

— Non. Et Mme Porat m'a assuré que nous les avions tous.

— S'il manque des pages, c'est donc qu'elles ont été subtilisées par quelqu'un de l'intérieur.

Nous avons considéré cette éventualité en silence.

— Yadin a annoncé la découverte des squelettes du palais lors de sa conférence de presse de novembre 1963, ai-je repris. Visiblement, il s'intéressait surtout aux restes humains.

— Et comment ! Quelle preuve pouvait mieux valider la thèse des suicidés de Massada ?

— Donc Yadin a fait état des trois individus retrouvés en haut, dans le secteur occupé par le gros des opposants. Sa brave petite famille de zélotes, ai-je dit en dessinant des guillemets en l'air. En revanche, il a laissé de côté les restes des vingt et quelques individus exhumés de la grotte 2001, en dessous du mur d'enceinte, côté sud. Eux, ils n'ont pas mérité la moindre conférence de presse.

— Silence radio à leur sujet.

— Qu'est-ce que Yadin a réellement dit aux médias ?

Jake s'est mis à se frictionner les tempes du bout des doigts. Sous sa peau très pâle, le tracé de ses veines était visible.

— Je ne sais pas bien.

— Est-ce qu'il aurait eu des doutes à propos de l'âge de ces ossements ?

— Dans son rapport relatif à la première tranche du chantier, 1963-1964, il déclare qu'aucun objet sorti de cette grotte ne permet de déduire que des événements quelconques s'y soient déroulés après la première révolte. La datation au radiocarbone effectuée dans les années 1990 sur un peu de tissu retrouvé mélangé aux os a donné une estimation entre l'an 40 et l'an 115 de notre ère.

Des pages manquantes. Des squelettes dérobés. Un revendeur assassiné. Un prêtre mort. C'était comme lorsque l'on s'amuse à se regarder dans un couloir tapissé de miroirs inclinés et qu'on se demande quelle image de soi est la vraie, laquelle est déformée, laquelle mène à laquelle.

Pour ma part, j'avais un pressentiment.

C'est que tout se rattachait par un fil invisible à cette grotte 2001. Et à notre Max.

Jake a jeté un coup d'œil discret à sa montre.

— Toi, tu vas au lit de ce pas, lui ai-je ordonné.

Et j'ai commencé à ranger les cahiers dans leurs dossiers.

— Mais je vais très bien !

Tout son corps disait l'inverse.

— Tu t'affaiblis complètement, là, sous mes yeux.

— J'ai un foutu mal de tête, c'est vrai. Tu veux bien me ramener à la maison ? Tu garderas la voiture.

— Sans problème, ai-je répondu en me levant.

Chez lui, Jake m'a remis une carte routière et les clefs de la Honda en m'indiquant le chemin à suivre pour rentrer à l'hôtel. Il s'était endormi avant que je quitte l'appartement.

J'ai un très bon sens de l'orientation. Je me débrouille très bien avec des cartes. Mais avec les panneaux peu usités chez nous ou rédigés dans une langue étrangère, je suis nulle, archinulle.

Le voyage de Beit Hanina à l'American Colony n'aurait pas dû me prendre plus de vingt minutes. Une heure plus tard, j'étais désespérément perdue. Je ne sais comment, je m'étais retrouvée rue Sderot Yigal Yadin. Et voilà que je roulais maintenant dans la rue Sha'arei Yerushalaim sans avoir jamais tourné.

Ayant déchiffré le nom d'une rue transversale, je me suis arrêtée le long du trottoir. La carte de Jake étalée sur le volant, j'ai tenté de me repérer.

Dans le rétroviseur, j'ai vu une voiture s'arrêter dix mètres derrière moi. Bleu foncé, et avec deux occupants, a enregistré mon cerveau, par automatisme.

Un panneau signalait que j'étais près de la sortie pour Tel-Aviv. Mais sur quelle route ? La carte en indiquait deux.

Coup d'œil au rétroviseur.

Personne ne descendait de la berline.

D'autres panneaux indiquaient la gare routière et un Holiday Inn. Deux endroits où quelqu'un pourrait me renseigner.

Furieuse contre moi, j'ai démarré avec l'intention de m'arrêter dans le premier de ces endroits que je croiserais sur mon chemin.

La berline démarrait derrière moi.

J'ai ressenti de l'appréhension. On était vendredi et le soir n'était pas loin de tomber. En ce jour de sabbat, les rues étaient désertes.

J'ai tourné à droite.

La berline aussi.

J'avais déjà été suivie en voiture. Deux fois dans ma vie. Chaque fois, mes poursuivants n'avaient pas mon bien-être pour souci.

J'ai viré à droite. À gauche au croisement suivant.

La berline a fait de même.

Je n'aimais pas ça du tout.

Les deux mains agrippées au volant, j'ai accéléré.

La berline continuait de me coller au derrière.

J'ai pris à gauche.

Elle a amorcé le virage juste après moi. J'ai tourné encore.

À présent, j'étais perdue au beau milieu d'un labyrinthe de rues étroites. Devant moi, seul véhicule à l'horizon, une fourgonnette. Derrière moi, la berline qui se rapprochait.

Fuir ! Je n'avais plus que ça en tête.

Un coup d'accélérateur, et j'ai déboîté brutalement pour doubler la fourgonnette, fouillant des yeux la rue à la recherche d'un abri, d'un panneau que je reconnaisse — une croix rouge signalant des urgences ou un H annonçant un hôpital, n'importe quoi, tout était bon à prendre.

Coup d'œil au rétroviseur.

La berline se rapprochait de plus en plus.

J'ai repéré une clinique au milieu d'un petit rond-point. Entrée à toute allure dans le stationnement, j'ai à peine pris le temps d'enclencher le point mort et j'ai foncé me cacher à l'intérieur du bâtiment.

J'en avais à peine franchi la porte que la berline passait à toute vitesse. Il ne m'en est resté qu'un flash : des traits hargneux, un regard de vipère et une barbe en broussaille derrière la fenêtre remontée. À coup sûr, un *muj* fondamentaliste.

J'ai retrouvé Ryan dans le vestibule de l'hôtel à sept heures. À ce moment-là, je n'étais plus aussi certaine d'avoir été suivie. Quoique : ma chambre avait été mise à sac ; j'avais été menacée par un chacal ; j'avais eu l'occasion de découvrir par personne interposée le sens du mot lapidation ; le camion de Jake n'était plus qu'une épave et Max avait été enlevé. Néanmoins, dans mon long bain chaud, j'avais commencé à me dire que mes nerfs ébranlés avaient pu influencer ma vision des choses.

Finalement, peut-être que la berline suivait seulement le même itinéraire que moi. Peut-être que le conducteur s'était perdu lui aussi. Peut-être que les occupants de cette voiture n'étaient que la version israélienne des gros pleins de soupe de chez nous gonflés à la testostérone.

Ne sois pas naïve, me suis-je dit en respirant profondément. Cette voiture prenait un intérêt tout particulier à ta personne.

Ni Ryan ni moi n'étions d'humeur à dîner copieusement. L'employée de la réception nous a indiqué un restaurant arabe à deux pas de l'hôtel.

Elle parlait tout en me jetant des coups d'œil en coin, comme si elle voulait me transmettre un message sans oser le faire. Pourtant, chaque fois que j'essayais de croiser son regard, elle se détournait. J'ai eu beau prendre mon air le plus affable, elle ne s'est pas décidée à me révéler ce qu'elle avait derrière la tête.

Nous avons trouvé le restaurant après avoir demandé trois fois notre chemin. Il était signalé par un panneau de la taille de mon savon démaquillant. Avant d'être autorisés à y pénétrer, nous avons été palpés par un garde armé jusqu'aux dents.

À l'intérieur, il y avait foule et peu de lumière. Tables le long des murs et au centre de la salle. Clientèle en majorité masculine. Les rares femmes présentes portaient le *hijab*. Et le propriétaire ne croyait pas aux bienfaits des sections non-fumeurs.

Nous avons été conduits jusqu'à une banquette dans un coin si sombre qu'il m'était impossible de lire le menu. Je l'ai secoué devant moi pour que Ryan le prenne et se charge de passer la commande.

Le serveur était vêtu d'une chemise blanche et d'un pantalon noir. Ses dents jaunes et son visage fatigué portaient la trace d'années de nicotine.

Ryan lui a dit quelques mots en arabe parmi lesquels j'ai reconnu «Coke». Le serveur a posé une question. Ryan y a répondu en levant le pouce. Le serveur a gribouillé sur son calepin et s'est retiré.

— Qu'est-ce que tu as commandé?
— Une pizza.
— Vocabulaire dû à Friedman?

— Je sais aussi comment demander les toilettes.

— Avec quoi ?

— Tu veux dire l'équipement standard ?

— Non, la pizza.

— Ça, ne m'en demande pas trop.

J'ai relaté à Ryan ma visite au musée Rockefeller.

— L'experte estime que les deux tissus datent du
Ier siècle, que l'un est en toile et l'autre en laine, et que
celui-là n'a probablement pas été tissé ici.

— Qui dit tissu d'importation dit tissu onéreux.

— Oui. Et les cheveux étaient propres, bien coupés et
sans petites bêtes.

— Tissu de qualité et toilette soignée. Autrement dit,
le gars enveloppé dans ce suaire était d'une cuvée
supérieure. Si, en plus, il a le talon perforé, pour Jake
c'est J.-C.

— Tu as tout compris.

J'ai répété à Ryan les explications de mon ami sur la
vallée du Cédron et sur Hinnom, la vallée de l'Enfer. Et
j'ai conclu, énumérant les points sur mes doigts :

— Un tombeau que Jake considère comme étant
celui de la famille de Jésus, car il contient les ossuaires
de personnages mentionnés dans le Nouveau Testament,
à en croire les inscriptions. Un tombeau, Jake en est
convaincu, d'où provient l'ossuaire d'un Jacques qui
pourrait bien être le frère de Jésus. Enfin, ai-je ajouté en
laissant retomber ma main, un tombeau contenant les
restes d'un homme enveloppé dans un suaire, dont Jake
est persuadé qu'il s'agit de Jésus de Nazareth.

— Et toi ?

— Voyons, Ryan ! Quelle chance y a-t-il pour que ce
soit lui ? Et pense à tout ce que cela implique.

Nous y avons réfléchi tous les deux en silence pendant
un long moment. C'est Ryan qui a repris la parole.

— Comment est-ce que tu relies Max à ce tombeau
de la vallée de Cédron ?

— Je ne pense pas qu'il y ait de rapport entre eux,
mais c'est un point qui mérite d'être débattu séparé-

ment. Pour l'heure, la question est : quelle probabilité y a-t-il pour que deux squelettes considérés l'un et l'autre comme étant celui de Jésus-Christ apparaissent exactement au même moment ?

— Ce n'est pas tout à fait ça, a objecté Ryan, puisque notre Max a été découvert dans les années soixante. La nouveauté, c'est qu'il réapparaisse aujourd'hui.

— Ferris est tué, Kaplan me montre une photo, j'arrive à deviner ce qu'elle représente, je débusque Max de sa cachette et, trois semaines plus tard, je tombe sur un bonhomme dans un suaire qui serait Jésus-Christ ? C'est absurde.

— Jake voulait tellement avoir Max qu'il t'a payé le voyage en Israël. À son avis, qui était Max ?

— Quelqu'un d'important retrouvé à Massada. Où il n'aurait pas dû se trouver.

J'ai ensuite raconté à Ryan ma visite à l'université hébraïque, sans oublier de mentionner les pages disparues des transcriptions des réunions de chantier.

Sa réaction a tenu en un mot : « Curieux ! »

Enfin, je lui ai rapporté mon entretien avec Tovya Blotnik en lui faisant part des réserves de Jake à l'égard de ce monsieur.

— Curieux, a-t-il dit pour la seconde fois.

Restait la berline qui m'avait suivie. Et là, j'hésitais à lui en parler. Ce n'était peut-être que le fruit de mon imagination.

Oui, mais si ça ne l'était pas ?

Mieux valait avoir tort que de prendre une pierre sur le coin du crâne. Ou pire encore. Je me suis donc lancée dans mon récit.

Ryan m'a écoutée sans m'interrompre. Souriait-il ? Je n'aurais su le dire, il faisait trop sombre. Quoi qu'il en soit, j'ai conclu en disant que ce n'était probablement rien du tout.

Ryan a tendu la main par-dessus la table et l'a posée sur la mienne.

— Ça va bien ?

— Plus ou moins.

Il a promené son pouce sur le dessus de ma main.

— Je préférerais que tu ne te trimballes pas toute seule, tu sais.

— Je sais.

À cet instant, le serveur a laissé tomber deux sous-verres sur la table et posé sur chacun d'eux une cannette de Coke. Apparemment, le cours d'hébreu offert à Ryan par Friedman ne comportait pas le mot « Diète ».

— Tu n'as pas demandé une bière ? me suis-je étonnée.

— Il n'y en a pas au menu.

— Comment tu le sais ?

— Regarde autour de toi, il n'y a pas une seule réclame.

— Détective un jour, détective toujours.

— Le crime ne dort jamais.

— Demain, je crois que je vais aller faire un tour au *Jerusalem Post* pour consulter leurs archives. Voir un peu ce que Yadin disait des squelettes de la grotte dans les années soixante.

— Pourquoi ne pas utiliser la bibliothèque de l'université ?

— Jake dit que le *Post* a un système d'archivage par grands thèmes. Ça devrait faciliter les recherches et m'éviter d'examiner des bobines et des bobines de microfiches.

— C'est samedi, demain. Le *Post* sera fermé.

Ryan avait raison. J'ai changé de sujet.

— Comment s'est passé ton entretien avec Kaplan ?

— Il continue d'affirmer qu'il a été payé pour tuer Ferris.

— Payé par qui ?

— Une dame dont il n'a jamais su le nom, à ce qu'il prétend.

— Une dame ?

Ayant cru voir Ryan hocher la tête, j'ai poursuivi.

— Et qu'est-ce que cette mystérieuse dame lui a dit ?

— Qu'elle avait besoin d'un tueur à gages.

— Pourquoi est-ce qu'elle voulait faire tuer Ferris ?

— Parce qu'elle voulait le voir mort.

J'ai levé les yeux au ciel. Bien inutilement, d'ailleurs, puisque ma grimace s'est perdue dans le noir.

— Quand est-ce qu'elle lui a demandé ça ?

— Il croit se rappeler que c'était dans la deuxième semaine de janvier.

— À peu près au moment où Ferris lui demandait de vendre le squelette.

— Ouais.

— Et Ferris a été abattu au milieu du mois de février.

— Ouais.

Le serveur a produit des serviettes, des assiettes, des couverts, puis a déposé entre nous une pizza couverte d'olives, de tomates et de petites boules vertes que j'ai imaginées être des câpres. J'ai attendu qu'il s'éloigne pour demander :

— Comment est-ce que cette dame l'a contacté ?

— Elle l'a appelé à son animalerie.

Ryan a servi les pointes de pizza.

— Attends un peu. Une dame bizarre téléphone à Kaplan, lui pose des questions sur ses animaux et lui lâche brusquement : « À propos, j'aurais besoin que vous tuiez quelqu'un pour moi » ?

— C'est ce qu'il raconte.

— Ça, c'est curieux !

— C'est ce qu'il raconte.

— Cette dame lui a donné son nom ?

— Nan.

— Kaplan a pu te la décrire ?

— Il a dit qu'elle avait l'air dopée à mort.

La pizza était délicieuse. J'ai pris un moment pour tenter d'en identifier toutes les saveurs. Tomate, oignon, poivre vert, olives, feta, et une épice que je ne connaissais pas.

— Qu'est-ce qu'elle lui a promis en échange ?

— Trois mille dollars.

— Il a répondu quoi ?

— Dix mille.

— Il les a obtenus ?

— Elle lui a fait une contre-proposition : trois mille avant, trois mille après.

— Qu'est-ce qu'il a répondu ?

— Il prétend qu'il a pris le fric et l'a envoyée se faire voir.

— Il lui a piqué son argent ?

— Qu'est-ce qu'elle peut faire ? Se plaindre aux policiers ?

— Ouais, et il lui reste toujours trois mille dollars pour le faire descendre.

— Exactement, a dit Ryan en prenant une autre pointe.

— Kaplan et cette mystérieuse dame, ils se sont rencontrés ?

— Non. L'argent a été laissé sous une poubelle dans le parc Jarry.

— On nage en plein James Bond !

— Il jure que ça s'est passé comme ça.

Nous avons regardé la foule autour de nous. En face de moi était assise une femme dont le visage ressortait dans la pénombre comme une tache claire en forme d'œuf. On ne voyait rien d'autre d'elle, car son *hijab*, retenu par une épingle sous le menton, dissimulait entièrement son cou et ses cheveux. Elle portait une blouse sombre aux manches étroitement boutonnées aux poignets.

Nos yeux se sont croisés. Elle n'a pas détourné le regard. Moi, si.

— J'ai du mal à imaginer Kaplan se salissant les mains.

— Peut-être qu'il trouvait sa vie trop monotone, qu'il a voulu y mettre un peu de piquant.

— Peut-être aussi qu'il invente tout ça pour se débarrasser de toi.

— Je peux compter sur les doigts d'une main les génies qui m'ont fait lâcher prise, a répliqué Ryan en raflant les deux dernières pointes de pizza.

Nous avons recommencé à manger en silence. Rassasiée, je me suis calée le dos contre le mur.

— Est-ce que cette mystérieuse dame ne serait pas Miriam Ferris ?

— Je lui ai posé la question. Il a répondu non, disant que Miriam était au-dessus de tout soupçon.

Ryan a fait un nœud à sa serviette et l'a jetée sur son assiette.

— Tu penses à quelqu'un en particulier ? ai-je demandé.

— Madonna. Katie Couric. La vieille maman Hubbard. Si tu savais le nombre de bonnes femmes qui offrent des sous à de petits escrocs sans expérience pour qu'ils commettent un meurtre.

— De plus en plus curieux, ai-je lâché en guise de conclusion.

Chapitre 31

AL-LAH OUUUUU-AKBAAAAR

La prière enregistrée a retenti juste de l'autre côté de la fenêtre.

J'ai ouvert un œil.

L'aube s'infiltrait dans ma chambre. L'une des ombres à émerger était celle de Ryan.

— Tu es réveillé ?

— *Hamdulillah*, a marmonné Ryan d'une voix pâteuse et embrouillée.

— Je vois…

— Rends grâce au Seigneur, a-t-il encore bredouillé.

— Lequel ?

— Trop profond pour cinq heures du matin.

Et, de fait, la question était hautement philosophique. J'ai continué à l'étudier tandis que Ryan refermait les yeux.

— Je suis persuadée que c'est Max.

— Le muezzin ?

Je l'ai frappé avec mon oreiller. Il a roulé sur le côté.

— Des gens voulaient tellement posséder Max qu'ils étaient prêts à tuer pour l'avoir.

— Tuer Ferris, tu veux dire ?

— Ça en fait déjà un.

— Je t'écoute, a marmonné Ryan.

Ses yeux pleins de sommeil étaient d'un bleu éclatant.

— Jake a raison. C'est trop énorme pour que le Hevrat Kadisha soit le seul groupe impliqué dans cette histoire.

— Je croyais que ces bons garçons du HK voulaient récupérer tout le monde ?

J'ai secoué la tête.

— Dans le cas présent, ce ne sont pas des morts quelconques, Ryan. C'est Max.

— Qui c'est, d'abord, ce Max ?

— Qui c'*était*, tu veux dire ?

Mon amertume n'a pas échappé à Ryan.

— Arrête, a-t-il dit, ce n'est quand même pas ta faute !

— Je l'ai perdu.

— Tu as fait le maximum.

— Non. J'aurais dû le remettre à l'AAI immédiatement. Ne pas l'emporter avec moi ou, au moins, avoir pris des mesures pour qu'il ne lui arrive rien.

— Ouais, tu n'aurais pas dû oublier ton pistolet Uzi dans le camion de Jake.

J'ai voulu redonner un coup d'oreiller à Ryan. Il m'a confisqué mon arme pour la glisser sous sa tête. Je me suis lovée contre lui.

— Les faits, madame ! a-t-il lancé.

C'est un petit jeu auquel nous avons l'habitude de nous adonner lorsque nous faisons du surplace dans une enquête. C'est moi qui ai commencé.

— Au Ier siècle de notre ère, des gens morts à Massada ont été ensevelis dans une grotte, probablement au cours des sept années pendant lesquelles des zélotes occupent le sommet de ce piton rocheux. En 1963, Yigael Yadin fouille le site, mais ces ossements ne font pas l'objet de rapport écrit. Nicu Haas, l'anthropologue de la mission qui pratique les analyses, indique oralement à Yadin et à l'équipe que ces os retrouvés pêle-mêle correspondent à vingt-quatre ou vingt-six individus. Il ne fait état d'aucun squelette complet, avec ses articulations, retrouvé à l'écart des autres, ce qui pourtant est affirmé plus tard à Jake Drum par un bénévole ayant participé au déblaiement de la grotte en question.

Ryan a pris le relais.

— Ce squelette complet, désigné plus tard sous le nom de Max, se retrouve au Musée de l'Homme à Paris. Expéditeur : inconnu.

— En 1973, Yossi Lerner dérobe ce squelette au musée et le confie à Avram Ferris, ai-je enchaîné.

— Ferris fait entrer Max au Canada en contrebande et, plus tard, il le confie au père Sylvain Morissonneau, de l'abbaye Sainte-Marie-des-Neiges.

— Le 26 février de cette année, le père Morisson-neau remet Max au Dr Brennan. Quelques jours plus tard, il est retrouvé mort.

— Tu vas trop vite. Tu as sauté des choses, a objecté Ryan.

— Je reprends. Le 15 février, Avram Ferris est retrouvé assassiné par balle à Montréal.

— Le 16 février, un homme du nom de Kessler remet au Dr Brennan la photo d'un squelette qui s'avère être Max.

— Ce Hirsch Kessler se révèle être un certain Hershel Kaplan, un petit bandit qui fait la contrebande d'antiquités.

— Kaplan s'enfuit en Israël où il est arrêté pour vol. Ce vol a eu lieu quelques jours à peine avant que meure l'abbé Morissonneau, le 2 mars.

— Le 9 mars, Ryan et Brennan arrivent en Israël. Le lendemain, Jake Drum emmène Brennan visiter un tombeau, et Max est volé par le Hevrat Kadisha. Semble-t-il... Ce même jour, le Dr Brennan retrouve sa chambre mise à sac.

— Le jour suivant, a enchaîné Ryan, c'est-à-dire le 11 mars, au terme d'un habile interrogatoire mené par votre serviteur (sourire modeste de Ryan), le sieur Kaplan reconnaît avoir été chargé par Ferris de négocier la vente d'un squelette. Et de s'y être attelé dès la première moitié du mois de janvier, en répandant la nouvelle dans les milieux intéressés… Enfin, aujourd'hui, Brennan est suivie par des hommes qui pourraient être des musulmans. Ah, nous avons oublié Jamal Hasan Abu-Jarur et Muhammed Hazman Shalaideh.

— Oui, les Palestiniens garés devant Sainte-Marie-des-Neiges.

— Qui se disent « touristes », a précisé Ryan en détachant le mot.

— Dans la chronologie générale, cet événement s'est produit une quinzaine de jours après le meurtre de Ferris.

— Parfaitement. Aujourd'hui, au terme d'un interrogatoire encore plus habile, Kaplan a reconnu avoir été engagé par une femme pour tuer Ferris. Il a nié connaître l'identité de la dame et nié aussi avoir commis l'assassinat.

— L'accord entre eux était intervenu au début du mois de janvier, plusieurs semaines avant que Ferris ne soit abattu.

J'ai gardé le silence un moment avant de demander si c'était tout.

— Tels sont les faits, madame. À moins que vous ne teniez à y ajouter la découverte du linceul et des os. Bien qu'à mon sens elle n'ait rien à voir avec Max ni avec le meurtre de Ferris.

— C'est exact.

Nous pouvions passer maintenant à la phase n° 2 du jeu : nommer les principaux joueurs.

C'est Ryan qui a commencé.

— Yossi Lerner, juif orthodoxe, libérateur de Massada Max.

— Avram Ferris, victime de meurtre et ancien détenteur de Max.

— Hershel Kaplan, alias Hirsch Kessler, soupçonné de meurtre et vendeur potentiel de Max, a ajouté Ryan.

— Miriam Ferris, veuve affligée ayant des liens avec Hershel Kaplan.

— Et bénéficiaire d'une prime d'assurance de quatre millions de dollars, a précisé Ryan.

— Oui.

— Sylvain Morissonneau, abbé de Sainte-Marie-des-Neiges, éventuelle victime de meurtre et ancien détenteur de Max.

— La mystérieuse inconnue, commanditaire du meurtre de Ferris, selon Kaplan.

— Très juste, a fait Ryan.

— On passe aux personnages secondaires ?

Après un temps de réflexion, Ryan a lancé :

— M. Litvak, citoyen israélien, associé et accusateur de Kaplan.

— Comment est-ce qu'il entre dans le tableau, lui ?

— Il s'intéresse à Max, a expliqué Ryan.

— Très bien. Dans ce cas-là, Tovya Blotnik.

— Le directeur de l'AAI ?

— Pour les mêmes raisons.

— Dans ce cas-là, ton copain Jake Drum aussi, a déclaré Ryan.

— Sûrement pas !

Ryan a haussé les épaules.

— Des personnages annexes ? ai-je demandé.

— Dora Ferris, mère de la victime.

— Courtney Purviance, employée de la victime.

— On devient bêtes.

— Tu as raison, ai-je admis. Mais une chose est claire : d'une façon ou d'une autre, tout tourne autour de Max.

— Des hypothèses ? a lancé Ryan, démarrant ainsi la phase n° 3 du jeu.

J'ai pris le relais.

— Hypothèse n° 1. Un groupe de juifs ultra-orthodoxes a découvert l'identité de Max et craint que sa présence à Massada, si elle était révélée, ne vienne ternir l'éclat d'un haut lieu du judaïsme.

— Sachant que Max n'est pas J.-C., qui est-il ?

— Un Nazaréen. Suppose que ce groupe d'ultra-orthodoxes ait appris que les gens qui vivaient dans la grotte n'étaient pas des zélotes, mais des disciples de Jésus, voire des membres éloignés de sa propre famille.

— Et Yadin l'aurait su ? L'AAI aussi ?

— Cela expliquerait les hésitations de Yadin à évoquer ces restes, et le refus du gouvernement de faire pratiquer de nouveaux tests.

— Redis-moi encore en quoi la présence d'adeptes de Jésus à Massada est une mauvaise chose pour les Israéliens.

— Ils ont fait de ce lieu le symbole de la liberté et de la résistance des Juifs contre les forces extérieures. Et l'on découvrirait qu'il y aurait eu là-haut des chrétiens, Juifs ou non-Juifs ? Pour des Israéliens persuadés d'avoir élevé un mausolée à la mémoire des derniers défenseurs de Massada, découvrir qu'ils ont porté en terre les os de chrétiens de la première heure, ce serait épouvantable !

— Et toujours selon l'hypothèse n° 1, une frange parmi les chapeaux noirs serait prête au pire pour préserver le statu quo ?

— Ce n'est qu'une hypothèse. En voici une autre. Tu te rappelles ce livre que j'ai lu, *The Jesus Scroll* ?

— Où Jésus devient un vieux barbu ?

— Oui. Hypothèse n° 2 : apprenant l'existence de Max, des fondamentalistes chrétiens d'extrême droite croient qu'il s'agit de Jésus et craignent que ce squelette ne soit utilisé pour invalider le Nouveau Testament.

— C'est ce que croyait Yossi Lerner, a dit Ryan.

— Oui. Et peut-être aussi Ferris. Et l'abbé Morissonneau, par la même occasion.

— Mais Max n'est pas J.-C.

— Ça, c'est *nous* qui le savons. Pour Lerner, il ne faisait pas l'ombre d'un doute que c'était Jésus, et regarde comment il a réagi. Peut-être que d'autres personnes pensent comme lui et sont prêtes à jouer le tout pour le tout pour que ces os disparaissent.

— Hypothèse n° 3, a lancé Ryan. Orientation totalement différente : des fondamentalistes islamiques, apprenant l'existence de Max et croyant qu'il s'agit de

Jésus, cherchent à l'utiliser pour saper les fondements de la théologie chrétienne.

— Comment ça ?

— Jésus vivant à Massada ? Mais ça fait voler en éclats le concept de résurrection qui est au centre de tout. Pour qui veut abattre le christianisme, c'est le meilleur croc-en-jambe qu'il puisse imaginer de faire à son ennemi.

— Oui. Ces fanatiques musulmans ne s'arrêteraient devant rien pour mettre la main sur Max. Ça colle.

Un flash de l'abbé Morissonneau dans son bureau à l'abbaye Sainte-Marie-des-Neiges est passé devant mes yeux. J'ai inscrit dans un coin de mon cerveau d'appeler LaManche pour voir si son exhumation et son autopsie avaient été ordonnées.

— Hypothèse n° 4, ai-je renchéri.

En fait c'était un mélange de mon hypothèse 2 et de l'hypothèse 3 de Ryan.

— Des fondamentalistes islamiques ont appris l'existence de Max. Croyant qu'il s'agit d'un Nazaréen, peut-être d'un membre de la famille de Jésus, ils craignent que les chrétiens et les juifs ne s'allient pour faire de Massada un haut lieu où les zélotes et les premiers chrétiens luttèrent côte à côte contre l'oppression romaine ; que ce squelette ravive l'ardeur religieuse du monde judéo-chrétien contre eux.

— Et ils sont décidés à tout mettre en œuvre pour empêcher cela, a conclu Ryan. Ça marche aussi.

Nous sommes restés un moment à considérer nos hypothèses : des extrémistes chrétiens, juifs ou musulmans, tous persuadés que ce squelette était celui de Jésus ou, à défaut, celui d'un de ses proches — frère, cousin ou disciple. Ces suppositions étaient plus effrayantes les unes que les autres.

C'est Ryan qui a rompu le silence.

— Avec tout ça, on a oublié la mystérieuse commanditaire de Kaplan. Quels sont ses liens avec Ferris ? Et avec notre Max ?

— Excellentes questions, détective.

— Je devrais recevoir les relevés de téléphone dans l'après-midi, a déclaré Ryan en m'attirant contre lui.

Il a posé un baiser sur ma joue.

— Je crois que nous sommes sur la bonne voie, Ryan.

— Même quand on est sur la bonne voie, on risque de se faire écrabouiller en restant planté au beau milieu de la chaussée.

— Will Rogers ! ai-je lancé en reconnaissant la citation.

Un autre de nos jeux.

La main de Ryan s'est glissée sous mes cheveux.

— Il n'y a pas grand-chose à faire, un jour de sabbat, a-t-il murmuré en frôlant mon oreille de ses lèvres.

— Que veux-tu, c'est le jour du Seigneur.

— Pas grand-chose pour occuper la journée d'un détective.

— Mmm. Attends que je réfléchisse.

— J'ai une dernière question. Très pertinente, celle-là.

Il me l'a murmurée à l'oreille.

Ma réponse a été à la hauteur de ses espérances.

*

À l'aéroport de Toronto, j'avais feuilleté sans l'acheter un livre sur le tao du sexe, la santé et la longévité. En me fondant sur ce que j'ai vécu ce matin, je peux prédire sans l'aide de personne que je suis partie pour vivre jusqu'à cent quatre-vingts ans. Rien qu'en respirant profondément comme je l'ai fait, je me suis gagné un bonus de quinze ans.

Après le petit déjeuner et une dispute à propos de ma décision de me rendre seule à Beit Hanina afin de rapporter sa voiture à Jake, Ryan est parti pour le quartier général de la police et moi, à Beit Hanina.

Jake était de bien meilleure humeur que lorsque je l'avais quitté la veille.

— J'ai là quelque chose qui va te plaire, m'a-t-il dit en agitant un papier au-dessus de sa tête.

— La recette de Beard pour le pâté d'oie en croûte?

Jake a laissé retomber sa main.

— On dirait que ça va mieux, tes écorchures.

— Merci.

— Tu t'es fait faire un soin du visage ?

— J'ai juste mis de la lotion apaisante… C'est quoi, ton papier ?

— Un mémo de Haas à Yadin dans lequel il parle des squelettes de la grotte 2001… De la lotion apaisante, c'est tout ? a demandé Jake en me dévisageant.

Je lui ai retourné son regard inquisiteur.

— *Crème radieuse*.

— Aucun traitement spécial ?

En tout cas, pas un que je veuille discuter avec lui. J'ai tendu la main.

— Fais-moi voir.

Jake m'a remis son papier. Un texte manuscrit en hébreu.

— Depuis combien de temps tu l'as ?

— Des années.

Je l'ai regardé, étonnée.

— Je l'ai reçu avec des articles que j'avais réclamés sur cette synagogue du 1er siècle que je fouille en ce moment, à Talpiot. Probablement mélangé avec, parce qu'à Massada il y a aussi une synagogue du 1er siècle. Ça m'est revenu à l'esprit au petit déjeuner. J'ai retrouvé la note dans mes dossiers. Je ne l'avais jamais vraiment lue jusqu'à aujourd'hui.

— Haas y parle d'un squelette articulé découvert à part ?

— Non. En fait, il laisse entendre assez clairement qu'il n'a jamais eu ce squelette sous les yeux. Mais il fait état d'os de porc. (Sourire d'un kilomètre de large.)

— D'os de porc ?

Acquiescement de Jake.

— Qu'est-ce qu'il dit exactement ?

— « Ceci n'a rien à voir avec l'énigme du *tallith* et du porc », m'a traduit Jake.

— Qu'est-ce que ça veut dire ?

— Je ne sais pas, mais il parle à deux endroits de ce « problème » de châle de prière et de cochon.

— Que viennent faire des os de porc à Massada ? Et quel rapport avec la grotte 2001 ?

Jake a poursuivi, ignorant mes questions.

— Yadin a estimé qu'il y avait dans la grotte plus de vingt squelettes. Or Haas ne répertorie que deux cent vingt os humains, et il les répartit en deux catégories : ceux dont l'âge est évident et ceux dont l'âge pose problème.

Jake a traduit une autre partie de la note.

— Dans la catégorie qui ne pose pas de problème, il énumère cent quatre os appartenant à des gens âgés, trente-trois à des adultes, vingt-quatre à des adolescents et sept à des enfants en bas âge.

Jake a relevé les yeux.

— Il dit que six de ces os appartiennent à des femmes.

Sachant que le squelette humain compte deux cent six os à l'âge adulte, le calcul n'était pas très difficile.

— Si Haas a répertorié deux cent vingt os, ça veut dire qu'il manquait en moyenne aux squelettes reconstitués 96 % de leurs os.

Jake se triturait une peau morte près de l'ongle du pouce. Je lui ai demandé :

— Tu as une copie de la photo que Yadin a publiée dans son livre ?

Il est parti fouiller dans ses dossiers et est revenu avec la photocopie noir et blanc d'un cliché 12 x 18.

— Je ne compte que cinq crânes, ai-je constaté.

— Il y a contradiction là aussi, car Tsafrir écrit dans son carnet de bord qu'il y avait entre dix et quinze squelettes dans la grotte, et non pas vingt et quelques ou cinq seulement.

Je n'écoutais pas vraiment ce que Jake me disait. Quelque chose dans la photo avait retenu mon attention.

Quelque chose qui m'était familier.

Quelque chose qui n'aurait pas dû se trouver là.

— Tu permets que je regarde de plus près ?

Il m'a emmenée dans la pièce du fond. Je me suis assise devant le microscope. Ayant allumé la lumière, j'ai glissé le crâne du milieu sous l'œilleton.

— Nom de Dieu !

— Quoi ?

J'ai augmenté le grossissement. Partant du coin supérieur gauche, j'ai lentement examiné la photo.

À un certain moment, Jake a dit quelque chose, à quoi je me suis ralliée.

À un autre moment, je me suis rendu compte qu'il n'était plus à côté de moi.

À chaque nouveau détail que j'étudiais, je sentais grandir en moi une sorte d'appréhension. Une appréhension semblable à celle qu'avait suscitée en moi la dent mal scellée de Max.

Personne n'avait donc jamais fait attention à ce détail ? Les experts s'étaient-ils tous trompés ?

Était-ce moi qui me trompais ?

J'ai recommencé mon examen de la photo en partant de la gauche.

Vingt minutes plus tard, je me suis redressée.

Non, je ne me trompais pas.

Chapitre 32

Jake était dans la cuisine en train d'avaler une aspirine.

— Ces corps n'ont pas du tout été balancés dans la grotte, lui ai-je lancé en agitant la photo de Yadin. Ils ont été enterrés. Dans des tombes.

— Impossible !

J'ai posé la photo sur le plan de travail.

— Oublie les crânes et regarde les mains et les pieds.

— Les os sont placés en position anatomique et ils ont encore leurs articulations.

— Ce qui veut dire que certains de ces gens sont ici dans leur première sépulture.

— Personne n'a jamais donné une interprétation semblable de ce site. Comment tu expliques que les autres ossements gisent pêle-mêle ?

— Regarde les longs os. Là !

J'ai pointé mon stylo sur une sorte de petite piqûre.

— Et là…

— Des marques de dent ?

— Exactement, tu te rends compte !

Je lui ai désigné plusieurs os et fragments de bonne taille, eux aussi déchiquetés.

— Ils ont été brisés pour en extraire la moelle. Et regarde ça ! ai-je dit avec insistance en désignant un trou à la base d'un des crânes. Une morsure d'animal pour tenter d'atteindre le cerveau.

— Qu'est-ce que tu racontes ?

— Cette grotte n'est pas un endroit où on s'est débarrassé des corps. En fait, c'était un petit cimetière mis à sac par des animaux. Les corps n'ont pas été jetés là par les soldats romains après la chute de Massada. Des gens ont pris le temps de leur creuser des tombes.

— Si cette grotte a été utilisée comme cimetière, pourquoi y a-t-il des pots, des lampes et les débris d'ustensiles de ménage ?

— Le site a peut-être été habité à une époque, puis utilisé plus tard comme lieu de sépulture. Ou peut-être que des gens vivaient à côté et utilisaient cette grotte 2001 à la fois comme cimetière et comme décharge. Merde, je n'en sais rien, moi ! C'est à toi de me le dire, monsieur l'archéologue. Quoi qu'il en soit, la présence d'un cimetière écorne sérieusement la théorie des soldats romains se débarrassant des corps des résistants.

Jake n'avait pas l'air convaincu, même s'il admettait que les hyènes, les chacals et autres prédateurs avaient été un problème depuis l'aube des temps dans cette région du monde.

— Dans le nord du Néguev, dans l'Antiquité, juifs et chrétiens ont recouvert les tombes de dalles pour empêcher les animaux de déterrer les cadavres. De nos jours encore, les bédouins continuent d'utiliser ce procédé.

— En regardant bien cette photo, je me dis qu'il y avait là deux ou trois sépultures individuelles et peut-être aussi une fosse commune avec cinq ou six individus, ai-je affirmé. La prédation a probablement eu lieu peu de temps après les enterrements. C'est pourquoi l'aspect général est si chaotique.

— Les hyènes sont connues pour emporter les restes dans leurs repaires, a dit Jake. (Et d'ajouter sur un ton moins sceptique :) Ça expliquerait la quantité d'os absents.

— Exactement.

— D'accord. Admettons que cette grotte ait renfermé des tombes. Et après ? Nous ne savons toujours pas qui y était enseveli.

— Dans son mémo, Haas parle d'os de porc. Est-ce que ça pourrait sous-entendre qu'en réalité il ne s'agit pas de tombes juives ?

Jake a levé une de ses maigres épaules.

— Haas parle en effet d'une énigme liée à un *tallith* et à un porc. Dieu sait ce qu'il entend par là. Ce qu'il ne dit pas, c'est où ce porc et ce châle de prière ont été retrouvés. La présence d'os de porc dans cette grotte pourrait en effet donner à penser qu'il s'agit de corps de soldats romains. Cette interprétation a d'ailleurs ses partisans. Mais il pourrait s'agir aussi de ces moines byzantins qui se sont établis à Massada aux Ve et VIe siècles.

— Si l'on en croit les analyses de Haas, les restes de cette grotte comprenaient entre autres des os appartenant à six femmes et à un fœtus de six mois, ai-je objecté. Ça ne fait pas pencher la balance en faveur des soldats romains. Encore moins en faveur des moines.

— Et puis il y a le tissu retrouvé avec les os, qui a été daté entre 40 et 115 de notre ère. C'est beaucoup trop tôt pour les moines, a renchéri Jake, et il s'est replongé dans l'étude de la photo. Ton idée de cimetière saccagé n'est pas dénuée de sens, Tempe. Tu te rappelles les squelettes du palais ?

J'ai fait signe que oui. Il a enchaîné :

— Quand on lit le livre de Yadin, on a l'impression qu'il a trouvé trois individus séparés, un homme jeune, une femme et un enfant de sexe masculin. Il en conclut avec pas mal de théâtralité que ces squelettes du palais étaient ceux des derniers défenseurs de Massada.

— Et c'est faux ? ai-je demandé.

— Disons que c'est un peu tiré par les cheveux. Il n'y a pas très longtemps, j'ai été autorisé à examiner les archives relatives aux loci du palais du nord. En plus des rapports habituels, il y avait des carnets personnels et des photos prises par les archéologues. Je m'attendais à découvrir trois squelettes distincts. Eh bien, pas du tout. Les os étaient éparpillés et en petits morceaux... Attends...

Il a posé la photo pour reprendre le mémo de Haas.

— C'est bien ce que je croyais. Haas parle aussi des squelettes du palais. Il décrit les restes comme étant ceux de deux hommes adultes, l'un âgé d'environ vingt-deux ans, l'autre d'une quarantaine d'années.

— Qui ne sont donc ni l'un ni l'autre l'enfant dont parle Yadin.

— Non. Si je me souviens bien, pour l'un des hommes on n'avait que les jambes et les pieds.

J'ai voulu dire quelque chose. Jake m'a interrompue.

— Et ce n'est pas tout. Dans ses carnets personnels, Yadin parle de déjection animale retrouvée à l'intérieur du palais.

— Des hyènes ou des chacals ont pu apporter là des parties de corps déterrées ailleurs.

— Ça nous éloigne beaucoup de l'image de brave petite famille zélote défendant sa patrie.

Depuis un bon moment, quelque chose me tracassait dans ces squelettes du palais.

— On sait qu'après la chute de la forteresse les Romains ont occupé Massada pendant trente-huit ans. Tu crois vraiment qu'ils auraient laissé traîner des cadavres dans l'un des luxueux palais d'Hérode ?

— Ces palais avaient pu tomber en décrépitude à l'époque où les zélotes occupaient les lieux. Mais tu as raison, ce n'est pas logique.

— J'imagine que Yadin voulait tellement que ces squelettes soient ceux d'une famille rebelle juive qu'il s'est autorisé quelques libertés d'interprétation. Après, il a annoncé la découverte à la presse. Mais pourquoi s'est-il montré aussi méfiant à l'égard des squelettes de la grotte ?

— Peut-être parce qu'il connaissait la présence des os de porc depuis le début, a émis Jake. Ils lui compliquaient la tâche pour affirmer que les gens de la grotte étaient des Juifs. Peut-être qu'il s'est dit qu'il s'agissait de soldats romains. Ou d'étrangers qui vivaient à Massada au temps des zélotes, mais sans se mêler à eux.

— Peut-être qu'il savait beaucoup plus de choses que ça, ai-je déclaré en pensant à Max. Peut-être même que c'est tout le contraire. Que Yadin, ou quelqu'un de son équipe, avait parfaitement compris qui était enterré dans cette caverne.

— Tu veux parler du squelette complet enseveli à part ? m'a coupée Jake, devinant mes pensées.

— Oui, et qui n'a jamais été transmis à Haas avec le reste des os à analyser.

— Il a été sorti d'Israël et envoyé à Paris.

— Où il a disparu dans les collections du Musée de l'Homme. Et dix ans plus tard Yossi Lerner l'a retrouvé.

— Et voilà que Lerner, après le squelette, tombe sur le livre de Donovan Joyce. Convaincu que ce squelette est une bombe à retardement, il le dérobe.

— Et maintenant, le squelette a été de nouveau volé. Est-ce qu'à un moment quelconque Haas fait état d'un squelette dans son mémo ?

Jake a secoué la tête.

— Sa référence aux os de porc, tu penses que c'est quelque chose d'important ?

— Je ne sais pas.

— Qu'est-ce qu'il entend, à ton avis, quand il dit : « l'énigme du châle de prière et du porc » ?

— Alors là, mystère !

Les questions sans réponse étaient de plus en plus nombreuses.

Et la plus importante de toutes n'était toujours pas résolue.

Qui avait bien pu être notre Max ?

Ryan est passé me chercher à onze heures dans la Tempo de Friedman. M'ayant remerciée une énième fois de lui avoir rapporté sa voiture, Jake est allé se

recoucher. Pour ma part, je suis rentrée à l'American
Colony avec Ryan.

— Il a l'air mieux, mais je le trouve encore un peu
fatigué, a dit Ryan.

— Donne-lui du temps. Ça fait moins de quarante-
huit heures.

— Le fait est qu'il a quand même l'air fatigué.

— J'ai entendu.

J'ai parlé à Ryan du mémo dans lequel Haas faisait
référence à une énigme liée à un *tallith* et un porc,
expliquant que, si l'on se fondait sur son inventaire des
os, on devait en conclure qu'il n'avait jamais eu sous les
yeux de squelette entier.

Je lui ai exposé ensuite ma théorie sur la grotte 2001 :
des gens dont les corps n'avaient pas été jetés là en vrac
pour s'en débarrasser, mais des morts bel et bien enterrés et dont les tombes, plus tard, avaient été profanées
par des animaux.

Il m'a demandé ce que cette théorie impliquait. Je
n'avais pas de réponse. Je savais seulement qu'elle donnait un sacré coup de pied aux idées qu'on s'était faites
jusqu'à aujourd'hui sur les résistants de Massada.

— Et toi, tu as reçu tes relevés de téléphone ?

— Oui, m'dame, a fait Ryan en tapotant sa poche de
poitrine.

— C'est toujours aussi long de les obtenir ?

— Il faut d'abord un mandat du procureur. Après ça,
Bell Canada avance à la vitesse d'une nappe de gou-
dron. Et comme, en plus, je leur ai demandé de remonter
jusqu'au mois de novembre et de ne me faire parvenir la
liste que lorsque tous les appels entrants et sortants
auraient été identifiés, ça en fait un paquet.

— Qu'est-ce que tu entends par tous les appels ?

— Ceux reçus et passés à partir de l'appartement et
de l'entrepôt de Ferris et ceux reçus et passés à partir de
l'appartement et du magasin de Kaplan.

— Et leurs cellulaires ?

— Heureusement, nous ne nous en occupons pas.

— Cela simplifie les choses.

— Considérablement.

— Qu'est-ce que tu comptes faire, maintenant ?

— Je me dis : puisque cette ville est prisonnière de son repos du sabbat et que nous nous trouvons dans cette ville, nous pourrions consacrer cet après-midi à mettre en œuvre l'adage «Diviser pour régner».

— Tu veux dire : regarder la liste ensemble ?

— Qu'est-ce que tu en penses ?

Ça ne pouvait pas faire de mal, n'est-ce pas ?

Grave erreur, comme j'ai pu m'en convaincre en une heure de temps. Car, en un mois, une personne normale passe et reçoit assez de coups de téléphone pour remplir entre deux et quatre pages A4. Écrites en tout petits caractères. Or, nous avions à étudier deux commerces et deux appartements, et cela sur une période de quatre mois et demi. Faites le calcul.

Tout d'abord, comment s'y prendre ? Après d'âpres discussions, la méthode scientifique l'a emporté. Face : chronologie des appels. Pile : abonné.

La pièce a choisi la solution chronologique.

Nous avons commencé par le mois de novembre. Je me suis chargée de Ferris, appartement et entreprise, les Imports Ashkenazim. Ryan a écopé de l'appartement de Kaplan et de son animalerie. Dès la première heure, nous avons appris les choses suivantes :

Hersh Kaplan n'était pas le gars le plus aimé en ville. L'unique personne à l'appeler chez lui au mois de novembre avait été Mike Hinson, son agent de probation. Idem pour les appels sortants.

À l'animalerie, la plupart des appels venaient de grossistes — alimentation animale et fournitures diverses, firmes important des animaux — ou encore de voisins, vraisemblablement des clients.

Chez Ferris, coups de téléphone dans les deux sens entre Dora, les frères de Ferris, un boucher, une épicerie kascher et une synagogue. Rien de surprenant à cela.

À l'entrepôt de Mirabel, appels reçus et passés à des fournisseurs, des magasins et des synagogues dans tout l'est du Canada. Plusieurs appels passés en Israël. D'autres, un bon nombre, à Courtney Purviance — chez elle ou reçus de chez elle. Miriam avait appelé son mari, mais moins souvent. Avram avait appelé quelques fois chez lui, à Côte-des-Neiges.

La troisième heure d'épluchage a fait apparaître un mois de décembre assez similaire au mois de novembre. La dernière semaine, plusieurs appels avaient été passés de l'appartement de Ferris à une agence de voyages voisine ainsi qu'à l'hôtel Renaissance de Boca Raton. Le Renaissance avait également été appelé deux fois à partir de l'entrepôt.

À trois heures de l'après-midi, j'ai relevé la tête, en proie à un début de mal de crâne. Près de moi, Ryan posait son marqueur pour se frotter les yeux.

— On coupe pour le déjeuner ?

J'ai hoché la tête.

Nous sommes descendus au restaurant. Une heure plus tard, nous étions de retour dans ma chambre. J'ai repris les relevés de Ferris, Ryan ceux de Kaplan.

Au bout d'une demi-heure, j'ai repéré un appel bizarre.

— Quoi ? a fait Ryan en relevant les yeux de sa feuille.

— Le 4 janvier, Ferris a appelé Sainte-Marie-des-Neiges.

— L'abbaye ?

J'ai poussé ma feuille sur le côté. Ryan y a jeté un coup d'œil.

— Ils ont parlé pendant quatorze minutes. Est-ce que le père Morissonneau t'a dit qu'il avait eu Ferris au téléphone ?

— Non.

— Continue, soldat. Tu as l'œil.

Il a surligné l'appel au marqueur jaune.

Dix minutes ont passé. Un quart d'heure. Une demi-heure. Soudain je me suis exclamée :

— Je l'ai ! Le 7 janvier, Ferris a appelé Kaplan.

Ryan a abandonné le relevé de l'animalerie pour passer à celui de l'appartement de Kaplan.

— Oui. Durée de l'appel : vingt-deux minutes. Tu crois que c'était pour demander à Kaplan de refiler le squelette à quelqu'un ?

— En tout cas, il l'a appelé trois jours après avoir eu Morissonneau au téléphone.

— Non. Trois jours après avoir parlé à quelqu'un au monastère.

— C'est juste.

Je n'y avais pas pensé. J'ai cependant fait remarquer que l'appel du 4 janvier ayant duré presque un quart d'heure, il y avait de fortes chances pour que l'interlocuteur de Ferris ait été l'abbé Morissonneau.

Ryan a levé le doigt, annonçant par ce geste la venue d'une citation.

— Les suppositions, c'est le début des emmerdements, a-t-il déclaré sentencieusement.

— C'est toi qui a inventé ça ?

— Non, Angelo Donghia.

— Et ce monsieur est… ?

— C'est sur Internet. Dans « Les citations de Simpson ». Cherche sur Google, tu verras.

J'ai noté l'info sur un papier pour ne pas oublier de vérifier.

— L'autopsie de Ferris a eu lieu le 16 février, a repris Ryan. Quand Kaplan t'a donné la photo, est-ce qu'il t'a dit depuis combien de temps il l'avait ?

— Non.

Re-plongeon dans les relevés. À quelques lignes du bas de la page, j'ai cru reconnaître un numéro précédé du code pour Israël. Je me suis levée pour consulter mon agenda.

— Le 8 janvier, Ferris a appelé quelqu'un à l'AAI.

— Ah bon ?

— C'est le numéro du standard.

Ryan s'est calé sur son dossier.

— Une idée des raisons pour lesquelles il aurait appelé là-bas ?

— Peut-être qu'il voulait leur remettre le squelette de Massada.

— Ou le leur vendre.

— Peut-être qu'il recherchait de la documentation sur Max.

— Pour quoi faire ?

— S'assurer de son authenticité.

— Ou pour faire monter les prix.

— C'est sûr qu'un certificat aurait aidé !

— Quand tu as téléphoné à Blotnik, est-ce qu'il a dit quelque chose pouvant te donner à penser qu'il était au courant de l'existence de ce squelette ?

J'ai secoué la tête.

Ryan s'est fait une note.

Une autre demi-heure a passé.

Le fax était mal imprimé, les numéros et les noms à peine lisibles. Mon cou me tirait. Mes yeux me brûlaient. Je me suis mise à arpenter la chambre. J'en avais marre. Il était temps d'arrêter. Mais j'écoute rarement les conseils que je me donne. Je n'ai pas tardé à me rasseoir à la table. À chaque respiration, j'avais l'impression d'avoir un marteau à l'intérieur du crâne.

C'est moi qui l'ai vu la première.

— Ferris a rappelé Kaplan le 10.

— Non. Quelqu'un au bureau de Ferris a appelé Kaplan le 10.

Mal de tête ou saturation, toujours est-il que le côté pointilleux de Ryan ne m'a plus du tout amusée.

— C'est ma faute, tout ça ?

Mon ton était plus acéré que je ne le voulais. Ryan a relevé les yeux sur moi. Des yeux tout bleus et ahuris, qui ont scruté les miens pendant un long moment.

— Excuse-moi, ai-je dit. Tu veux quelque chose à boire ?

Il a secoué la tête.

J'ai pris un Coke Diète dans le minibar.

— Kaplan a reçu un autre appel de Ferris le 19, a annoncé Ryan pendant que j'avais le dos tourné.

Je suis revenue m'écrouler à ma place. En effet, mon relevé de l'entrepôt de Ferris indiquait un appel passé à Kaplan.

— Vingt-quatre minutes. Pour peaufiner le projet, j'imagine.

Dans ma tête, le marteau-pilon cognait maintenant avec un bruit sourd. Me voyant appuyer mes doigts sur mes tempes, Ryan a posé la main sur mon épaule.

— Tu peux laisser tomber si tu en as assez.

— Non, ça va.

Les yeux de Ryan ont parcouru mon visage. Il a écarté des mèches sur mon front.

— Ce n'est pas aussi palpitant qu'une filature, mais ça fait avancer l'enquête.

— Tu trouves ? (J'étais carrément hargneuse, maintenant.) Qu'est-ce qu'on a appris en cinq heures de temps ? Que Kaplan a appelé Ferris ? Que Ferris a appelé Kaplan ? *Big deal !* On le savait déjà. Par Kaplan.

— On ne savait pas que Ferris avait appelé le père Morissonneau.

— On ne savait pas que Ferris avait appelé le monastère, l'ai-je repris en souriant.

— T'inquiète pas, on va y arriver ! a rétorqué Ryan.

Il a levé une main en l'air pour que je la frappe. Je l'ai fait, sans grand enthousiasme.

Mais en renversant mon Coke avec mon coude. Et « la vraie boisson », comme dit la pub, a créé un « vrai » bordel, inondant le bureau et roulant gaiement sur le plancher.

Nous nous sommes levés d'un bond. J'ai couru attraper une serviette tandis que Ryan ramassait les relevés de téléphone et les secouait. J'ai essuyé la mare, il a éponge les feuilles, et nous les avons mises à sécher à plat sur le carrelage de la salle de bains.

— Excuse-moi, ai-je dit d'une petite voix plaintive.

— Allons manger quelque chose pendant que ça sèche.

— Je n'ai pas faim.

— Il faut que tu manges quelque chose.

— Non.

— Oui.

— On dirait ma mère.

— Une alimentation saine, c'est la base de la bonne santé.

— La bonne santé, c'est seulement le moyen de retarder le moment de la mort.

— C'est une phrase que tu as volée.

Ce devait être vrai. Mais à qui ? À George Carlin ?

— Il faut que tu manges, a répété Ryan.

J'ai cessé de discuter.

Nous avons dîné au restaurant de l'hôtel. Dans notre petite alcôve, l'atmosphère était tendue et fausse. Par ma faute. Je me sentais bloquée, j'avais les nerfs à fleur de peau.

Nous avons parlé de choses et d'autres. De sa fille, de la mienne. Pas un mot sur le meurtre ou sur les squelettes. Ryan avait beau faire, de longs silences s'installaient entre nous.

En haut, il m'a embrassée devant ma porte. Je ne lui ai pas proposé d'entrer. Il n'a pas insisté.

J'ai mis un bon moment avant de m'endormir. Ce n'était pas la faute à mon mal de tête. Ni au muezzin. Ni aux chats qui se bagarraient dans la rue.

Je suis une alcoolique qui n'a jamais adhéré aux AA, de même que je ne me suis jamais inscrite à la Junior League, à un club de jardinage ou aux Reines des patates douces. Je n'ai rien contre les confréries, c'est juste que je ne suis pas du genre grégaire. Je préfère me débrouiller seule.

Je lis. J'absorbe. Petit à petit, je perce le mystère de qui je suis.

Par exemple, pourquoi, à ce moment-là, est-ce que j'avais tellement envie de me bourrer au merlot ?

Les AA nous déclarent alcooliques à tout jamais. Les autres, naïvement, nous appellent des rescapés. Ils ont tort. Refermer la bouteille ne met pas un terme au besoin de danser que procure l'alcool. D'ailleurs, rien n'y met un terme. C'est une question de double hélice.

Un jour, vous êtes la reine du bal, le jour suivant, rien au monde ne peut vous faire sortir du lit. Une nuit, vous dormez comme un bébé. La nuit d'après, vous êtes là, les yeux grands ouverts dans votre lit, à vous retourner d'un flanc sur l'autre en vous énervant sans raison.

Cette nuit, je vivais justement l'un de ces moments d'insomnie. Des heures durant, je suis restée à contempler le minaret de l'autre côté de ma fenêtre sombre en me demandant quel dieu il attendrissait. Celui du Coran ? De la Bible ? De la Torah ? De la bouteille ?

Pourquoi est-ce que j'avais été aussi brutale avec Ryan ? C'est vrai que nous avions passé des heures à éplucher ces relevés sans presque rien en tirer, et c'est vrai que j'aurais préféré consacrer ma journée à résoudre le mystère de Max. Mais pourquoi tout faire peser sur lui ?

Pourquoi est-ce que j'avais tant envie de boire un verre ?

Pourquoi est-ce que j'avais été si maladroite avec mon Coke ? Maintenant, à cause de moi, Ryan allait avoir un travail de titan.

Bien après minuit, j'ai enfin sombré dans un sommeil peuplé de rêves décousus où il était question de téléphones, de calendriers, de numéros, de noms et de dates désincarnés. Ryan chevauchait une Harley et Jake pourchassait des chacals dans une grotte.

À deux heures, je me suis levée pour boire un verre d'eau, puis je me suis rassise, épuisée, sur le côté du lit. Que signifiaient ces rêves ? Les devais-je seulement à mon mal de crâne, à ces heures passées à étudier des relevés ? N'étaient-ils pas plutôt le signe que mon subconscient cherchait à m'envoyer un message ?

J'ai fini par me rendormir.

Je me suis réveillée à plusieurs reprises, les doigts serrés à mort autour de mon drap.

Chapitre 33

Je ne dirai pas que je me suis levée avec le muezzin, mais presque.

Le soleil commençait tout juste à poindre et les oiseaux à chanter. Mon mal de tête s'en était allé. Mes démons aussi.

Ayant rassemblé les papiers mis à sécher sur le sol de la salle de bains, j'ai pris une douche et effectué le kilo de boulot supplémentaire consistant à me maquiller. Fard à joues et mascara. À sept heures, j'ai appelé Ryan.

— Je suis vraiment désolée pour hier.

— Peut-être qu'on pourrait te trouver un cours de danse.

— Je ne parle pas du Coke renversé, je parle de mon foutu caractère.

— Tu es une fleur délicate, un charmant lutin, une créature toute de grâces et d'am...

— Pourquoi est-ce que tu acceptes tout ça ?

— Ne suis-je pas l'être le plus valeureux et merveilleux de ton monde ?

— Oh, oui.

— Et sexy.

— Et moi, une chiante.

— Ouais, mais ma chiante à moi.

— Ça compense.

— Ça mérite le petit slip rouge, tu ne crois pas ?

On dira ce qu'on voudra, mais Ryan ne baisse jamais les bras. C'est admirable.

Friedman a appelé pendant le petit déjeuner. Kaplan, subitement, avait des choses à dire sur Ferris. Friedman a proposé de passer prendre Ryan et de me laisser sa Tempo. J'ai accepté.

Remontée dans ma chambre, j'ai appelée Jake. Pas de réponse. Il devait dormir encore.

Attendre qu'il se réveille ? Pas question. Déjà deux jours que j'attendais.

Le *Jerusalem Post* a son siège non loin de la rue Yirmeyahu, une grande artère qui part de la route de Tel-Aviv, fait une boucle vers les quartiers religieux de Jérusalem-Nord et rejoint la rue Rabbi Meir Bar Ilan, célèbre pour ses adeptes du jet de pierres pendant le sabbat. Que vous soyez juif ou pas, ces fanatiques ne veulent pas que vous preniez le volant les jours consacrés au Seigneur. Lors de la poursuite dont j'avais fait l'objet vendredi dernier, sans le savoir, je me trouvais à un pâté de maisons du *Post*.

Une fois la voiture garée, j'ai gagné le journal en me retournant sans cesse pour m'assurer qu'il n'y avait pas d'affrontement entre la police et des militants du djihad. Je savais, grâce au plan que m'avait fait Friedman, que je n'étais pas très loin de Romema. Ce quartier, le plus à l'ouest de Jérusalem-Ouest, n'avait rien d'une destination touristique, et je suis gentille. Il était affreux. La moindre aire de stationnement, le moindre terrain entouré de palissade était protégé par des piles de vieux pneus et des pièces de rechange rouillées.

Le journal se reconnaissait aux mots JÉRUSALEM POST inscrits sur le flanc d'un bâtiment long et bas. Du point de vue architectural, l'endroit avait le charme d'un hangar d'avions.

Après moult *shalom* et vérifications d'identité, j'ai été dirigée vers le sous-sol. Les archives étaient gardées par une dame d'une quarantaine d'années à la moustache blonde. Maquillage desséché aux commissures des lèvres et cheveux blond oxygéné avec des racines noires d'au moins deux centimètres.

— *Shalom.*

— *Shalom.*

— On m'a dit que vous conserviez les articles par sujet.

— Oui.

— Vous avez un dossier sur Massada ?

— Oui.

— Je pourrais le consulter, s'il vous plaît ?

— Aujourd'hui ?

Une intonation qui donnait à comprendre qu'elle aurait préféré confier ses trésors à des bambins de la maternelle avec de la peinture plein les doigts.

— Oui, s'il vous plaît.

— Le travail du personnel consiste principalement à mettre les archives en ligne.

— Oh là là ! ça doit être épuisant ! me suis-je exclamée en accompagnant ma phrase d'un fléchissement des épaules destiné à lui prouver ma compassion. Mais c'est tellement important.

— Nos archives remontent à l'époque où le journal s'appelait encore le *Palestinian Post*.

— Je comprends, et j'ai tout mon temps.

Je lui ai adressé mon plus chaleureux sourire de vendeuse Wal-Mart.

— Les archives ne peuvent en aucun cas sortir d'ici.

— Oh, je n'avais pas du tout l'intention de les emporter !

J'ai pris un air passablement horrifié.

— Vous avez deux pièces d'identité ?

Je lui ai présenté mon passeport et ma carte d'enseignant à l'université de Caroline du Nord. Elle les a épluchés tous les deux.

— Vous faites des recherches pour un livre ?

— Mm.

— Attendez là.

L'archiviste m'a désigné l'une des longues tables en bois. S'étant extraite de derrière son comptoir, elle est allée se planter devant une armoire à classement métallique de l'autre côté de la salle. Elle a sorti d'un tiroir une épaisse chemise qu'elle est revenue déposer sur ma table en m'accordant presque un sourire.

— Prenez votre temps, ma chère.

Les coupures étaient collées sur des pages blanches. Il y en avait des masses. Chaque article portait une date sur le côté. Souvent, le mot « Massada » était entouré, dans le titre ou dans le texte. À midi, j'avais appris trois choses importantes.

Premièrement, Jake n'avait pas exagéré. Mis à part une brève mention lors d'une conférence de presse après la clôture du deuxième chantier de fouilles, les découvertes de la grotte 2001 avaient été passées sous silence. Dans un cahier spécial sur Massada publié par le *Jerusalem Post* en novembre 1964, Yadin rappelait toutes les splendides découvertes faites au cours de la première mission : mosaïques, rouleaux, la synagogue, les *mikvaot*[1], les squelettes du palais. Pas un mot sur ceux retrouvés dans la grotte.

Deuxièmement, Yadin était au courant de la présence d'os de porc dans la grotte. Un article de mars 1969, rapportant ses propos, affirmait en effet qu'il ne pouvait garantir à 100 % que les restes de la grotte 2001 soient ceux de Juifs, car ils se trouvaient mélangés avec des os de porc.

Dans un autre article, Yadin reprenait à son compte une supposition du ministère des Affaires religieuses selon laquelle les habitants de Massada auraient pu introduire des porcs dans la forteresse pour régler le problème des ordures, comme les Juifs du ghetto de Varsovie l'avaient fait, semble-t-il, durant les années 1940. Personnellement, j'avais du mal à y croire. Si les

---

1. *Mikvaot* : pluriel de *mikveh* (N.d.T.).

zélotes avaient croulé sous les ordures, ne les auraient-ils pas plutôt balancées sur les Romains du haut des murailles ?

En 1981, Yadin réitérait dans un entretien au *Post* ses propos de 1969 concernant les os de porc.

Troisièmement, Yadin affirmait qu'aucun test de datation au carbone 14 n'avait été pratiqué sur les restes de la grotte 2001. Dans l'interview de 1981 où il évoquait les os de porc, il déclarait qu'une datation au radiocarbone n'avait pas été ordonnée et qu'il n'entrait pas dans ses compétences de le faire. Un anthropologue interrogé sur le sujet argumentait la décision en invoquant le coût élevé de ces analyses. C'était l'article dont Jake m'avait parlé.

Calée dans mon siège, j'ai réfléchi.

Yadin doutait fortement que les gens de la grotte aient été des zélotes et, pourtant, il n'ordonnait pas de datation.

Pourquoi ? Ces tests n'étaient pas si onéreux, finalement. Que savait Yadin au juste ? Sur quoi exactement portaient ses doutes ? Lui-même ou quelqu'un de l'équipe avait-il découvert l'identité des individus trouvés dans la grotte ? L'identité de Max ?

J'ai commencé à ranger les articles dans le dossier.

Est-ce qu'en réalité Yadin ou quelqu'un de son équipe n'aurait pas prélevé quand même des échantillons pour obtenir une datation ? Pouvait-on imaginer que quelqu'un ait saisi le prétexte de ces tests, datation au radiocarbone ou autres, pour faire sortir discrètement du pays une preuve gênante ?

Une preuve gênante qui aurait pu être Max, par exemple ?

Quelqu'un aurait donc expédié Max à Paris pour le cacher ? Pour le faire disparaître ?

Quoi qu'il en soit, je savais maintenant à quoi j'allais consacrer l'heure suivante.

Direction mont Scopus. Comme lors de ma première visite, j'ai été frappée par la ressemblance entre cette université et n'importe lequel de nos campus. En ce dimanche après-midi, les lieux étaient plus morts que Kokomo.

Cependant trouver une place de stationnement autorisé était toujours aussi peu probable qu'obtenir une audience du pape.

Laissant la Tempo à l'endroit où Jake s'était garé l'autre jour, je me suis hâtée vers la bibliothèque. Ayant surmonté victorieusement toutes les formalités de sécurité, je me suis rendue à la section des périodiques. Là, j'ai pris sur les étagères tous les numéros du journal *Radiocarbon* parus depuis le début des années 1960.

Ma pile dans les bras, je me suis trouvé un coin tranquille.

En moins d'une heure, mes recherches étaient achevées.

Calée contre mon dossier, je fixais mes notes avec le double sentiment d'être la meilleure élève, celle qui a l'idée de génie, et la dernière de la classe, celle qui ne sait pas quoi en tirer.

Le temps de rapporter les journaux sur les étagères, et je suis partie à fond de train chez Jake.

Il a pris une éternité pour descendre m'ouvrir la porte. Il avait les yeux encore à moitié fermés et une carte routière sur la joue gauche, souvenir de son drap ou de son oreiller.

Je l'ai suivi jusque dans la cuisine en babillant d'excitation. En le voyant remplir la bouilloire et la mettre sur le feu avec des gestes aussi ralentis, j'ai cru que j'allais exploser.

— Du thé ?

— Oui, oui. Tu connais le journal *Radiocarbon* ?

Il a fait signe que oui.

— Je viens de vérifier à la bibliothèque de l'université. Entre 1961 et 1963, Yadin a envoyé à Cambridge des matériaux provenant de fouilles près de Bar Kochba, pour qu'ils soient analysés.

— Quel site ?

— Les cavernes près de la mer Morte ? La rébellion juive contre les Romains au IIe siècle de notre ère, qui s'est soldée par un échec ? Je ne me souviens plus du nom exact du site, mais ce n'est pas important.

— Je vois, a fait Jake en laissant tomber les sachets de thé dans les tasses.

— Ce que je veux dire, c'est que, pour ce chantier-là, Yadin n'a pas jugé inutile et trop cher d'expédier les matériaux à l'étranger pour les faire dater au radio-carbone.

— Mm-mm.

— Tu m'écoutes ?

— Je suis tout ouïe.

— J'ai aussi étudié le dossier « Massada » aux archives du *Jerusalem Post*.

— Eh ben, tu n'as pas chômé.

— Dans une interview de 1981, Yadin dit à un journaliste du *Post* que ce n'était pas à lui d'ordonner des tests de datation au carbone 14. Or, il se contredit.

Jake a levé une main pour dissimuler un rot.

— Il a toujours insisté sur le fait qu'aucun objet en provenance de Massada n'avait été analysé au carbone 14, n'est-ce pas ?

— Pour autant que je sache.

— Comment expliques-tu alors qu'il ait envoyé à analyser des matériaux provenant d'autres sites ? Et pas uniquement de Bar Kochba. Et il n'était pas le seul à faire pratiquer ces analyses. D'autres archéologues israéliens ont utilisé les services de labos étrangers pendant cette même période. Du US Geological Survey lab, notamment, à Washington, DC.

— Du lait, du sucre ?

— Du lait, ai-je répondu en me retenant de toutes mes forces pour ne pas secouer Jake comme un prunier. Tu m'as bien dit que, dans les années soixante, un député de la Knesset avait affirmé que les squelettes de Massada avaient été envoyés à l'étranger ?

— Oui, Shlomo Lorinez.

— Tu ne vois donc pas ? Il avait peut-être raison, ce Lorinez. Des os de la grotte 2001 ont très bien pu sortir d'Israël.

Jake a rempli les deux tasses, m'en a tendu une.

— Le squelette complet ?

— Exactement.

— Ce sont des spéculations, rien de plus.

— Dans son mémo, Haas fait état d'un total de deux cent vingt os, n'est-ce pas ?

Jake a hoché la tête.

— Un squelette d'adulte normal en compte deux cent six. Le total de Haas peut très bien ne pas avoir inclus notre Max.

— Qui c'est, Max ?

— Le squelette entier, Massada Max.

— Pourquoi ce nom de Max ?

— Ryan aime les allitérations.

Jake s'est abstenu de tout commentaire, se contentant de lever légèrement l'un de ses sourcils touffus.

— Haas n'a jamais vu ce squelette, c'est évident.

— Pourquoi tu dis ça ? a-t-il demandé en cessant enfin de plonger son sachet de thé dans sa tasse. Parce qu'il avait déjà été envoyé à Paris au Musée de l'Homme ?

— Enfin, tu reviens sur Terre parmi les Terriens !

— Toi aussi, tu aimes bien les allitérations.

— Pourquoi avoir gardé la chose secrète ? Et pourquoi avoir choisi le Musée de l'Homme ? ai-je demandé, enchaînant aussitôt, sans attendre sa réponse : parce que là-bas, ils ne font pas de test au radiocarbone. Pourquoi avoir envoyé un squelette complet alors qu'un petit échantillon suffisait ? Pourquoi avoir envoyé justement ce squelette-là ? Parce que Yadin n'avait jamais fait état de sa découverte et ne l'avait jamais fait parvenir à Haas.

— Je te l'ai dit dès le départ que ce squelette cachait plein de choses qu'on ne soupçonnait pas.

— Tu m'as surtout dit que tu allais demander au Hevrat Kadisha s'ils avaient pris Max. Tu les as appelés ?

— Deux fois.

— Et alors ?

— J'attends qu'ils me rappellent, a-t-il répondu sur un ton sarcastique. Attention, ça sera amer, a-t-il ajouté en me voyant appuyer sur mon sachet de thé avec le dos de ma cuillère.

— J'aime le thé fort.

— Il ne sera pas fort, il sera amer.

Visiblement, il était complètement réveillé et en pleine possession de ses moyens.

— Je crois que je te préférais à moitié endormi.

Nous avons ajouté du lait et remué.

— Tu en es où avec les analyses d'ADN ? a demandé Jake.

— Je n'ai pas vérifié mes courriels depuis plusieurs jours. À l'hôtel, c'est un cauchemar de se connecter à Internet.

C'était vrai mais, surtout, je ne pensais pas recevoir les résultats aussi tôt. À vrai dire, je doutais fortement qu'en l'absence de tout élément de comparaison les échantillons prélevés sur Max ou même sur sa dent bizarre puissent fournir des données exploitables. Mais, en fait, ce qui intéressait Jake, c'était ses prélèvements sur les os de son tombeau de la vallée du Cédron.

— Quand j'ai contacté les labos, après t'avoir eue au téléphone à Montréal, je leur ai demandé de t'adresser les résultats. Je me suis dis que j'aurais besoin de ton aide pour les interpréter.

Jake et sa paranoïa ? Je n'ai pas fait de commentaires.

— Tu peux appeler ta messagerie de mon ordinateur, si tu veux. Pendant que je prends ma douche.

Pourquoi pas ? J'ai emporté ma tasse dans le bureau de Jake.

J'avais deux courriels en attente, tous deux en provenance de laboratoires spécialisés dans les analyses d'ADN.

J'ai commencé par les analyses de Jake. Les résultats n'avaient pas grande signification pour moi, qui ne savais pas à quoi correspondaient ses échantillons. À un ossuaire, à un os retrouvé par terre ?

En revanche, la lecture des rapports concernant Max et sa dent — analyses de l'ADN ancien, analyses de l'ADN mitochondrial — m'a tout d'abord étonnée. Puis laissée perplexe.

J'ai relu les conclusions plusieurs fois de suite sans parvenir à imaginer ce qu'elles impliquaient.

Mais je savais deux choses.

Que j'avais complètement raison en ce qui concernait Max.

Que j'avais complètement tort en ce qui concernait les échantillons de Jake.

Chapitre 34

Je devais avoir un air de biche éblouie par des phares, car Jake m'a demandé :

— Qu'est-ce que tu regardes comme ça ?

Il avait encore des gouttes d'eau sur le visage, mais plus de marques sur la joue. Une chemise rouge remplaçait le sweat-shirt qu'il portait tout à l'heure sur son jean.

— Les résultats d'ADN.

— Ah ouais ?

Il a branché l'imprimante, j'ai tiré une copie.

Le visage impassible, il a survolé tous les rapports et conclu sa lecture par un : « Pas mal. » Après quoi, il a rapproché une chaise de la mienne et s'est laissé tomber dessus.

— Bon, alors, qu'est-ce que tout ça signifie ?

— L'ADN mitochondrial…

— Lentement.

J'ai pris une inspiration.

— Et depuis le début.

— Le début du début ? ai-je répété sans enthousiasme, ne me sentant pas d'humeur à lui faire tout un cours de biologie.

— Les prémices.

Respire lentement. Calme-toi. Vas-y.

— Tu connais l'ADN nucléique ?

372

— Je sais que c'est une sorte de double hélice qui se trouve à l'intérieur du noyau d'une cellule.

— Oui. Les chercheurs ont travaillé pendant des années pour établir la carte de la molécule d'ADN. Une grande partie des recherches a porté sur la zone qui détermine les codes des protéines propres à tous les hommes en tant que membres de la même espèce.

— Comme le régime Atkins. Ni carbonate ni graisse.

— Tu veux écouter ou pas ?

Jake a levé les deux mains en un geste de reddition.

J'ai réfléchi à la façon la plus simple d'exposer les choses.

— Donc, certains chercheurs travaillent à établir la carte de la région d'ADN qui fait que nous sommes tous semblables, je veux parler des gènes grâce auxquels nous avons deux oreilles, peu de poils sur le corps, un bassin conçu pour la marche. D'autres chercheurs, plus tournés vers l'application médicale, s'intéressent aux gènes susceptibles de muter et d'être à l'origine de maladies comme la fibrose kystique ou la maladie d'Huntington.

— Autrement dit, il y a les cartographes et les médecins. Les premiers étudient les gènes qui font qu'on est tous pareils, les seconds ceux qui font que le mécanisme se grippe chez certains.

— C'est une vision assez juste. Et il y a en plus les savants spécialisés en médecine légale. Eux, ils étudient les parties de la molécule d'ADN qui font que les gens sont génétiquement différents. Leurs recherches se concentrent sur «l'ADN bouche-trou», la partie qui contient des polymorphismes, tu sais, ces fameuses variations qui font que les gens sont différents les uns des autres même si ces différences ne sont pas évidentes sur le plan physique.

«Tout ça pour dire que d'autres chercheurs encore, toujours parmi ceux qui travaillent dans le domaine des sciences médico-légales, sont passés de l'étude de l'ADN bouche-trou et de ses variations à l'étude des gènes qui déterminent les caractéristiques physiques des individus, c'est-à-dire les différences qui vous sautent aux yeux quand vous regardez quelqu'un. Ces gens-là étudient la partie d'ADN qui peut être exploitée pour deviner les caractéristiques d'un individu à partir de ses gènes, comme la couleur de la peau ou de l'iris.

Jake a paru perdu. Et avec raison, car, dans mon excitation, j'allais trop vite dans mes explications.

— Je te donne un exemple. La police relève sur une scène de crime un échantillon laissé par un malfaiteur inconnu, disons du sang ou du sperme. N'ayant pas de suspect a priori, ils n'ont rien avec quoi comparer cet échantillon. On peut dire que l'échantillon existe dans le vide. Mais s'il est possible de s'en servir pour réduire le nombre de suspects potentiels, cet échantillon devient alors un outil d'investigation très utile.

Jake avait compris.

— S'ils arrivent à déterminer le sexe, a-t-il dit, ils auront divisé par deux le groupe de suspects.

— Exactement. Il existe déjà des programmes qui peuvent prédire l'ascendance biogéographique. Quand tu m'as appelée à Montréal, on a parlé d'un cas où cela avait été fait.

— Si je comprends bien, l'avantage, c'est qu'on ne se borne pas à comparer un échantillon inconnu à un échantillon connu, mais qu'on peut réellement prédire à quoi un type peut ressembler.

— Ou une fille.

— Génial. Un type comme ton Max ? Comme les gens de mon tombeau ?

— Oui. Jusqu'ici je t'ai parlé de l'ADN nucléique. Passons à l'ADN mitochondrial. Tu sais ce que c'est ?

— Rafraîchis-moi la mémoire.

— L'ADN mitochondrial, à la différence du nucléique, n'est pas situé à l'intérieur du noyau, mais en dehors. Dans la cellule.

— Qu'est-ce qu'il fait ?

— Disons que c'est une source d'énergie.

— Quel est son rôle dans le contexte médico-légal ?

— Dans l'ADN mitochondrial, la région de codage est restreinte, constituée peut-être de onze mille paires de protéines de base, et elle n'a pas beaucoup d'emplacements à variations polymorphiques. Dans l'ADN nucléique, une partie du génome n'a pas non plus l'air de faire grand-chose sauf que, là, il possède un grand nombre d'emplacements à variations polymorphiques.

— Quel est l'avantage du mitochondrial par rapport au nucléique ?

— Le nombre de copies d'ADN présentes dans nos cellules. Une cellule ne possède que deux copies d'ADN nucléique, alors qu'elle en possède des milliers d'ADN mitochondrial. Par conséquent, on a beaucoup plus de chances de retrouver de l'ADN mitochondrial dans des échantillons de petite taille ou dégradés.

— Petits et dégradés comme mes os à moi, ou comme ton Max qui a deux mille ans ?

— Oui, car plus l'os est vieux, moins on a de chances d'arriver à en extraire un échantillon d'ADN nucléique exploitable. De plus, l'ADN mitochondrial présente la caractéristique très avantageuse de ne se transmettre que par les femmes, exclusivement. Résultat, les gènes ne sont pas mélangés. Ils ne se recombinent pas à chaque conception. En pratique, ça signifie que si tu ne peux pas établir de comparaison directe à partir d'un individu précis, tu peux prendre n'importe quel membre de la famille du moment qu'il est apparenté à cet individu par sa mère et prélever sur cet autre individu un échantillon qui te servira de référence. Ton ADN mitochondrial est identique à celui de ta mère, de tes sœurs, de ta grand-mère.

— Si j'avais des filles, elles auraient l'ADN mitochondrial de leur mère, pas le mien.

— Voilà.

— Attends que j'essaie de rapporter tout ça à mon tombeau, puisque c'est ça qui m'intéresse. Avec de l'os antique et dégradé, on a plus de chances de retrouver de l'ADN mitochondrial que de l'ADN nucléique.

— Oui.

— Mais les deux ADN, le mitochondrial et le nucléique, peuvent être utilisés pour comparer des inconnus à des gens connus, par exemple pour relier un suspect à une scène de crime ou coincer le papa dans un procès en paternité. Ces deux types d'ADN peuvent être exploités pour prouver l'existence de liens familiaux, sauf qu'ils le feront par des voies différentes. De nos jours, l'ADN nucléique peut être utilisé pour prédire des traits physiques individuels.

— Jusqu'à un certain point, ai-je précisé. C'est valable pour le sexe et d'autres indicateurs relatifs à la race.

— OK. Au tombeau, maintenant.

J'ai pris le rapport du laboratoire.

— Tes échantillons, ai-je enchaîné, n'ont pas tous donné de résultats. Mais l'ADN nucléique indique que tu as là quatre femmes et trois hommes. Enfin, garde à l'esprit que ce n'est pas parole d'évangile.

— Oh, le mauvais jeu de mots ! Explique-moi.

— Ton ensemble de standard CODIS inclut des marqueurs d'amélogénine pour les X et les Y. Pour simplifier au maximum, si les deux marqueurs sont présents dans un échantillon, c'est un garçon. S'il n'y a pas de marqueur Y, c'est une fille.

«Mais les choses sont toujours plus compliquées avec des os antiques. Dans les échantillons dégradés, les allèles, c'est-à-dire des gènes ayant subi une mutation, peuvent ne pas porter de signature. Cependant, si tu répètes le test plusieurs fois et que tu n'obtiens que des X de façon répétée, tu es très sérieusement en droit de supposer que ton échantillon provient d'une femme.

— Quoi d'autre ? a demandé Jake.

Il a jeté un bref coup d'œil par-dessus son épaule en direction de la porte. Mes yeux ont suivi les siens comme s'ils en avaient reçu l'ordre.

— Parmi les individus de ton tombeau, six au moins sont apparentés.

— Oh ! a réagi Jake en se rapprochant, et son mouvement a projeté une ombre sur la feuille d'imprimante.

— C'est plutôt normal dans une tombe familiale, non ? Ce qui est plus surprenant, c'est…

— C'est qui, ces six ? s'est exclamé Jake d'une voix qui avait perdu toute futilité.

— Je n'en sais rien. Je n'ai que les numéros de tes échantillons.

Il a porté la main à sa bouche pendant une ou deux secondes. Puis, s'étant emparé de la feuille, il a bondi sur ses pieds et traversé la pièce en trois enjambées.

— Jake, ce n'est pas le plus important…

Mais je m'adressais au vide.

Quelle importance, ces ossements du tombeau ! Ce qui m'intéressait, moi, c'était Max. C'est lui dont je voulais parler avec Jake ! Mais je me suis rappelé le résultat des analyses de la dent et je me suis dit : « Non. Dans cette affaire, tout est important. »

J'ai trouvé Jake dans la chambre du fond en train de trier les photos sur sa table. M'approchant, j'ai reconnu celles des ossuaires qu'il nous avait montrées lorsque Ryan était là.

Il a écrit un nom en bas de chaque cliché et ajouté à côté la référence du labo qui avait pratiqué les tests.

M'ayant rendu la feuille, il a lancé d'une voix forte le numéro du premier échantillon. J'ai consulté le rapport du labo.

— Femme.

— Maria, a dit Jake.

Il a tracé le symbole féminin sur la photo représentant l'ossuaire de Marie et cherché une page dans son paquet de feuilles agrafées.

— L'anthropologue physique a estimé que cette fille était vieille. Plus de soixante-cinq ans.

Il a inscrit l'âge et lu tout haut le numéro de l'échantillon suivant.

— Femme, ai-je répondu.

— Mariamné. «Celle qu'on appelle Marie.» Adulte âgé, a-t-il ajouté, après avoir vérifié dans le dossier anthropologique.

Il a noté le résultat sur la photo et lu le troisième numéro.

— Homme.

— Yehuda, fils de Jeshua.

Traduire : Jude, fils de Jésus.

— Entre vingt-cinq et quarante ans, a déclaré Jake avant de passer au numéro suivant.

— Femme, ai-je dit.

— Salomé. Adulte âgée.

L'un après l'autre, nous avons passé en revue les restes humains associés aux ossuaires qui portaient des noms. Marie. Celle qu'on appelait Marie. Joseph. Matthieu. Jude. Salomé. Jésus. Chaque fois, le nom gravé sur l'ossuaire correspondait au résultat donné par l'ADN nucléique. Ou vice versa.

Deux groupes de restes récupérés sur le sol du tombeau avaient été déclarés respectivement homme et femme.

L'amplification de l'ADN nucléique n'avait pas réussi pour Jésus et Matthieu, ni pour les échantillons prélevés sur les os récupérés par terre.

Pas de résultat, aucun renseignement sur ces gens-là.

Nous nous sommes regardés, certains d'être frappés par la foudre dans l'instant. Mais non. Aucun de nous ne se risquait à exprimer sa pensée à haute voix.

La famille de Jésus ! Car tout collait, même s'il demeurait quelques lacunes.

Jake a rompu le silence.

— Bon. Qui est apparenté de qui ?

— Apparenté à qui.

Dans mon excitation, je n'avais pu me retenir de corriger sa faute de grammaire. J'ai pris la feuille des tests d'ADN mitochondrial.

— Rappelle-toi bien que ces tests montrent l'existence ou l'absence de lien familial selon la lignée maternelle. Fille-mère, fils-mère, enfants de pères différents mais de mère commune, cousins par la mère ayant une grand-mère en commun, et ainsi de suite. Je démarre. Mariamné et Salomé sont apparentées, ai-je déclaré, citant ensuite les numéros des échantillons et les noms des ossuaires. Idem pour les deux Marie, Mariamné et Maria, la plus jeune et la plus âgée.

Jake a inscrit les résultats sur les quatre photos.

— Joseph fait également partie de cette lignée. Jude aussi.

Jake continuait d'écrire.

— L'homme retrouvé sur le sol est apparenté aux autres, lui aussi.

— Tu veux dire qu'il a la même séquence d'ADN mitochondrial que Mariamné, Salomé, Maria, Joseph et Jude ?

— Oui. La femme par terre est toute seule. Ce n'est pas grave. Il peut s'agir d'une pièce rapportée, d'une femme apparentée à cette famille par mariage et pas par le sang. Elle a donc l'ADN mitochondrial de sa mère à elle, et ses enfants aussi, au cas où elle en a eu.

— Et rien de leur papa.

— Exactement.

J'ai repris la lecture.

— Matthieu est tout seul, lui aussi. Mais encore une fois, si sa mère était d'une autre famille, il a hérité de son ADN mitochondrial à elle, et pas de celui de son père.

— Il peut donc quand même être un cousin.

— Oui. Le fils d'un frère avec une dame autre que celle qui est à l'origine de cette lignée maternelle.

J'ai relevé les yeux.

— L'échantillon provenant de Jésus était trop dégradé pour pouvoir être amplifié. Le séquençage n'a pas été possible.

Jake s'est mis à tracer un arbre généalogique. Ses gestes étaient aussi vifs que ceux d'un colibri.

— Tout colle. Maria, la Marie la plus vieille, est à l'origine de la lignée.

Il a dessiné un cercle, l'a nommé Marie et en a fait partir des traits verticaux.

— Salomé. Maria/Mariamné. Joseph. Jésus. D'après les Écritures, ce sont quatre des sept enfants de Marie.

Tout en le regardant faire, je me suis rappelé l'inscription *Yehuda, fils de Yeshua* — Jude, fils de Jésus — et la théorie de Donovan Joyce, Jésus survivant à la crucifixion, se mariant et engendrant un fils. Est-ce qu'on était en train de revenir à cette idée de fou ? Mon esprit ne pouvait l'accepter.

— Comment est-ce que tu fais entrer Jude dans ton croquis ?

Jake m'a dévisagée, les sourcils levés presque jusqu'à la racine de ses cheveux, le menton collé à la poitrine. Traduire : Faut-il vraiment t'expliquer des choses aussi évidentes ?

— Jésus ayant eu des frères et sœurs, continuant à vivre et devenant papa ? Mais tu touches là à deux dogmes de base et à une doctrine importante de l'Église catholique : né d'une vierge et ressuscité des morts, et n'ayant pas procréé.

Dans son excitation, Jake a haussé les deux épaules si vite que j'aurais pu croire qu'il avait eu un spasme.

— Non, Jake. Ce que tu sous-entends n'est pas possible. Ce Jude a un ADN qui l'apparente aux autres femmes de ton tombeau, à la Marie la plus vieille, à Salomé et à Mariamné. Si Jésus était son père, il aurait eu l'ADN mitochondrial de la famille de sa mère à lui, et non de la famille de son père.

— D'accord. Jude peut être un neveu de Jésus. Un des petits-fils de Marie.

Jake a ajouté un cercle à la fin d'un trait et a fait partir un autre trait vers le bas.

— Une des sœurs de Jésus peut avoir épousé un autre Jésus et eu un fils qu'elle a appelé Jude.

— Donovan Joyce prétend avoir vu un rouleau écrit par quelqu'un qui s'appelait Jésus, fils de Jacques, ai-je lâché presque malgré moi.

— Sauf que ce Jacques-là ne pourrait pas être celui de l'ossuaire, le frère de Jésus-Christ. Parce que sa femme n'aurait pas été apparentée à cette lignée et que son fils aurait eu l'ADN mitochondrial de sa mère, et pas celui de sa grand-mère paternelle, pas vrai ?

— Oui.

Tant de pensées se catapultaient dans ma tête que je ne savais plus laquelle exprimer en premier. Jake m'a devancée.

— La femme retrouvée par terre, qui n'est reliée à personne… ce pourrait être Marie-Madeleine…

Il s'est mis à bégayer :

— Merde de merde, Tempe ! Mais c'est à ça que Donovan Joyce pensait. D'autres que lui l'ont cru aussi, que Jésus avait épousé Marie-Madeleine.

Il ne prenait même plus le temps de respirer.

— Qu'importe, ce n'est pas vraiment capital de savoir qui est cette femme. Matthieu aussi est tout seul, n'est-ce pas ? Lui, ce pourrait être un disciple de Jésus, enterré dans le même tombeau pour une raison quelconque. Ou encore son neveu, le fils d'un de ses frères.

— Ça fait beaucoup de « pourrait » et de « peut-être ».

Je résistais à la tentation de me laisser emporter par l'ivresse de mon ami.

Il s'en moquait bien.

— On n'a pas Jacques parce que son ossuaire a été volé et on n'a pas Simon parce qu'il est mort des dizaines d'années plus tard, mais c'est hallucinant, Tempe. On a pratiquement la famille entière !

La même pensée nous est venue à l'esprit simultanément. Jake a été le plus rapide :

— Mais alors, qui est l'homme crucifié dans le suaire ?

— *Peut-être* crucifié, l'ai-je corrigé.

— D'accord. Le Jésus de l'ossuaire pourrait être un neveu, lui aussi. C'est vraiment chiant que le labo n'ait pas pu effectuer le séquençage !

Sur ce, il est parti vers l'armoire aux ossuaires. Ayant défait le cadenas, il a regardé à l'intérieur. Satisfait, il a refermé la porte et remis le cadenas.

Jésus vivant et procréant ? Jésus mort et oublié dans un tombeau enveloppé dans son suaire ? Scénarios tous plus abominables les uns que les autres.

— Tout cela n'est que de la spéculation, ai-je affirmé haut et fort.

— Non ! s'est écrié Jake en plongeant ses yeux dans les miens. Pas si j'arrive à prouver que l'ossuaire de Jacques provient effectivement de ce tombeau.

J'ai repris le rapport d'ADN mitochondrial. Les deux Marie — Maria et Mariamné —, Salomé, Joseph, Yehuda et l'homme dont on ignorait le nom étaient tous d'une seule et même lignée maternelle. Matthieu appartenait à une autre lignée, et la femme inconnue retrouvée par terre à une troisième encore. Les ossements du Yeshua décrit sur l'ossuaire comme étant le fils de Yehosef étaient trop dégradés pour fournir de l'ADN.

Jésus, fils de Joseph. Mais quel Jésus ? Et quel Joseph ?

Jake avait-il vraiment trouvé le tombeau de la Sainte Famille ? Si oui, qui était le monsieur que j'avais découvert dans le loculus inexploré, encore enveloppé dans son linceul ?

— Il y a autre chose, Jake.

— Quoi ?

J'allais commencer une phrase quand le téléphone de Jake m'a cloué le bec.

— Miracle des miracles ! Se pourrait-il que le Hevrat Kadisha me rappelle au sujet de Max ?

D'un pas sautillant, il est parti répondre.

En son absence, j'ai relu les rapports sur Max et la dent.

L'ADN nucléique indiquait que Max était un homme. Pas de quoi sauter au plafond, je le savais déjà par mon analyse des os. Idem pour la molaire recollée dans sa mâchoire. Sexe : masculin.

D'après son ADN mitochondrial, Max n'appartenait pas à la lignée maternelle du tombeau de la vallée du Cédron. Il avait un séquençage unique. Si les autres formaient vraiment la famille de Jésus, Max ne leur était pas apparenté. En tout cas, pas par les femmes.

L'ADN mitochondrial de Max indiquait également que la molaire implantée dans sa mâchoire n'était pas la sienne. Bon, Bergeron me l'avait déjà dit.

En revanche, le rapport suivant m'a paru complètement incompréhensible. Je le relisais pour la troisième fois quand Jake est revenu.

— Les cons !

— Qui ça ? Le Hevrat Kadisha ?

Acquiescement furieux.

— Qu'est-ce qu'ils disent ?

— *Baruch Dayan ha-emet.*

Je lui ai fait signe de traduire.

— Béni soit le seul et vrai Juge.

— Et quoi encore ?

— Que nous sommes les suppôts de Satan et qu'ils respectent la plus haute *mitsvah*. Maintenant, ces petits bons à rien imbus d'eux-mêmes ont l'intention de me faire chier à Talpiot.

— Sur ton chantier ? Tu as trouvé des restes humains dans ta synagogue du Ier siècle ?

— Bien sûr que non. Je l'ai expliqué au bonhomme, il ne m'a pas cru. Il dit qu'ils vont débarquer là-bas en force dès aujourd'hui.

— Tu lui as demandé si c'était eux qui avaient pris Max ?

— Ce charmant rabbin a refusé d'en discuter… Il a ajouté quelque chose d'étrange, a commencé Jake après une courte pause.

J'ai attendu qu'il veuille bien s'expliquer.

— Que j'arrête de le harceler au téléphone.

— Et alors ?

— Je n'ai appelé le Hevrat Kadisha que deux fois.

— Mais alors, qui les embête au téléphone ?

— Apparemment il ne sait pas.

Un silence étrange a suivi. C'est moi qui l'ai rompu.

— Tu avais raison, Jake.

Je lui ai tendu les rapports des tests d'ADN mitochondrial pratiqués sur Max et sur la dent.

— Ça pourrait bien être encore plus énorme que toi ou moi ne l'avons imaginé.

— Donne-moi ça.

Ce que j'ai fait.

Là, c'est Jake qui s'est mis à ressembler à un cerf pris dans les phares d'une voiture.

Chapitre 35

J'ai dû répéter la chose deux fois. Jake ne comprenait toujours pas.

— La dent et le squelette présentent des séquences d'ADN mitochondrial différentes. Ça veut dire que la dent vient de quelqu'un qui n'est pas le squelette. Mais ça, nous le savions déjà. Et Max a un ADN mitochondrial unique. Différent de celui du propriétaire de la dent, mais aussi de cette lignée maternelle qui regroupe les personnes du tombeau. Si jamais Max était apparenté à la famille du tombeau, ce n'était pas par sa mère.

— Qui était une pièce rapportée, une femme mariée à quelqu'un de cette lignée, a enfin réagi Jake.

— Probablement. Par contre, ce qui est vraiment ahurissant, c'est que l'ADN mitochondrial présent dans la molaire est identique à celui de cette famille ensevelie dans le tombeau.

— Tu veux dire que l'ADN présent dans la dent rattache bien son propriétaire en titre à la lignée de Marie, mais que ce propriétaire en titre n'est pas le squelette entier ?

— Le séquençage démontre que la molaire provenait de quelqu'un rattaché aux individus de ton tombeau, lesquels étaient apparentés entre eux par la mère à l'origine de leur lignée.

— Tu parles bien de la dent réinsérée dans la mâchoire de Max ?

— Oui, Jake. Cela signifie qu'en remontant par les femmes, le propriétaire de cette dent avait la même grand-mère ou arrière-arrière-grand-mère que les gens de ton tombeau.

— Mais si cette dent a été incorporée au squelette complet par inadvertance, ça ne peut être que pendant l'exhumation ou alors au musée, comme on en a discuté l'autre jour.

— En tout cas, ça n'a pas pu se produire au laboratoire de Haas, puisqu'on sait maintenant qu'il n'a jamais reçu de squelette complet à analyser.

— Si l'on pose comme hypothèse de départ que la dent a été incorporée pendant les fouilles, cela signifie qu'un individu au moins parmi tous ceux qui ont été exhumés de cette grotte 2001 était apparenté aux gens ensevelis dans le tombeau de la vallée du Cédron. C'est incontestable. La question est : qu'est-ce qu'une personne de cette famille pouvait bien foutre à Massada ?

Jake est allé à la fenêtre. Les mains dans les poches, il a fixé la rue en bas. J'ai attendu qu'il émerge de ses pensées. Il les exprimait par bribes et à haute voix, sur un ton plus calme, maintenant.

— Pas des zélotes, des Nazaréens... d'où la réticence de Yadin à parler des gens exhumés de cette grotte 2001... le fait que Haas n'ait jamais fait état du squelette... Oui, des Nazaréens...

Il avait beau ne pas s'adresser à moi véritablement, il avait capté toute mon attention.

— Sur quoi sommes-nous tombés, nom de Dieu ? Qui était Max ? Pourquoi est-ce que ce squelette, et seulement celui-là, n'a pas été remis à Haas ? Et le squelette du loculus inexploré, c'est celui de qui ? Pourquoi est-ce que ces ossements n'ont pas été placés dans un ossuaire ?

Ses phrases semblaient extraites de pensées plus vastes.

— Des disciples de Jésus à Massada... L'un d'eux apparenté biologiquement aux gens de mon tombeau...

Apparenté à la Sainte Famille… ? Prouver absolument que l'ossuaire de Jacques provient de ce tombeau.

Il s'est retourné, le regard brûlant d'une flamme qui a gelé en moi toute velléité d'intervenir.

— Je pensais que nous avions là deux découvertes distinctes, toutes deux datant du Ier siècle et toutes deux hallucinantes. Mais c'est faux. Tout est lié : le squelette de Massada tombé dans les oubliettes, et le tombeau de la vallée du Cédron. C'est une seule et même histoire. Une histoire énorme. Peut-être « la » découverte du siècle. Merde, du millénaire !

Il a pris son dossier anthropologique, l'a reposé sur la table, a saisi la photo d'un ossuaire, puis d'un autre, les a remises sur le tas, a posé le rapport dessus, a fait courir ses doigts le long de la pile.

— Encore plus énorme que ce que je supposais, Tempe. Et plus dangereux.

— Dangereux ? Mais nous n'avons plus Max. En dehors de ta copine Esther qui verra peut-être des fragments d'os dans le tissu, personne n'est encore au courant que le suaire contenait des os.

— Pour l'instant.

— Quoi qu'il en soit, il est temps de prévenir Blotnik.

— Non !

Il s'était retourné d'un bond. J'ai sursauté comme si j'avais reçu une décharge électrique. Il a levé une main en signe d'excuse.

— Pardon. C'est ma tête qui recommence à me faire mal. C'est juste que… Je… Non, pas Blotnik.

— Jake, tu ne vas quand même pas laisser tes sentiments personnels obscurcir ton jugement ?

— Blotnik est un gars fini. Et je suis gentil. Parce qu'en vérité, c'est un gars qui n'a jamais rien fait de sa vie. Un trou du cul !

— Blotnik pourrait être Caligula en personne, il dirige l'AAI. Il a bien fallu qu'il fasse quelque chose pour être nommé à ce poste.

— Dans les années soixante, il a publié deux-trois articles brillants, et des mandarins de l'université en ont chié dans leurs jolis slips français. Après, on lui a offert des postes prestigieux, et depuis il n'a plus jamais écrit une ligne qui mérite d'être citée. Il n'a fait que pomper les autres.

— Quelle que soit ton opinion sur lui, c'est le bureau qu'il dirige, l'AAI, qui a autorité sur les antiquités dans ce pays.

Dehors, une portière a claqué. Le regard de Jake a volé vers la fenêtre puis vers l'armoire cadenassée avant de se reposer sur moi. Il a soupiré et s'est mis à faire cliquer la molette d'un stylo à bille.

— J'irai voir Ruth Anne Bloom, cet après-midi.

— La femme qui est anthropologue à l'AAI ?

Jake a hoché la tête.

— Tu comptes lui parler des os du linceul ?

— Oui.

Il s'est pincé très fort l'arête du nez sans cesser de jouer avec son stylo pour autant.

— Tu ne me dis pas ça pour que je te fiche la paix ?

— Non, je ne te dis pas ça pour que tu me fiches la paix, Tempe. Je te dis ça parce que tu as raison. C'est trop risqué de garder ces os ici.

Il a rejeté son stylo au loin.

Risqué pour qui ? me suis-je demandé tout en le suivant des yeux tandis qu'il retournait à la fenêtre. Pour les os ? Pour sa carrière ? Je connaissais mon Jake. Lui aussi, il avait des ambitions.

— Tu veux que je t'accompagne au musée Rockefeller ?

Il a secoué la tête.

— Il faut que je file sur mon chantier prévenir mes gars de l'arrivée du Hevrat Kadisha. Ils connaissent la musique, mais quand même. Je préfère m'assurer que cette foutue police des os ne leur tombe pas dessus par surprise.

J'ai regardé ma montre.

— Je devais retrouver Ryan à l'hôtel à quatre heures, mais je peux annuler.

— C'est inutile. Je te rappelle d'ici deux heures.

— Tu veux dîner avec nous ce soir ?

Il a hoché la tête, l'esprit ailleurs. Il ne m'écoutait plus.

Ryan est rentré à l'hôtel peu de temps après moi. Je devais avoir l'air abattue, car il m'a demandé si tout allait bien. J'ai répondu oui, sans entrer dans les détails de ma dispute avec Jake.

— Et ton copain ?

— Sa tête lui fait mal, mais ça va. Un peu psychorigide, mais normal, ai-je ajouté après avoir claqué la porte du minibar.

Ryan n'a pas insisté.

— Tu as appris des choses intéressantes au *Post* ?

Tout en ouvrant un Coke Diète, je lui ai résumé les articles dans lesquels Yadin se contredisait lui-même à propos des datations au radiocarbone.

— S'il reconnaît avoir expédié des matériaux à l'étranger à des fins d'analyses, pourquoi est-ce qu'il ne l'a pas fait avec les squelettes de Massada ?

— En effet.

— Et puis, la meilleure. J'ai reçu les résultats des tests d'ADN sur les individus du tombeau de Jake. Séquences identiques pour plusieurs d'entre eux.

— Autrement dit, ils sont apparentés.

— Oui, mais c'est normal. Dans une tombe de famille, tu t'attends forcément à ce que les gens enterrés là soient au moins cousins. Ce qui n'est pas normal, c'est que cette dent bizarre dans la mâchoire de Max présente le même ADN mitochondrial.

— Ce qui signifie qu'une des personnes exhumées de la grotte 2001 était de la même famille que les gens enterrés dans le Cédron.

Ce que j'aime chez Ryan, c'est qu'il n'a pas besoin qu'on lui fasse un dessin.

— Oui. Et comme cette tombe renferme des membres de la Sainte Famille — Jake en est absolument convaincu —, ça voudrait dire que des chrétiens vivaient à Massada à l'époque du siège.

— Eh ben !

— Ouais. Les Israéliens vont pousser les hauts cris.

— Des disciples de Jésus auraient vécu à Massada, peut-être même un membre de la Sainte Famille ?

— Exactement. Mais pour ce qui est de l'identité de Max, on n'est pas plus avancés.

J'ai bu une gorgée de Coke.

— Sa séquence ADN est unique. S'il était apparenté aux gens du tombeau de Jake, en tout cas ce n'était par aucune des dames qui y sont ensevelies.

— Ce matin, justement, Kaplan a tourné autour du sujet, m'a coupée Ryan.

Je suis restée pendue à ses lèvres.

— D'après lui, entre Ferris et le squelette, c'était surtout une histoire de nom.

— Tu veux dire que Ferris détenait une preuve de son identité ?

— *Dixit* Kaplan.

J'ai senti un frétillement remonter le long de ma colonne vertébrale. J'avais passé un mois à essayer en vain d'identifier le squelette de Massada. Autant vouloir dissiper un nuage de fumée à l'intérieur d'un tunnel noir comme un four. Tout bien considéré, j'en étais venue à me dire que tout espoir de lui donner un nom était perdu à jamais.

— Merde, Ryan. Tu vas me dire ce que Kaplan a dit, oui ou non ?

— Il prétend qu'il n'a jamais réussi à découvrir qui avait été ce squelette de son vivant, mais que, d'après le milieu, c'était une grosse prise.

— Le milieu, c'est-à-dire les trafiquants d'antiquités ?

Ryan a hoché la tête.

— Et maintenant, les mauvaises nouvelles. Friedman a été obligé de relâcher Kaplan.

— Tu rigoles !

— Kaplan a engagé un ténor du barreau. Et celui-ci a fait valoir en termes extrêmement polis que son client avait été retenu bien après la durée légale de la garde à vue, ce qui constituait une violation de ses droits. Je crois qu'il a même parlé d'acte anticonstitutionnel.

— Et le vol à l'étalage ?

— Litvak a retiré sa plainte. Je me retrouve donc sans rien pour épingler Kaplan et le relier au meurtre de Ferris.

— Mais ses aveux, comme quoi il aurait été payé pour l'abattre ?

— Sauf qu'il ne l'a pas tué, à ce qu'il prétend.

— Et son intention de vendre un squelette dérobé ?

Dans la paix de cette chambre, j'ai eu l'impression d'avoir parlé d'une voix de stentor.

— L'intention n'est pas l'action. En plus, il dit maintenant qu'il n'a jamais vraiment voulu trimbaler le squelette où que ce soit. Qu'il a seulement passé quelques coups de fil, par curiosité.

— Merde !

— Et puis, il y a autre chose. Courtney Purviance a pris la poudre d'escampette.

— La secrétaire de Ferris ?

— Oui. Quand Kaplan a parlé du squelette, on lui a demandé pourquoi Ferris avait brusquement décidé de le vendre alors qu'il le cachait depuis plus de trente ans.

Question que je m'étais posée moi-même.

— D'après lui, c'était parce que les affaires de Ferris battaient de l'aile, a expliqué Ryan.

— Mais ce n'est pas du tout ce que la secrétaire a déclaré.

— L'un des deux nous mène en bateau. J'ai demandé à Birch de la réinterroger. C'est le gars qu'on m'a refilé sur cette enquête.

— Le blond qui t'accompagnait à l'autopsie de Ferris ?

— Oui. Ça fait maintenant plusieurs jours qu'il n'arrive pas à la contacter. Ni à l'entrepôt ni chez elle. Mme Courtney Purviance a comme qui dirait disparu.

— On ne lui avait pas dit de ne pas quitter la ville ?

— Impossible, elle n'est soupçonnée de rien. Je lui ai bien laissé entendre qu'on pourrait avoir besoin de rester en contact, mais ce n'est pas le genre de fille à jouer selon les règles. À moins de les avoir définies elle-même.

— Des indices pouvant laisser entendre qu'elle projetait un voyage ?

Ryan a secoué la tête.

— Ce n'est pas bon signe.

— Non, pas bon du tout. Birch reste sur le coup.

Ryan s'est approché de moi et a posé ses mains sur mes épaules.

— Avec Friedman, on a décidé de coller au cul de Kaplan comme du riz trop cuit. On saura tout ce qu'il fait, partout où il va, tous les gens qu'il rencontre.

— En lui laissant du mou, selon la bonne technique de Friedman.

— Je te parie ce que tu veux qu'il se passera tout seul la corde au cou.

Ryan m'a attirée contre lui.

— Je vais être obligé de t'abandonner pendant un moment.

— Tout ira bien.

— Tu as mon numéro de cellulaire.

Je me suis écartée de Ryan pour lui adresser un sourire faussement lumineux.

— T'inquiète pas, beau blond. Je dîne ce soir avec un charmant monsieur presque aussi grand que toi.

— Un peu chauve sur les bords, non ?

— La calvitie, c'est le dernier truc à la mode.

Ryan a souri.

— Je déteste quand tu te morfonds à cause de moi.

— Vas-t'en ! ai-je dit à Ryan en le poussant vers la porte. Une filature palpitante t'attend.

Ryan parti, j'ai appelé Jake pour convenir d'un restaurant. Pas de réponse.

Il était cinq heures. J'étais debout depuis l'aube, je commençais à fatiguer. Un petit somme réparateur ? Pourquoi pas ? De toute façon, Jake devait m'appeler dans une heure.

Je n'étais pas endormie depuis dix secondes qu'un bruit à la porte me réveillait.

Une clef dans ma serrure ? Le déclic de la poignée ?

Désorientée, j'ai regardé mon réveil.

Sept heures trente-deux.

J'ai traversé la chambre d'un bond.

— Jake ?

Pas de réponse.

— Ryan ?

Froissement à hauteur de mes pieds. Quelqu'un glissait un papier sous ma porte.

J'ai ouvert.

Une jeune femme en *hijab*, robe sombre et mocassins bicolores s'enfuyait dans le couloir.

— Mademoiselle ?

— Cet homme a *blessé* votre chambre, m'a-t-elle lancé par-dessus son épaule sans s'arrêter.

Elle a tourné le coin, le bruit de ses pas dans l'escalier a diminué.

J'ai refermé ma porte à double tour. Dehors, le vacarme de la circulation. Dedans un silence assourdissant.

J'ai ramassé le papier et l'ai déplié. Y étaient écrits les mots que la femme venait de me dire, accompagnés d'un nom. Hossam Al-Ahmed.

Cette inconnue était-elle une femme de chambre de l'hôtel ? Avait-elle été témoin du cambriolage ? Pourquoi ne se manifestait-elle que maintenant ? Et de cette façon ?

Décrochant le téléphone, j'ai demandé la directrice. On m'a répondu que Mme Hanani ne reviendrait plus de la journée. J'ai laissé un message demandant qu'elle me rappelle.

Le papier rangé dans mon sac, j'ai recomposé le numéro de Jake. Toujours pas de réponse. Est-ce qu'il serait encore sur son chantier de Talpiot ?

J'ai rappelé à huit heures moins le quart, à huit heures, à huit heures et quart. À huit heures et demie, j'ai abandonné et suis descendue au Cellar Bar.

Le repas était bon, mais j'étais trop agitée pour apprécier les efforts du chef. Je n'arrivais pas à comprendre pourquoi Jake ne m'avait pas fait signe.

Est-ce qu'il serait encore au musée Rockefeller ? Il comptait passer voir Ruth Anne Bloom à l'AAI, après Talpiot. Est-ce qu'il aurait changé d'avis et décidé de ne pas y aller ? Décidé de ne pas se retrouver seul en voiture alors qu'il transportait les os trouvés dans le linceul ?

En tout cas, la nuit étant tombée, il ne pouvait plus être sur son chantier.

Peut-être qu'il avait appelé ma chambre et que, n'obtenant pas de réponse, il avait décidé de dîner avec son équipe ?

Est-ce que j'aurais dormi si profondément que je n'aurais pas entendu la sonnerie ? J'en doutais. Plus j'y réfléchissais, plus je m'inquiétais.

Deux hommes basanés étaient assis à une table dans une alcôve. L'un petit et noueux, avec des cheveux coupés ras et un espace entre les dents de devant, l'autre copie conforme d'un béluga, affublé d'une queue de cheval maigrelette.

Ce Hossam Al-Ahmed m'est revenu à l'esprit. Qui était-ce ? Était-ce vraiment lui, le type qui avait mis ma chambre à sac ? Pourquoi cette effraction ?

Les hommes dans l'alcôve buvaient des jus de fruits en silence. La bougie jaune sur leur table faisait danser des ombres sur le plafond et transformait leurs traits en masques d'Halloween.

Est-ce qu'ils m'observaient ? Est-ce que la fatigue me faisait voir des choses qui n'existaient pas ? J'ai risqué un coup d'œil dans leur direction.

Le béluga a chaussé des lunettes et m'a adressé un sourire huileux.

J'ai vite baissé les yeux sur mon assiette.

La note signée, je me suis dépêchée de regagner ma chambre. J'ai rappelé chez Jake. Toujours pas de réponse.

Peut-être que son mal de tête avait empiré et qu'il avait débranché son téléphone pour dormir ?

À défaut d'une idée meilleure, je me suis plongée dans un bain, mon remède habituel en cas de stress. Sans effet ce coup-ci.

Qui étaient ces types au bar ? Qui était Hossam Al-Ahmed ?

Qu'est-ce qui était arrivé à Courtney Purviance ?

Où était passé Jake ? Comment allait-il ? Avait-il eu une rechute ? Une embolie, une hémorragie durale ?

Sainte Mère de Dieu ! Je devenais complètement schizophrène.

J'étais en train de me sécher quand mon regard est tombé sur les relevés de téléphone. Ils étaient secs à présent, mais ondulés et parsemés de grandes taches brunes, souvenir de leur rencontre avec mon Coke. Et si je m'y remettais ? Ça m'éviterait de m'angoisser pour Jake.

Installée sur mon lit, j'ai allumé la lampe et regardé par la fenêtre. Le haut du minaret disparaissait sous un léger voile de brume.

Si la vue de ma chambre n'était pas l'un de ces panoramas grandioses sur Jérusalem, elle était rassurante. Un ciel nocturne. Vaste et éternel.

Mon regard s'est reporté sur l'intérieur de ma chambre, sur le rectangle sombre du plafond traversé de flèches de lumière. La chaleur du jour s'était apaisée. La pièce baignait dans une fraîcheur agréable, humide et embaumée.

Les relevés de téléphone posés sur mes genoux pliés, j'ai fermé les yeux et laissé les sons pénétrer en moi.

La circulation. La clochette d'un magasin. Un rendez-vous de chats dans la cour.

Une sirène de voiture a tranché la nuit de signaux sonores de plus en plus stridents.

Ouvrant les yeux, j'ai pris la liste.

J'avançais plus vite que l'autre fois. Je reconnaissais des numéros, j'étais capable d'établir plus rapidement les séquences dans les coups de fil échangés.

Cependant mes paupières devenaient lourdes. J'avais de plus en plus de mal à retrouver la ligne où j'en étais.

Je m'apprêtais à éteindre la lumière quand un numéro a capté mon attention. L'aurais-je mal lu dans mon état de semi-somnolence, ou ces chiffres avaient-ils véritablement quelque chose de particulier ?

Je les ai relus plusieurs fois.

Le sang m'est monté au cerveau.

Appeler Ryan tout de suite !

Chapitre 36

— Ryan à l'appareil.

— C'est Tempe.

— Comment s'est passé ton dîner ? (Ton malheureux.)

— Jake m'a posé un lapin.

Léger hic de surprise, puis :

— Quel mal élevé ! Je le ferai flageller.

— Non, ça a été une chance. J'en ai profité pour parcourir les relevés de téléphone et j'ai découvert quelque chose.

— Je t'écoute.

— Quand est-ce que Ferris a emmené sa femme à Boca Raton ?

— Mi-janvier.

Ryan répondait par phrases courtes. Je me le suis représenté dans une bagnole avec Friedman, tous les deux pliés comme des bretzels dans le noir.

— C'est ça. Je te donne une suite d'appels que je crois avoir reconstituée. 28 et 29 décembre, appels passés à l'hôtel Renaissance à partir de l'entrepôt de Mirabel : Ferris organisant le séjour.

— OK.

— 4 janvier : appel à Sainte-Marie-des-Neiges. Ferris prévenant Morissonneau qu'il veut récupérer Max.

— Continue.

— 7 janvier : appel de Ferris à Kaplan depuis chez lui. Le vendeur contactant son intermédiaire. 10 janvier : nouvel appel à Kaplan. Ensuite, du 16 au 23, baisse très nette du nombre de coups de téléphone passés à partir de l'entrepôt.

— Ferris était dans le Sud avec Miriam.

— Exact. Deux appels à Boca Raton. Probablement Courtney Purviance appelant son patron. Mais note ça. Le 19 janvier, le numéro de chez Kaplan est composé à partir de l'entrepôt.

Ryan a pigé au quart de tour.

— Qui a appelé Kaplan, puisque Ferris était en Floride ?

— La secrétaire ?

— D'accord, elle faisait tourner la boîte en l'absence du chef. Mais pourquoi appeler Kaplan qui n'est ni un client ni un fournisseur ? D'autant que l'affaire entre Ferris et Kaplan n'était pas vraiment kascher, c'est le moins qu'on puisse dire. Je doute sincèrement qu'ils l'aient mise au courant de leurs transactions. (Une pause.) Est-ce qu'elle aurait répondu à un message qu'il aurait laissé à l'intention de Ferris ?

J'ai réfléchi à la question avant de continuer.

— Les relevés de chez Kaplan ou de son magasin ne montrent aucun appel passé à l'entrepôt.

— Pourtant un appel a bien été passé de l'entrepôt chez Kaplan pendant que Ferris était en Floride. Et il y a peu de chances pour que ce soit Courtney Purviance. Alors qui c'est, bordel ? Et pourquoi ?

— Quelqu'un ayant accès à l'entrepôt ? Quelqu'un de la famille ?

— Encore une fois, pourquoi ?

— Question hautement pertinente, monsieur le détective.

— Enfant de chienne.

— En effet. Et ton Birch ? Quoi de neuf de son côté ?

Au bruit qui m'est parvenu, je me suis imaginé Ryan dépliant et repliant son grand corps pour tenter de trouver une position plus confortable.

— Toujours aucune nouvelle de la secrétaire.

— C'est mauvais, non ?

— Si elle a entendu ou vu quelque chose, l'agresseur peut l'avoir descendue pour l'empêcher de parler.

— *Jesus*.

— Les gars de la balistique ont eu des nouvelles du Jéricho 9 mm qui a tué Ferris. L'arme a été déclarée volée par un vieux plombier de soixante-quatorze ans du nom d'Ozols. Piqué dans sa voiture à Saint-Léonard.

— Quand ça ?

— Le 22 janvier. Moins de trois semaines avant que Ferris soit abattu. Birch penche pour un gang de rue. On pique une arme, on braque un entrepôt, l'affaire tourne mal et Ferris se fait descendre.

Une légère trépidation s'est manifestée à la surface de mon inconscient.

— Pourtant, d'après Purviance, il ne manque aucun objet de valeur, ai-je rétorqué distraitement, troublée que j'étais par ces signaux en provenance de mon inconscient.

— Les gars ont pu paniquer et se tirer.

— Le vol du pistolet peut laisser penser à un coup prémédité. Quelqu'un qui avait besoin d'une arme. Surtout que Ferris a pris deux balles dans l'arrière du crâne, ce qui me paraît plus l'acte d'un professionnel que d'un type pris de panique.

— Miriam était en Floride.

— C'est vrai.

J'ai entendu une voix dans le fond. Ryan m'a jeté : « Kaplan change d'endroit », et il a coupé.

Je suis revenue aux relevés de téléphone, à présent bien réveillée. Cette fois-ci, j'ai commencé par l'appartement de Kaplan. Les relevés de janvier et de février étaient courts.

Presque tout de suite, nouveau coup au cœur.

1er février. 972 : le code international pour Israël. 02 : l'indicatif de Jérusalem et d'Hébron. Suivait un numéro que je connaissais.

Le musée Rockefeller. Et pas le standard, la ligne directe de Tovya Blotnik.

Durée de l'appel : vingt-trois minutes.

Blotnik était entré dans l'histoire au moins dix jours avant que Ferris ne soit tué.

Est-ce que ce numéro n'aurait pas déjà été appelé ? Était-ce à propos de ce numéro que mon inconscient me lançait des signaux ?

J'ai repris les relevés de l'entrepôt. En plein dans le mille ! Ferris avait appelé le standard du musée Rockefeller le 8 janvier. Un mois plus tard, il appelait Blotnik sur sa ligne directe.

Cependant, ma sensation de démangeaison au niveau de l'inconscient persistait, comme si les signaux qu'il m'envoyait concernaient tout autre chose.

Mais quoi ?

Réfléchis, Brennan.

Hélas, c'était comme un mirage. Plus je me concentrais, plus les choses s'estompaient, devenaient insaisissables.

Au diable ! Que mon inconscient aille se faire voir ailleurs !

J'ai commencé à composer le numéro de Ryan. J'ai interrompu mon geste au milieu. Il était en pleine filature. Pour peu qu'il ait oublié de couper sa sonnerie, je risquais de faire capoter sa mission.

J'ai appelé Jake.

Toujours pas de réponse.

J'ai raccroché violemment.

Qu'est-ce qu'il pouvait bien foutre, à plus de onze heures du soir ?

J'ai voulu me remettre à l'étude des relevés. Impossible de me concentrer.

J'ai arpenté ma chambre. Mes yeux passaient du bureau à la fenêtre et de là aux motifs du couvre-lit. Quelle histoire racontaient-ils ? Quelle histoire Max raconterait-il s'il était capable de parler ?

Blotnik et Kaplan s'étaient parlé. De quoi ? Kaplan avait-il appelé l'AAI pour obtenir des renseignements sur ce squelette ? Non. Ça, c'était le boulot de Ferris. Kaplan n'était rien qu'un intermédiaire. Sauf que Blotnik était peut-être un acheteur potentiel ?

Et Jake ? Est-ce qu'il serait malade ? Écroulé par terre chez lui, sans connaissance ?

Est-ce qu'il était fâché que je ne le suive pas dans ses critiques sur Blotnik ? Plus fâché que je ne m'en étais rendu compte ?

Ces critiques, d'ailleurs, étaient-elles fondées ?

Pensée horrible : et si Blotnik n'était pas seulement ambitieux, mais dangereux ?

J'ai rappelé chez Jake. Encore une fois le répondeur.

— Merde de merde !

J'ai sauté dans mon jean. Attrapant mon coupe-vent et les clefs de la voiture de Friedman, je me suis ruée dans l'escalier.

Chez Jake, aucune fenêtre n'était allumée. Le brouillard avait épaissi au point de gommer presque totalement les maisons voisines.

Affreux.

Descendue de voiture, j'ai traversé la rue à fond de train. Comment faire pour entrer chez Jake ? En escaladant le mur de la cour pour atteindre les arbres plantés de l'autre côté et dont la cime et les branches faisaient comme des griffures sur le ciel noir.

J'avais tort de m'inquiéter. Le portail n'était pas verrouillé, il était même entrebâillé. Coup de chance ? Malheur ?

J'ai poussé le battant.

Dans la cour, une unique ampoule colorait le parc à chèvres d'une lumière jaune maladive. Mon passage a déclenché du mouvement. Une succession de gigots sur pattes m'a accompagnée le long du chemin.

Je n'ai pu retenir un bêlement.

Les chèvres m'ont snobée.

Aux odeurs animales se joignaient celles, humides, de la ville. Sueur. Laitues pourries et pommes gâtées.

L'escalier de Jake ressemblait à un tunnel étroit et noir. Les ombres se mêlaient aux ombres pour créer tout un rosaire de formes étranges. Grimper les marches m'a pris une éternité. Je n'arrêtais pas de me retourner pour scruter l'obscurité.

Arrivée à la porte, j'ai frappé doucement.

— Jake ?

Pourquoi est-ce que je chuchotais ?

— Jake, ai-je répété d'une voix exigeante en tapant sur le bois du plat de la main.

Trois appels, pas de réponse.

J'ai tourné le bouton. La porte s'est entrouverte.

Léger frisson de crainte.

D'abord le portail, maintenant la porte. Jake serait-il sorti en laissant tout ouvert ?

Jamais de la vie. Mais est-ce qu'il s'enfermait à clef quand il était chez lui ? Impossible de m'en souvenir.

J'ai hésité.

S'il était là, pourquoi ne me répondait-il pas ? Des images monstrueuses commençaient à danser la java dans ma tête. Jake écroulé par terre. Jake étendu sans connaissance sur son lit.

Quelque chose m'a frôlé la jambe.

J'ai fait un bond de trois mètres, la main sur la bouche, le cœur battant à tout rompre.

J'ai baissé la tête. Un chat me regardait fixement de ses yeux phosphorescents. Avant que je n'aie eu le temps de faire un geste, la porte s'est ouverte dans un léger grincement. Le chat s'est enfui.

J'ai fixé l'espace devant moi. À l'autre bout de la pièce, près de l'ordinateur, des objets jetés en vrac. Même dans la pénombre, on reconnaissait des lunettes de soleil, un portefeuille, un passeport.

J'ai tout compris.

Et ouvert grand la porte.

— Jake ?

Vains tâtonnements sur le mur à la recherche de l'interrupteur.

— Jake, tu es là ?

Avançant dans le noir, j'ai tourné dans la grande salle qui donnait sur l'avant de la maison. Je promenais à nouveau ma main sur le mur quand le fracas d'un objet qui se brise a retenti sur ma gauche.

Sous l'effet de la giclée d'adrénaline, j'ai trouvé le bouton. La pièce s'est inondée de lumière.

Le chat se tenait sur le plan de travail, pattes fléchies, muscles tendus, prêt à l'envol. Au pied du placard en épi, un vase en mille morceaux et une mare sur le carrelage couleur rouille, telle une flaque de sang.

Le chat s'est laissé tomber à côté et l'a reniflée.

— Jake !

Relevant la tête, l'animal s'est immobilisé, une patte en l'air, les yeux fixés sur moi, et a poussé un « mrrrp » menaçant.

— Mais où diable est-il passé ? ai-je lancé tout haut.

Au son de ma voix, le félin a bondi en l'air comme un contribuable à la question d'un contrôleur fiscal.

— Jake !

Terrifié, le chat a filé devant moi et vidé les lieux par où il était entré.

Jake n'était pas dans sa chambre à coucher. Pas non plus dans le bureau. Tout en courant d'une pièce à l'autre, je notais certains détails.

Une tasse dans l'évier. De l'aspirine sur le plan de travail. La table du bureau dégagée de tout ce qui l'encombrait cet après-midi, papiers et photos. En dehors de ça, tout était dans le même état qu'au moment de mon départ, plus tôt dans la journée.

Les os. Jake les avait-il emportés pour les remettre à Ruth Anne Bloom ?

J'ai foncé dans la dernière pièce. Pas de lumière quand j'ai fait basculer l'interrupteur.

Retour à la cuisine en pestant. Fouille des tiroirs à la recherche d'une lampe électrique et retour dans la chambre aux ossuaires.

L'armoire était au fond. À l'endroit où les portes étaient censées se rejoindre, il y avait une grande bande noire de haut en bas. À cette vue, mon cœur s'est serré.

Tenant la torche à hauteur de l'épaule, je me suis avancée. Ça sentait la colle, la poussière et une terre millénaire. Des ombres se tordaient bizarrement dans tous les endroits qui échappaient à mon faisceau.

À deux mètres de l'armoire, je me suis immobilisée.

Plus de cadenas. Une porte en biais.

Qu'il ait récupéré les os ou qu'il les ait laissés, Jake aurait redressé le battant.

Et refermé l'armoire à clef.

J'ai fait demi-tour sur moi-même.

Obscurité totale.

Le seul bruit dans la maison était celui que faisait l'air entrant et sortant de ma bouche.

En quatre enjambées, j'ai franchi l'espace et illuminé l'intérieur de l'armoire. Des grains de poussière ont tournoyé et virevolté dans le cône de lumière dure et blanche.

Les ossuaires reconstruits étaient là.

Les ossuaires en morceaux étaient là.

Les os du linceul n'y étaient pas.

Chapitre 37

Jake avait-il emporté les os pour les remettre à Ruth Anne Bloom ?

Sûrement pas. De toute façon, il aurait forcément refermé l'armoire et ne serait pas sorti sans son passeport et son portefeuille en laissant tout ouvert derrière lui.

Les os avaient-ils été volés ?

Jake tué ?

Oh, mon Dieu ! Et s'il avait été enlevé ? Ou pire encore ?

L'angoisse provoque un afflux d'émotions violentes. Une série de noms m'a déchiré le cerveau. Hevrat Kadisha. Hershel Kaplan. Hossam Al-Ahmed.

Tovya Blotnik !

Un léger craquement a retenti, franchissant le barrage de ma peur.

Des pas sur le gravier ?

Éteignant la lampe, j'ai tendu l'oreille.

Ma manche frottant le devant de mon coupe-vent en nylon ; des branches raclant le plâtre du mur ; des chèvres bêlant dans la cour.

Bruits bénins, dépourvus d'hostilité.

Je me suis laissée tomber à genoux devant l'armoire. Où était passé le cadenas ?

Revenue à la cuisine, j'ai rangé la lampe à sa place. En refermant le tiroir, j'ai remarqué les clignotements du répondeur sur le plan de travail. Dix messages pour le moins.

Personnellement, j'en avais passé huit, le premier vers cinq heures ; le dernier juste avant de venir.

Parmi les autres appels, certains pourraient peut-être m'indiquer où Jake était parti. Mais peut-on violer la vie privée d'un ami ?

Dans une situation dramatique ? Et comment !

J'ai enfoncé le bouton d'écoute.

Le premier message était le mien.

Le deuxième, en hébreu, avait été laissé par un homme. J'ai reconnu les mots *Hevrat Kadisha* et *isha*, ce dernier signifiant « femme ». Heureusement, l'appel était bref. À force de le repasser, j'ai réussi à le transcrire phonétiquement.

L'appel suivant venait de Ruth Anne Bloom. Pour dire qu'elle resterait tard à son bureau.

Les sept messages suivants étaient les miens.

La machine s'est arrêtée.

Qu'est-ce que j'avais appris ? Rien.

Jake était-il déjà parti quand j'avais appelé la première fois ? Avait-il délibérément ignoré mes messages ou ne les avait-il pas entendus ? Était-il parti après avoir entendu le message de l'homme ? Celui de Ruth Anne Bloom ? Était-il parti de lui-même ?

J'ai regardé le charabia que j'avais retranscrit.

Il était maintenant plus de minuit. Qui appeler ?

Ryan a répondu à la première sonnerie.

Je lui ai annoncé où j'étais et ce qui s'était passé.

Soupir exaspéré annonciateur de remontrances. Je n'étais pas d'humeur à l'entendre me remettre sur le nez que je n'aurais jamais dû sortir seule. Je lui ai coupé l'herbe sous le pied en disant que Jake était sûrement dans un drôle de pétrin.

— Ne quitte pas. Je te passe Friedman.

J'ai lu tant bien que mal les phonèmes que j'avais notés au policier israélien, m'y reprenant plusieurs fois pour qu'il répète enfin des phrases en hébreu qui ressemblent au message laissé sur le répondeur.

L'interlocuteur, membre du Hevrat Kadisha, appelait en réponse à la question de Jake sur le sort de Max.

OK. Je m'en étais douté. En revanche, ce qu'il racontait ensuite m'a carrément épatée.

Il se plaignait en effet d'être « harcelé » au téléphone par une femme.

— C'est tout ?

— Le type a souhaité aussi à votre ami d'avoir les mains qui se dessèchent et tombent si jamais il profanait une autre sépulture.

Une femme avait appelé le Hevrat Kadisha ?

Un bruissement m'est parvenu, Friedman repassant l'appareil à Ryan.

— Tu sais ce que je veux que tu fasses.

Décrété sur un ton sans réplique.

— Oui.

— Tu vas rentrer immédiatement à l'American Colony ?

— Oui.

Traduire : oui, mais plus tard, et Ryan l'a deviné.

— Tu comptes faire quoi, d'abord ?

— Traîner un peu ici, voir si je trouve le moyen de contacter l'équipe de Jake. Qui sait, il garde peut-être ici une liste des gens qui travaillent avec lui, à Talpiot.

— Et après ?

— Les appeler.

— Et après ?

L'adrénaline avait bloqué mon cerveau en cinquième vitesse. Avec son paternalisme, Ryan ne m'incitait pas à rétrograder.

— Traîner un peu du côté de chez Arafat, montrer mes belles jambes. Peut-être même me trouver un cavalier pour samedi soir.

Ryan a fait comme s'il n'avait pas entendu.

— Si tu vas où que ce soit ailleurs qu'à l'hôtel, tu m'appelles, s'il te plaît.

— Je n'y manquerai pas.

— Je ne rigole pas.

— Je t'appellerai.

Une pause.

C'est moi qui l'ai rompue.

— Que fait Kaplan ?

— Il s'exerce à être le meilleur scout de la meute.

— C'est-à-dire ?

— Il se couche à l'heure des poules.

— Tu le surveilles ?

— Je le couve. Tu sais, Tempe, c'est très possible que ce ne soit pas lui, le tueur. Dans ce cas-là, il faudra qu'on cherche complètement ailleurs.

— Tu as raison. Mieux vaut que j'abandonne l'idée d'aller draguer à Ramallah.

Ryan n'a pu faire autrement que de me sortir sa répartie habituelle.

— Tu peux être vraiment chiante, Brennan !

À quoi j'ai rétorqué, fidèle à la tradition :

— Je sais. Je me donne du mal.

La communication coupée, j'ai filé dans le bureau de Jake. Le fouillis près de l'ordinateur a immédiatement attiré mon attention. La vue de ses lunettes a décuplé mon angoisse.

Le site de Jake se trouvait en plein désert, il n'y serait jamais allé sans lunettes de soleil. Et il ne serait allé nulle part sans ses papiers d'identité.

Et ses clefs de voiture ?

J'ai commencé à soulever les papiers, à fouiller dans des coupes, à ouvrir et fermer des tiroirs.

Pas de clefs.

J'ai regardé dans la chambre à coucher, dans la cuisine, dans la salle de travail.

Rien.

Et aucune information sur l'équipe. Pas de liste de noms. Pas de feuille de service. Pas de livre de comptes avec talons de chèques. Rien. Néant.

Revenue près de l'ordinateur, j'ai remarqué un Post-it jaune coincé sous le clavier. Je m'en suis emparée.

Gribouillé de la main de Jake, le nom *Esther Getz*, suivi d'un numéro de téléphone qui ne différait que par le dernier chiffre de celui de Blotnik au musée Rockefeller.

Et si la non-chouchoute de la classe était justement la bonne femme qui « harcelait » le Hevrat Kadisha ?

Je n'avais pas la plus petite molécule de preuve pour avancer cette idée, sinon que la personne à l'origine de ce harcèlement était une femme. Mais en quoi ces appels au Hevrat Kadisha nous concernaient-ils ?

Réfléchissons... Jake avait eu l'intention d'aller voir Esther Getz ou Ruth Anne Bloom. Ou même les deux. Est-ce qu'il l'avait fait ? J'ai fixé le numéro. Appeler à cette heure ? Ridicule. Et grossier. « Au diable la grossièreté ! » Je restais debout, les doigts crispés sur le combiné.

Il fallait prévenir quelqu'un.

Et, de nouveau, ce clignotement au niveau de mon inconscient.

À peine une sensation qui, déjà, s'enfuyait.

Qui revenait... Qui s'enfuyait...

Une sensation qui me disait quoi ?

Souvent, quand je ne comprends plus rien à rien, je me répète une à une les choses que je sais dans l'espoir que cela fera jaillir une idée neuve.

Réfléchis, Brennan.

Le squelette de Massada. Volé.

Les os du linceul. Volés.

Jake. Disparu.

Courtney Purviance. Disparue.

Avram Ferris. Mort.

Sylvain Morissonneau. Mort.

Hershel Kaplan. Engagé pour tuer quelqu'un. Engagé par une femme, selon lui. À présent en Israël. Pour tenter de vendre un squelette ?

Ma chambre d'hôtel dévastée.

Ma voiture suivie.

Les coups de téléphone Ferris-Kaplan-Blotnik.

Ruth Anne Bloom. Je n'avais pas confiance en elle. Pourquoi ? Parce que Jake m'avait dit de ne pas contacter l'AAI ?

Tovya Blotnik. Jake ne lui faisait pas confiance.

Les os de la grotte 2001. Apparentés aux os du tombeau de la vallée du Cédron.

Y avait-il un élément commun à toutes ces questions ?

Bien sûr. Le squelette. Tout revenait toujours à Max.

Et cette démangeaison irritante au niveau de l'inconscient qui ne me quittait pas.

Y aurait-il une pièce du puzzle placée au mauvais endroit ?

Si oui, je ne voyais pas laquelle.

Depuis un petit moment, je fixais une photo au-dessus de l'écran de l'ordinateur. Celle d'un Jake souriant, tenant une coupe en pierre.

Mon esprit à recommencé en boucle :

Jake. Disparu.

J'ai composé un numéro.

À mon ahurissement, une voix a répondu : « Je suis là. »

Une voix étouffée, comme si mon interlocuteur parlait avec un mouchoir devant sa bouche.

Je me suis présentée.

— L'Américaine ?

À l'autre bout de la ligne, c'était l'ébahissement.

— Croyez bien que je suis désolée de vous appeler à cette heure, docteur Blotnik.

— Je… Je travaille tard… C'est une habitude…

Un ton désarçonné. Visiblement, il attendait un autre appel.

Quant à moi, je n'étais pas moins stupéfiée par sa réaction. La première fois que j'avais appelé Blotnik, de Montréal, il était déjà rentré chez lui alors qu'il était à peine plus de six heures du soir.

— Vous avez vu Jake Drum aujourd'hui ? ai-je demandé, faisant fi des politesses.

— Non.

— Ruth Anne Bloom?

— Ruth Anne?

— Oui.

— Elle est dans le Nord, en Galilée.

Tiens donc! Dans le message laissé sur le répondeur de Jake, elle disait qu'elle travaillerait tard. Mais où? Chez elle? Au musée? Ailleurs? Dans un laboratoire? Avait-elle changé de programme, menti, ou est-ce que c'était Blotnik qui me mentait maintenant? qui avait simplement mal compris?

J'ai pris une décision rapide.

— Il faut que je vous voie.

— Au milieu de la nuit?

— Tout de suite.

— C'est impossible. Je suis…

À l'évidence, Blotnik était éberlué.

— Je serai là dans une demi-heure. Attendez-moi!

Je n'ai pas écouté sa réponse.

En voiture, j'ai pensé à Ryan. J'aurais dû l'appeler de chez Jake pour lui dire où j'allais et maintenant, je n'avais pas de cellulaire. Enfin, je trouverais bien le moyen de l'appeler de chez Blotnik.

Décidément, c'était la nuit des portes ouvertes. J'aurais dû y voir un présage. Au lieu de ça, je me suis dit que Blotnik était drôlement gentil d'avoir pensé à m'ouvrir le portail de l'AAI.

J'ai roulé jusqu'à l'aire de stationnement et remonté l'allée d'un pas vif. Le brouillard était en train de céder la place à une brume légère.

L'air sentait la terre retournée, les fleurs et les feuilles mortes.

Le musée se dressait comme une forteresse noire et gigantesque, dont les contours se fondaient dans la nuit veloutée. Au moment de tourner le coin du bâtiment, j'ai jeté un coup d'œil derrière moi.

Au-delà du portail ouvert, la vieille ville assoupie formait un amoncellement de pierres sombres et muettes. Envolés les livreurs, ménagères, écoliers et clients qui se frôlaient dans les ruelles étroites. Deux cônes blancs ont balayé la brume. Les phares d'une voiture qui tournait de la rue Soliman Pacha dans la rue Derech Jéricho.

L'entrée sur le côté, réservée au personnel du musée, était ouverte, elle aussi. Il suffisait de pousser le battant.

Le vestibule baignait dans une lumière ocre tombant d'un plafonnier ancien. Devant moi, le petit couloir fermé par une porte qui devait mener aux salles d'exposition. À droite, un escalier de fer en colimaçon. Accès par les coulisses aux bureaux que j'avais visités avec Jake en empruntant l'escalier d'honneur.

Près de la porte donnant sur les salles d'exposition, une étagère en bois avec un téléphone. La tonalité a retenti comme un cor français dans le bâtiment désert quand j'ai soulevé le combiné.

Ryan était sur répondeur. Toujours en filature ? Je lui ai laissé un message.

Prenant une profonde inspiration, j'ai entrepris de grimper l'escalier, me tenant d'une main à la rampe et faisant porter le poids de mon corps sur la pointe de mes pieds. En haut, un long couloir s'ouvrait devant moi, celui que j'avais suivi avec Jake quand nous étions venus apporter le linceul à Esther Getz. Je m'y suis engagée. Mes pas résonnaient sur les murs et le sol.

Une seule applique sauvait les lieux de l'obscurité totale. À droite, des balcons donnant sur les salles du rez-de-chaussée. À gauche, des renfoncements voûtés noyés dans un noir d'encre à l'exception d'un seul, le quatrième, le bureau de Blotnik, d'où émanait une vague lueur.

En m'approchant, j'ai compris son origine : l'encadrement de la porte laissait filtrer la lumière de la pièce.

Et des voix.

À peine audibles, ces voix, mais sereines.

Avec qui Blotnik pouvait-il s'entretenir dans son bureau, à une heure du matin ? Avec Jake ? Avec Ruth Anne Bloom ? Avec Esther Getz ?

J'ai frappé doucement.

Les voix n'ont pas réagi.

J'ai frappé à nouveau. Plus fort.

Aucun répit dans la conversation.

— Docteur Blotnik ?

Les hommes continuaient de parler. Mais était-ce bien des hommes ?

J'ai collé mon oreille à la porte.

— Docteur Blotnik ? Vous êtes là ?

C'est drôle comme l'esprit immortalise certains instants à la façon d'une photo. Aujourd'hui, je revois parfaitement ce bouton de porte, vieux et verdi ; je sens encore la fraîcheur du cuivre dans le creux de ma main. L'inconscient, plus rapide que l'éclair, dresse déjà la carte du territoire alors que les sens en sont encore à attendre la connexion GPS.

La porte s'est ouverte dans un grincement de gonds.

Voix… Odeur.

Une partie de mon cerveau a enregistré la situation.

Sans rien savoir encore, je savais déjà.

Chapitre 38

Prise de conscience du monde réel autour de moi. Millions d'informations s'engouffrant à la fois dans mes oreilles, mon nez et mes yeux.

Une conversation paisible, des voix signées BBC. La radio sur la crédence près du bureau de Blotnik. Un soupçon de cordite dans l'air. Et autre chose… salé… cuivré.

Les petits poils de mon cou et de mes bras se sont hérissés. Mon regard a volé jusqu'au bureau.

Une angoissante lumière verte tombant de la lampe à abat-jour en pâte de verre. Des piles de papiers écroulées sur le bureau. Des livres éparpillés, des stylos. Un pot renversé et brisé. À côté, le petit cactus qu'il contenait, planté dans sa motte de terre.

L'angle bizarre que formait le fauteuil de Blotnik. Et derrière, bien visible malgré le plafonnier éteint, le mur ensanglanté. Blessé à mort.

Des éclaboussures résultant d'un impact à grande vitesse !

Seigneur Dieu. Qui avait été touché ? Jake ? Blotnik ?

Je ne voulais pas regarder.

Il fallait pourtant que je sache.

Je me suis avancée.

Pas de cadavre derrière la table.

Soulagement ? Ahurissement ? Je n'aurais su le dire.

Au fond de la pièce à droite, un cagibi, semblait-il, à en juger par la faible lueur qui sortait de la porte entre-bâillée.

Rasant le bureau, je m'en suis approchée et l'ai poussée du bout des doigts.

Nouveau déluge d'images à assimiler.

Du bois sombre, lissé par des générations de couches de vernis.

Des fournitures de bureau, des boîtes et des récipients étiquetés empilés sur des étagères métalliques formant un L orienté à gauche. Une lueur sortant de derrière ce L.

Un centimètre après l'autre, effleurant d'une main le bord d'une étagère, je me suis avancée presque jusqu'au coin.

Cinq pas de plus et mon pied a glissé sur quelque chose de poisseux et d'humide.

J'ai baissé les yeux.

Une rigole sombre semblait suivre le tracé du L.

Hurlement avant l'accident. Perception d'une ombre sur le sol, juste avant qu'il ne plonge. Sirène mentale : j'arrivais trop tard.

Trop tard pour qui ?

J'ai forcé mes pieds à passer l'angle.

Blotnik était étendu sur le ventre, sa kippa pleine de sang enfoncée dans le crâne. Il avait également une blessure au dos et une autre à l'épaule. Un magma de viscères suintants auréolait son corps.

Ma main s'est plaquée sur ma bouche. La tête me tournait. Dans un instant, j'allais vomir. Je me suis effondrée contre le mur. Une seule pensée me lancinait. Pas toi, Jake ! Dis-moi que ce n'est pas toi qui as fait ça !

Mais qui, alors ? Des juifs ultra-orthodoxes ? Des chrétiens intégristes ? Des islamistes fondamentalistes ?

Une seconde a passé. Cinq. Dix.

Le temps de recouvrer mes sens.

Évitant le sang, je suis allée m'accroupir près de Blotnik.

Mes doigts n'ont pas senti de pulsations dans son cou. Sa peau était fraîche, pas froide.

Mort récente. Évidemment, puisque je lui avais parlé il n'y avait pas une heure.

Le tueur était-il toujours là ?

Revenue tant bien que mal dans le bureau, j'ai décroché le téléphone.

Pas de tonalité.

Mes yeux ont suivi le fil. Coupé net à dix centimètres de la prise.

Peur à haute tension.

J'ai balayé des yeux le dessus du bureau, repéré un papier parmi tous les autres.

Pourquoi celui-là ?

Parce qu'il était propre et net au milieu du fouillis général.

Posé sous le fouillis.

Posé là avant le fouillis ? Blotnik était-il en train de le lire juste avant le drame ?

Ce papier pouvait-il m'indiquer où était Jake ?

Scène de crime ! Interdiction de rien toucher ! m'a hurlé le lobe gauche de mon cerveau.

Tu dois trouver Jake ! a contre-attaqué le droit.

J'ai dégagé le papier.

Le rapport d'Esther Getz sur le linceul. Adressé à Jake.

Comment se faisait-il que Blotnik l'ait sur son bureau ? Ce genre de rapports passait-il toujours entre les mains du directeur de l'AAI, ou l'avait-il piqué dans le labo d'Esther Getz ? Parce que l'experte en textile était employée par le musée Rockefeller. Elle ne dépendait pas du département des Antiquités israéliennes. C'était bien la raison pour laquelle Jake s'était adressé à elle. Forcément, puisqu'il ne voulait pas que Blotnik soit au courant.

Mais travaillait-elle exclusivement pour le musée ? N'était-elle pas rattachée de fait au personnel de Blotnik ? Ce n'était pas impossible, à en juger par la façon dont elle avait dit avoir pris possession du linceul pour l'AAI.

Avait-elle deux casquettes ? L'une d'employée du musée Rockefeller, l'autre d'employée des Antiquités israéliennes ? Je n'avais pas questionné Jake sur ce point.

Getz était-elle de connivence avec Blotnik d'une façon ou d'une autre ? Cette connivence concernait-elle les os du linceul ?

Mais Jake ne lui avait pas dit que nous en avions trouvé aussi. Sauf que… il y avait le Post-it avec le nom et le numéro de téléphone de l'experte en textile sur le bureau de Jake. S'était-il entretenu avec elle plus tard dans la journée ? Après notre visite ?

En tout cas, ce n'était pas lui qui avait pu remettre ce rapport à Blotnik. Il le détestait trop.

Pensée abominable : Jake avait un pistolet !

Découvrant le vol et soupçonnant Blotnik, Jake avait fait irruption dans son bureau pour exiger qu'il lui restitue les os.

La discussion s'envenimant, Jake aurait-il abattu le directeur de l'AAI dans un accès de fureur ?

J'ai survolé le rapport. Trois mots m'ont immédiatement sauté aux yeux : « Restes de squelette. » J'ai lu le paragraphe. Esther Getz avait trouvé des fragments d'os microscopiques accrochés au tissu du linceul et supposait dans son rapport qu'il devait exister des fragments plus importants.

Ainsi, Blotnik était au courant !

J'ai fait un rapide tour du bureau. Pas la moindre trace des os du linceul. J'en étais à fouiller le cagibi quand un léger grincement m'est parvenu.

L'air s'est bloqué dans ma gorge. La porte du couloir, les gonds qui avaient besoin d'être huilés !

Quelqu'un était entré.

Traversait maintenant le bureau de Blotnik ! J'entendais ses pas.

Un bruissement de papier est parvenu jusqu'à moi. Puis d'autres pas… Se dirigeant vers la crédence ?

Sans réfléchir, j'ai reculé lentement pour me cacher derrière les rayonnages.

J'ai dérapé dans la flaque de sang et plongé en avant, battant l'air de mes bras. L'instinct a pris le commandement. Mes doigts se sont refermés sur un montant métallique. Les étagères ont vacillé.

Le temps a explosé.

Un paquet de serviettes en papier a dégringolé par terre.

Silence immédiat dans le bureau.

Silence total dans le cagibi.

Le prédateur et la proie humant l'air.

Des pas pressés.

Qui s'éloignaient ?

Soulagement.

Non, une peur paralysante, une main qui me broyait la poitrine. Les pas se rapprochaient !

Je me suis tapie, paralysée, aux aguets du moindre bruit.

Face au péril, mon cerveau a fait jaillir de ma mémoire un vieux précepte oublié depuis des lustres.

En matière de visibilité, toujours garder l'avantage.

L'intrus pouvait me voir mieux que moi. Attrapant un livre, j'ai visé le plafonnier derrière moi. L'ampoule, se brisant, a projeté ses morceaux de verre sur le cadavre de Blotnik.

Une silhouette s'est encastrée dans la porte. Son chapeau à large bord m'empêchait de voir ses traits. Parfaitement visibles en revanche le gros sac bosselé pendu à son épaule gauche et, dans sa main droite, l'objet braqué sur moi.

Un raclement de gorge, suivi de :

— *Mi sham ?* Qui est là ?

Une femme.

Je suis restée immobile.

L'inconnue s'est éclairci la gorge encore une fois avant de répéter la question en arabe.

Dans le bureau, la voix grêle de la BBC dévidait les infos.

La femme a reculé d'un pas. Dans le contre-jour verdâtre, j'ai distingué des bottes, un jean et une chemise kaki. Des ronds sous les bras. Une boucle blonde échappée du chapeau.

La femme était lourde. Bien trop petite pour être Esther Getz. Surtout, elle était blonde.

Ruth Anne Bloom?

La sueur coulait sur mon visage, une chaleur glacée envahissait ma poitrine.

L'assassin de Blotnik? Allait-elle me tuer, moi aussi?

Une pensée est remontée du fond de mon cerveau: gagner du temps!

— Qui êtes-vous?

— C'est moi qui pose les questions.

Réplique en anglais.

Accent moins prononcé que celui de Ruth Anne Bloom.

Je suis restée bouche cousue.

— Réponds, ou t'es bonne pour de sérieux problèmes.

Voix dure, mais inquiète. Manquant d'assurance.

— Qui je suis n'a aucune importance.

— C'est à moi d'en décider.

Ton plus fort, menaçant.

— Le Dr Blotnik est mort.

— Et je m'en vais t'en coller une au cul bien vite.

Un parler de flic. Une gardienne faisant sa ronde, une maniaque de séries télé?

Je n'ai pas eu le temps de deviner qu'elle enchaînait déjà:

— Mais je la connais, ta voix. Je te connais!

Moi aussi, j'avais déjà entendu cet accent. Mais quand et où? Ici, en Israël? À l'hôtel? Au musée? Au poste de police? Je n'avais pas rencontré beaucoup de femmes depuis mon arrivée.

Brusquement, un souvenir: la femme dont parlait le type du Hevrat Kadisha dans son message, sur le répondeur de Jake, celle qui les harcelait de coups de téléphone.

Ainsi, ce serait elle ? Une femme avec un projet bien à elle quant à l'avenir de Max ? Et peut-être aussi quant à l'avenir des os du linceul ? Ce serait donc elle qui les aurait volés ? Mais pour quel motif ?

Elle parlait anglais, hébreu, arabe. Était-elle chrétienne ? juive ? musulmane ?

À tout hasard, j'ai lancé :

— C'est au nom du Seigneur que vous confisquez les os ?

Pas de réponse.

— Je précise ma question : au nom de *quel* Seigneur ?

— Oh, ça va !

Reniflement. Elle s'est frotté le visage de sa main libre.

Comment m'y prendre pour la sonder ?

— Je suis au courant pour le squelette de Massada.

— T'as rien compris ! (Reniflement.) Debout !

Je me suis levée.

— Les mains sur la tête.

J'ai croisé les doigts sur le haut de mon crâne, les sens en ébullition. Tenter une nouvelle approche ?

— Pourquoi tuer Blotnik ?

— Dommage collatéral.

Essayer Ferris ? Oui, pourquoi pas ?

— Mais Ferris, pourquoi l'abattre ?

Là, elle s'est figée.

— Pas de temps pour ça.

Apparemment, j'avais touché un point sensible. Autant continuer.

— Deux balles dans le crâne, c'est dur.

— Ta gueule !

Elle a reniflé, s'est éclairci la gorge.

— Vous auriez dû voir ce que les chats lui ont fait.

— Ces petits bâtards qui puent !

Quand vous tombez juste, les choses se mettent souvent en place très rapidement.

Je ne saurais dire ce que mes sens avaient noté : la cadence du discours, le nez qui coulait, les cheveux blonds, le trilinguisme, le fait qu'elle me connaissait et qu'elle connaissait aussi l'existence des chats.

Toujours est-il que des faits totalement disparates se sont brusquement accouplés.

La mauvaise réplique du policier, tirée dans *Law and Order*, quand Briscoe dit au suspect : « T'as rien compris ! »

Hersh Kaplan engagé par une femme pour tuer Avram Ferris. Par une femme qui ressemblait à un junkie, à l'en croire.

Les reniflements, les raclements de gorge et le souvenir d'une phrase : *J'ai des problèmes de sinus.*

Le coup de téléphone à Kaplan passé de l'entrepôt alors que Ferris était en Floride avec Miriam.

La déduction de Ryan concernant ce mystérieux appel : *Il y a peu de chances que ce soit Courtney Purviance.*

Le Jericho 9 mm utilisé pour abattre Ferris. Arme déclarée volée par un homme du nom d'Ozols habitant à Saint-Léonard.

Ozols, *chêne* en letton. Le nom qui m'avait frappée quand j'étais tombée dessus dans un hall d'immeuble. *C'est une véritable congrégation d'arboriculture que nous avons là, en plein Saint-Léonard.*

L'immeuble de la secrétaire de Ferris, Courtney Purviance.

Enfin, l'info que Birch avait fait parvenir à Ryan : *Courtney Purviance a pris la poudre d'escampette.*

Mon subconscient s'est épanoui en une carte de toutes les couleurs : le meurtrier d'Avram Ferris, c'était Courtney Purviance. Elle n'avait pas du tout été enlevée. Elle était là, devant mes yeux, sur le seuil du cagibi, et elle braquait un pistolet sur moi.

C'était l'évidence même. Elle travaillait à l'entrepôt, elle était au courant de tout ce qui s'y passait. Elle devait être au courant pour Max. Elle se rendait souvent en Israël, ça faisait partie de son boulot.

Mais pourquoi tuer Ferris ? Pourquoi tuer Blotnik ?

Conviction religieuse ? Avidité ? Vendetta personnelle ? Folie ?

Allait-elle me tuer avec la même cruauté ?

La peur s'est emparée de moi, puis la colère, puis un calme glacé. J'étais comme dans un état second.

Lui parler encore et encore, c'était le seul moyen. Sinon, quelle chance avais-je d'échapper à son arme ?

— Qu'est-ce qui s'est passé, Courtney ? Ferris ne voulait pas vous donner un gros morceau du gâteau ?

Le pistolet n'a plongé que pour se redresser aussitôt.

— Vous vouliez plus, c'est ça ?

— Ferme-la.

— Et maintenant, vous avez dû voler un autre pistolet ?

Purviance s'est tendue à nouveau.

— C'est plus facile d'en voler, en Israël ?

— Je te préviens !

— Pauvre M. Ozols ! Faire ça à un voisin, c'est pas très aimable.

— Pourquoi t'es là, toi ? Q'est-ce que tu viens foutre dans cette histoire ?

Le doigt de Purviance caressait dangereusement la gâchette. Elle s'énervait.

J'ai opté pour le bluff.

— Je suis avec la Sûreté du Québec.

— Avance !

Mouvement du pistolet pour me convaincre.

— Doucement.

J'ai fait deux pas. Purviance s'est décalée en même temps que moi. À la faible lumière de la lampe, nous nous sommes mesurées des yeux.

— Ouais. T'es venue chez moi avec ce con de détective.

— La police t'admire quand tu tires sur Ferris.

À mon tour, j'y allais de mon parler de policier, version Hollywood.

— T'en es une toi aussi, a-t-elle répliqué sur un ton sarcastique.

— T'es prise au piège.

— Vraiment ? (Reniflement.) Tu vas me dire aussi qu'y a tout un peloton qui attend ton coup de fil sinon le musée va sauter ?

Elle avait compris que je bluffais. Très bien. J'allais tenter un autre angle d'attaque, mais sans abandonner le jargon de la police pour autant.

— À mon avis, tu t'es fait sacrément rouler. Ferris revendait des petites choses qu'il aurait pas dû. Apportez-moi l'argent, et tant pis pour le bon Dieu ! Tant pis pour l'Histoire.

Purviance s'est passé la langue sur les lèvres.

— T'as reniflé le gros coup. Tu lui as dit de pas vendre les os au prix du gros. En tout cas, pas sans partager avec toi, et il t'a envoyée chier.

Je pouvais voir sur ses traits le conflit qui se jouait en elle. Elle était à la fois fâchée, blessée et hyper excitée. Mauvais alliage.

— Qui t'es, d'abord, pour donner des ordres au patron ? T'es juste la secrétaire. La servante. La fille qui lui repasse ses petites culottes. Probable que ce salaud te traitait comme une moins que rien.

— Pas du tout.

J'ai enfoncé le clou.

— Ton Ferris était un sans-cœur.

— Avram était quelqu'un de bien.

— Ouais. Et Hitler aimait beaucoup son chien.

— Il m'aimait.

Ça lui avait échappé.

Sa réaction a fait tinter quelque chose en moi.

Purviance vivait seule. Pourtant, il y avait tous ces appels chez elle à partir de l'entrepôt. Ferris et Purviance n'étaient pas seulement unis pas le travail. Ils étaient amants.

— Y faisait semblant. Y s'foutait bien de ta gueule, le salaud. T'a probablement servi la vieille rengaine : « j'vais quitter ma femme ».

— Avram m'aimait. Il savait que j'étais dix fois plus brillante que sa grosse vache.

— Ben voyons. C'est pour ça qu'il s'est sauvé en Floride avec elle. T'es pas bête, quand même. T'as bien dû t'en douter qu'il la quitterait jamais.

— Elle l'aimait pas. C'est juste qu'il était trop faible pour prendre les mesures qu'il fallait.

Dit avec amertume.

— Premier coup dur : Miriam se beurre de Coppertone pendant que tu gèles dans ton appartement. D'accord, il préfère baiser avec toi, mais qui c'est qu'il laisse toute seule, avec rien d'autre à faire que de répondre au téléphone ? Et l'enfant de chienne veut même pas partager avec toi les profits du squelette ?

Purviance s'est essuyé le nez du dos de sa main qui tenait le pistolet.

— Deuxième coup dur : tu te fais baiser par Kaplan. L'amant d'abord, l'homme de main ensuite. T'étais dans une mauvaise passe.

Purviance a tendu le bras, le pistolet braqué sur mon visage.

Bon. Y aller mollo. Ne pas la contrarier.

— Ferris avait une dette envers toi. Kaplan aussi. Le squelette pouvait sacrément faire grimper ton compte en banque. Pourquoi pas le piquer ?

— Ouais, pourquoi pas ?

Jeté sur un ton provocant.

— Sauf que voilà, il disparaît. Troisième coup dur. Une fois de plus, tu t'es fait baiser.

— Ta gueule !

— Tu te tapes le voyage en Israël pour le récupérer. Et là, plus d'os non plus. Baisée pour la quatrième fois.

— Baisée ? Avec ce que j'ai là, je pourrai compenser.

Elle a tapé sur son sac. Il a résonné du bruit assourdi de boîtes en plastique.

— T'as pas froid aux yeux. T'as déjà descendu ton patron. Alors pourquoi pas Blotnik ?

— Lui, c't'un voleur.

— Y t'a quand même épargné les ennuis pour pénétrer dans les lieux.

Un sourire s'est propagé sur le visage de Purviance.

— Ces os-là, j'en avais jamais entendu parler jusqu'à ce qu'y lâche le morceau. Ce pauvre con de Blotnik, il les aura pas eus deux heures en main.

— Comment il a appris leur existence ?

— Une vieille chouette qui a retrouvé des fragments en examinant un linceul. Et puis merde, a-t-elle lâché en tapant encore son sac. Ou bien ça vaut pas un clou, ou bien c'est le Graal. Alors, ce coup-ci, je prends aucun risque.

— Qu'est-ce que t'as proposé à Blotnik en échange ? Le squelette de Massada ?

Nouveau sourire glacé.

— J'ai juste volé un voleur.

Elle avait tué, volé les os du linceul et elle était partie. Alors qu'est-ce qu'elle revenait faire ici ?

— Personne t'avait repérée. Pourquoi tu t'es repointée ?

— Je vais pas t'apprendre qu'une relique sans certificat, ça vaut rien.

On a entendu le bruit en même temps, le couinement léger d'une semelle en caoutchouc. Son doigt sur la gâchette s'est crispé. Elle a hésité, indécise.

— Rentre dedans !

J'ai reculé à l'intérieur du cagibi, les yeux fixés sur son arme. La porte du cagibi a claqué puis il y a eu un cliquètement. Elle avait poussé le verrou.

Des pas pressés et le silence.

J'ai collé mon oreille contre le bois.

Un bruit de vagues, couvert par le bourdonnement d'un commentaire à la radio.

Rester tranquille ?

Au diable !

J'ai martelé la porte.

J'ai crié.

Quelques secondes plus tard, la porte du couloir est allée cogner contre le mur du bureau. Le cœur à moitié paralysé, je me suis enfoncée à l'intérieur du cagibi.

Un rai de lumière est apparu sous la porte.
Bruit de semelles en caoutchouc.
De verrou qu'on tire.
La porte du cagibi s'est ouverte d'un coup.

Chapitre 39

De ma vie, je n'avais jamais été aussi heureuse de voir quelqu'un.

— Qu'est-ce que tu fous ici ? s'est écrié Jake sous le choc.

— Tu l'as vue ?

— Qui ça ?

— Courtney Purviance.

— Qui c'est ?

— Plus tard ! Il faut l'arrêter.

Je l'ai tiré par le bras. Nous nous sommes élancés.

— Elle n'a pas plus de deux ou trois minutes d'avance.

Nous avons filé hors du bureau jusqu'au bout du couloir.

— C'est qui, Purviance ?

— La dame qui a piqué tes os du linceul.

Attrapant la rampe, j'ai descendu l'escalier, trois marches à la fois. Jake me collait au derrière.

— T'es en voiture ? lui ai-je jeté par-dessus mon épaule.

— J'ai le camion de l'équipe. Tempe…

— T'es garé loin ? ai-je lancé entre deux halètements.

— Devant la porte.

Une voiture nous a frôlé les orteils juste au moment où nous sortions du bâtiment, le conducteur la tête au ras du volant.

— C'est elle ! Grouille !

La voiture franchissait déjà le portail.

Le temps d'ouvrir la portière et de tourner la clef de contact, le moteur du camion hurlait.

Jake a passé une vitesse et pris une succession de virages serrés.

Purviance disparaissait déjà.

— Elle tourne à gauche, rue Soliman Pacha.

Jake a enfoncé le champignon. Les pneus ont craché du gravier.

— C'est quoi, sa bagnole ?

— Une Citroën. Une CX, je crois. J'ai pas bien vu.

Nous avons plongé dans la descente. Devant nous, le brouillard avait avalé la vieille ville.

Jake a viré à gauche sans freiner. J'ai valsé à droite contre la portière, me heurtant l'épaule.

Les feux arrière de la Citroën tournaient encore à gauche, de plus en plus petits. Jake a enfoncé l'accélérateur.

Renversée en arrière, j'ai réussi à dégager la ceinture de sécurité et à la boucler.

Jake a tourné dans la rue Derech Jéricho.

La Citroën avait pris de l'avance. Ses feux n'étaient plus que deux minuscules points rouges.

— Où est-ce qu'elle va ?

— La rue où on est, c'est HaEgoz. Derrière, ça s'appelait route de Jéricho. C'est peut-être là qu'elle va. Merde ! Ou en Jordanie.

La circulation était fluide. Le brouillard tourbillonnait autour des lampadaires. Purviance roulait au moins à quatre-vingts kilomètres à l'heure.

Jake ne se laissait pas distancer.

Maintenant, elle faisait sûrement du cent.

— La perds pas !

J'ai placé les deux mains sur le tableau de bord.

Jake roulait, pédale au plancher. La distance diminuait.

Le camion sentait l'air humide et le renfermé. La brume collait au pare-brise. Jake a mis en marche les essuie-glace. J'ai entrouvert une fenêtre.

Des deux côtés de la rue, les lumières défilaient. Appartements ? Garages ? Boîtes de nuit ? Synagogues ? Tout ressemblait à des carrés noirs de Lego. Je ne savais plus du tout où nous étions.

Une tour s'est dessinée sur ma droite, une réclame en néon a clignoté dans le brouillard. L'hôtel Hyatt. D'accord, le croisement pour Naplouse n'était pas loin.

Purviance a tourné.

— Elle prend au nord.

À quoi bon le dire ? Jake n'avait pas besoin de moi pour le savoir.

Le feu est passé au rouge. Jake n'en a pas tenu compte et a viré. Le camion est parti en zigzag. Il a réussi à le redresser. Les feux de la Citroën n'étaient plus qu'à peine visibles. Purviance avait bien quatre cents mètres d'avance.

Mon cœur battait la chamade. Mes mains à plat sur le tableau de bord étaient glacées d'humidité. De temps à autre, une réclame surgissait de la nuit pour mourir aussitôt. La course continuait. Soudain, des panneaux ont troué le brouillard. MA'ALEH ADUMIN. JÉRICHO. MER MORTE.

— Elle se dirige vers la route 1.

La voix de Jake était tendue comme un câble. Quelque chose allait se produire bientôt, je le pressentais. D'ailleurs, les feux arrière de la Citroën s'étaient mis à grossir.

— Elle ralentit !

— Il y a un poste de contrôle, a expliqué Jake.

— Ils vont l'obliger à s'arrêter ?

— En général, ils font seulement signe de passer.

Et de fait, la Citroën repartait à fond de train après un court arrêt au poste de garde.

— On leur demande de l'arrêter ?

— Pas question !

— Ils peuvent la coincer sur le bord de la route, non ?

— C'est la police des frontières, elle ne s'occupe pas de la circulation.

Il a enfoncé la pédale des freins. Le camion a ralenti.

— Demande-leur…

— Non.

— Tu as tort.

— Tu ne dis rien !

Nous avons roulé jusqu'au point d'arrêt. Le garde nous a enveloppés d'un regard ennuyé. Jake est reparti, champignon au plancher, avant que j'aie le temps de dire quoi que ce soit.

Brusquement, une pensée m'a submergée.

Au musée, Jake n'avait posé aucune question sur Blotnik.

Parce que je ne lui en avais pas laissé le temps ?

Parce qu'il savait déjà que Blotnik était mort ?

Je lui ai jeté un regard en coin, silhouette noire au long cou marqué d'une bosse.

Doux Jésus ! Aurait-il manigancé un plan dont j'ignorais tout ?

Il a accéléré sèchement. Le camion a bondi en avant.

Je me suis agrippée au tableau de bord.

Dehors, le paysage était devenu aride. Mon monde se réduisait à deux taches rouges à l'arrière d'une Citroën.

Purviance poussait le moteur à cent trente kilomètres à l'heure.

Nous roulions au cœur d'un désert plus ancien que le temps. Des deux côtés de la route s'étendait la Judée, collines ocre rouge, vallées fournaises, campements de bédouins aux tentes rapiécées, troupeaux au milieu d'un paysage lunaire parsemé d'ossements blanchis, sable s'infiltrant partout. Mais cette nuit, le brouillard noyait tout.

Des kilomètres et des kilomètres de paix. Le néant. Ici et là, un rare lampadaire plongeait la Citroën dans une lumière artificielle. Quelques secondes plus tard, le camion franchissait à son tour l'espace de clarté et une teinte saumon surréaliste a coloré mes mains posées à plat sur le tableau de bord.

Purviance frôlait à présent les cent cinquante kilomètres à l'heure. Jake aussi.

430

La Citroën avalait les tournants l'un après l'autre. Ses feux nous faisaient de l'œil, puis disparaissaient, puis réapparaissaient.

Le camion fatiguait, nous commencions à nous laisser distancer. À l'intérieur, la tension était palpable. Nous étions concentrés sur les yeux rouges clignotant devant nous. Ni Jake ni moi n'avions envie de parler.

Nous avons heurté une bosse. Jake a ralenti. Les roues avant ont décollé, bientôt imitées par les roues arrière. À l'atterrissage, ma tête a durement cogné le toit de l'habitacle.

Quand j'ai relevé les yeux, les feux de la Citroën avaient disparu, avalés par le brouillard.

Rétrogradant en quatrième, Jake a relancé le moteur. Deux petites boules rouges sont réapparues. J'ai jeté un coup d'œil au rétroviseur latéral. Personne ne nous suivait.

L'événement qui s'est produit ensuite reste gravé dans ma mémoire comme un mouvement au ralenti, alors qu'il n'a pas dû se dérouler en plus d'une minute et demie.

La Citroën a abordé une courbe. Nous avons suivi. Je me rappelle l'asphalte brillant, le compteur de vitesse où l'aiguille atteignait les cent cinquante kilomètres à l'heure, les mains de Jake serrées sur le volant.

Deux traits de lumière ont surgi du néant : les phares d'une voiture arrivant en sens inverse. Ils ont oscillé, puis basculé vers la Citroën.

Purviance a braqué violemment à droite. Lancée à toute vitesse, la Citroën a bondi pour retomber à cheval sur l'accotement. Purviance a contrebraqué, ramenant la voiture sur la chaussée.

Le véhicule en face roulait au milieu de la voie, éblouissant la Citroën. Dans la lumière, je pouvais voir la tête de Purviance remuer dans les deux sens et ses mains crispées sur le volant. Ses feux d'arrêt allumés, bloqués sur le rouge, indiquaient qu'elle avait le pied collé au frein.

La voiture d'en face a fait un brusque écart pour éviter la Citroën. Action, réaction. La Citroën s'est écartée, elle aussi, et a mordu le gravier.

Purviance a viré durement à gauche pour rester sur l'asphalte. Inexplicablement, la voiture est repartie à droite à fond de train, penchée sur le côté. Des gerbes d'étincelles m'ont signifié qu'elle avait heurté la rambarde.

Purviance luttait pour redresser. Une plaque d'eau a dévié sa course et la Citroën s'est mise à tournoyer.

À présent, c'était sur nous que fonçait la voiture d'en face, à cheval sur la bande du milieu. Je pouvais voir la tête du conducteur. Je pouvais voir le passager. Le choc était inévitable.

Jake a braqué à mort. Dans un bond, le camion est parti à droite. La roue avant est retombée sur la chaussée à l'instant même où la voiture d'en face nous croisait à la vitesse de l'éclair.

La roue arrière est retombée à son tour.

Jake pompait sur les freins, les mains agrippées au volant.

Nous sommes repartis en avant, éclaboussant la rambarde de pierres et de graviers. Le menton rentré dans la poitrine, les deux mains en appui sur le tableau de bord, je m'efforçais de garder les coudes pliés.

Il y a eu un fracas, métal contre métal.

J'ai relevé la tête. Les phares de la Citroën basculaient sur le côté. Ils sont restés un moment en suspens dans les airs, puis la voiture a piqué du nez dans le noir.

Une éruption de métal, de sable et de terre est parvenue jusqu'à moi, suivie d'une autre. Un klaxon a hurlé dans la nuit. Appel déchirant, ininterrompu.

Nous perdions de la vitesse, la rambarde cliquetait toujours mais de plus en plus lentement.

Le camion était à peine arrêté que Jake ouvrait déjà le clapet de son cellulaire.

— Merde !

— Pas de réseau ?

— Ça vaut rien, ce truc !

Il a balancé son téléphone sur le tableau de bord et fouillé dans la boîte à gants.

— Trouve-moi une lampe de poche !

Le temps que je déniche une Mag-Lite, il avait sorti une fusée éclairante de l'arrière du camion. Nous avons piqué un sprint ensemble le long de la chaussée.

La rambarde tordue était percée d'un trou béant. Nous avons scruté le noir au-dessous de nous. Les faisceaux de nos lampes se perdaient dans l'océan de brouillard.

Laissant Jake tirer ses fusées, j'ai sauté par-dessus la rambarde et commencé à descendre la pente.

Ma lampe exhumait de la nuit, un à un, toutes sortes d'objets vaguement reconnaissables. Un enjoliveur. Une aile. Un rétroviseur latéral.

Plus bas, la Citroën était une bosse noire émergeant de la nuit noire. Elle avait atterri sur le toit. Toutes les vitres étaient brisées. Des tourbillons de vapeur s'échappaient bruyamment du capot écrasé.

Purviance gisait, telle une poupée de chiffon, son corps tordu à demi éjecté de la portière. Son visage était englouti dans une mer de sang au point qu'on ne pouvait plus voir sa peau. Sa veste aussi était détrempée.

Des craquements. Jake s'est matérialisé à mon côté.

— Jésus-Christ !

— Faut la sortir de là.

À nous deux, nous nous sommes efforcés de la dégager de la carcasse. Le sang et le brouillard nous faisaient perdre prise.

Au-dessus de nos têtes, un camion s'est arrêté dans un grincement de freins. Deux hommes en sont sortis, hurlant des questions. Nous ne leur avons pas répondu, trop occupés à libérer Purviance.

J'ai changé de place avec Jake. Ça n'allait pas mieux. Impossible d'agripper le corps glissant.

Purviance gémissait doucement. J'ai fait courir le faisceau de ma lampe sur elle. Des éclats de verre ont scintillé sur ses vêtements et dans ses cheveux trempés de sang.

— Jake, elle a un pied coincé au milieu des pédales. Je vais essayer de l'atteindre par l'autre côté.

— Tu n'y arriveras pas.

Sans perdre de temps à discuter, j'ai fait le tour de la Citroën. Côté passager, la fenêtre éclatée offrait une ouverture assez grande pour que je m'y faufile.

J'ai posé ma lampe par terre. Pliée en deux, je me suis tortillée à l'intérieur de l'habitacle, tête la première. Prenant appui sur les coudes, j'ai réussi à progresser suffisamment pour atteindre à tâtons le pied de Purviance.

Il était bloqué derrière le frein à main.

Les bras tendus, j'ai essayé de le dégager en dévissant délicatement la chaussure. Impossible. J'ai donné plus de force à mon geste. Rien à faire.

Une odeur âcre commençait à m'irriter le nez. J'avais les yeux qui pleuraient. Du caoutchouc était en train de fondre !

Mon cœur cognait lourdement contre mes côtes.

Aplatie sur le ventre, j'ai réussi à passer le haut du corps par-dessus le siège et à descendre la fermeture éclair de la botte. J'ai tiré d'un coup sec sur le talon. Il venait.

Une seconde traction, plus forte, et le talon de Purviance s'est décollé de la semelle. Formant un chausse-pied de mes doigts, j'ai réussi à libérer son pied.

— Ça y est ! ai-je crié à Jake, une fois les orteils sortis de la botte.

Il s'est mis à tirer Purviance pendant que je guidais le pied entre les pédales.

Refaisant le chemin en sens inverse, les fesses d'abord, je me suis extraite par la fenêtre. De la fumée montait du moteur.

Sur la route, des voix criaient : « Revenez ! Ça va exploser ! » Je n'avais pas besoin d'un traducteur pour comprendre.

J'ai rejoint Jake de l'autre côté de la voiture. Chacun de nous l'attrapant par une aisselle, nous avons réussi à sortir Purviance de la carcasse et à la déposer par terre. Aussitôt Jake a replongé dans la fumée.

— Reviens ! Il faut partir !

Je ne distinguais plus que sa silhouette bondissant vers l'arrière de la voiture.

— Jake !

Il était devenu fou. Il courait d'une fenêtre à l'autre.

— Je ne peux pas la remonter toute seule !

Il a abandonné ses recherches pour m'aider à hisser Purviance cinq mètres plus haut. Reparti à fond de train, il s'est mis à bourrer le coffre de coups de pied.

— Ça va exploser !

C'était moi qui hurlais à présent.

Le pied de Jake s'activait comme un piston.

Une pièce dans le moteur a éclaté. Le sifflement est devenu strident, la fumée plus épaisse. Tout allait exploser, dans un instant les pièces du moteur seraient transformées en missiles mortels.

Attrapant Purviance sous les bras, j'ai entrepris de remonter la pente à reculons. Elle pesait plus lourd qu'un âne mort. D'ailleurs, vivait-elle encore ? Est-ce que je lui faisais plus de mal que de bien ?

Qu'importe, il fallait la remonter ! Même si ce n'était que de vingt centimètres à la fois.

Trois mètres.

Mes mains glissaient à cause du sang. Des milliers de morceaux de verre me tailladaient les paumes et les doigts.

Cinq mètres.

Des sirènes ont gémi au loin.

J'avais les doigts qui picotaient. Mes jambes pesaient des tonnes. Je tirais toujours, dopée à l'adrénaline, mue par une féroce énergie intérieure.

Parvenue assez loin, j'ai déposé Purviance par terre et me suis laissée tomber à genoux pour palper son cou.

Un battement très faible ? Je n'en étais pas sûre.

J'ai déchiré sa veste pour voir d'où sortait tout ce sang. Une barre noire en forme de croissant traversait son ventre. J'ai posé la main dessus.

À cet instant, une explosion a déchiré la nuit. Fracas abominable.

Ma tête est partie en arrière juste au moment où la Citroën éclatait en une boule de lumière. Sur ce fond de brouillard bleu nuit, le feu jaillissait du moteur en geysers blancs stroboscopiques.

Mon Dieu ! Où était passé Jake ?

J'ai couru vers la voiture. À trois mètres, la chaleur m'a arrêtée comme un mur. J'ai agité les bras.

— Jake !

La voiture était une fournaise. Les flammes léchaient son ventre, s'échappaient des fenêtres.

— Jake !

La cendre et la sueur se collaient à mon visage. Le brouillard, les larmes ruisselaient sur mes joues.

— Jake !

Réplique d'explosion. Jet de métal et de flammes. Un sanglot s'est coincé dans ma gorge.

Des mains m'ont saisie par les épaules.

J'ai été tirée rudement en arrière.

Chapitre 40

Je ne vous ferai pas languir plus longtemps : tout le monde a survécu.

En fait, sauf le type du linceul. De squelette, il est devenu cendres.

Jake a eu les mains brûlées et les sourcils roussis. Rien de grave.

Purviance avait perdu beaucoup de sang. Elle avait un pied et plusieurs côtes cassés, la rate éclatée. Elle aurait besoin de quincaillerie dans la cheville, mais elle s'en sortirait. Et passerait un petit bout de temps en prison.

La Citroën, elle, ne s'en sortirait pas. Ses restes mériteraient à peine d'être mis à la ferraille.

Purviance est restée sans connaissance pendant toute une journée. Après, elle a commencé à raconter son histoire. Lentement. Goutte à goutte. Au fur et à mesure des variantes que lui soumettait Ryan en se fondant sur ce qu'il réussissait à tirer de Kaplan ou sur les renseignements que lui fournissait Birch, son coéquipier resté au Canada.

Mes suppositions devaient se révéler exactes. Ferris et Purviance avaient bien été amants. Birch avait découvert chez la secrétaire à Saint-Léonard ce qu'on trouve habituellement dans ce genre de situation : la robe de chambre du gars dans le placard, des rasoirs BIC et la brosse à dents en plus dans l'armoire de la salle de bains.

Leur aventure avait débuté assez vite après que Ferris avait engagé Courtney Purviance. Les années passant, celle-ci avait fait pression sur son patron pour qu'il divorce de Miriam. Il la rembarrait continuellement.

En revanche, aux Imports Ashkenazim, il lui déléguait un pouvoir de plus en plus grand. Elle était au courant de tout. Comprendre : elle avait la main haute sur tout.

Un jour, elle avait surpris son patron demandant à Kaplan de lui servir d'intermédiaire dans une vente un peu particulière. Par d'autres conversations surprises entre Ferris et le père Morissonneau, et entre Ferris et Tovya Blotnik, elle avait découvert l'existence du squelette. Que Ferris veuille la tenir en dehors de cette affaire l'avait ulcérée.

Et cela d'autant plus qu'elle l'avait également entendu, peu de temps auparavant, réserver des billets auprès d'une agence de voyages. Ces vacances au soleil avec son épouse lui avaient définitivement prouvé que son amant cherchait à renouer avec sa femme. Purviance l'avait mis en demeure de choisir.

Qu'il en ait assez de supporter les récriminations de sa maîtresse ou le poids de sa culpabilité, toujours est-il que Ferris avait décidé de ne plus jouer les équilibristes entre ses deux amours. Il allait mettre un terme à ses relations avec Purviance. Les Imports Ashkenazim ne faisaient pas des affaires florissantes, mais, tout compte fait, ça pouvait aller. D'autant que la vente du squelette allait lui rapporter de quoi prendre un nouveau départ dans la vie auprès de son épouse. En conséquence, il n'avait plus besoin des services de Purviance. Sur la promesse de lui verser six mois d'indemnité, il l'avait priée de vider les lieux.

Le premier appel de Purviance à Boca Raton avait pour but de faire revenir Ferris sur sa décision. Il avait raccroché. Sans amant et sans boulot, la secrétaire s'était vraiment sentie abandonnée.

Les suppliques n'y faisant rien, elle était passée aux menaces. D'où ce deuxième appel à Boca Raton. Au courant du squelette et de sa valeur potentielle, elle avait exigé un morceau du gâteau, menaçant Ferris d'informer Miriam de leurs relations, et les autorités des tractations en cours. Il lui avait ri au nez.

Plus elle retournait les choses dans sa tête, plus elle enrageait. Finalement, c'était elle qui avait bâti l'entreprise de Ferris. C'était elle qui l'avait accueilli dans son lit. Tout cela, pour qu'il la jette comme un vulgaire sac d'ordures ? Le dénoncer à sa femme et aux policiers le mettrait dans la merde, bien sûr, mais ne lui rapporterait rien à elle. Et puis ce n'était pas suffisant. Il fallait qu'il paye beaucoup plus cher.

Maniaque des séries télé du style *Law and Order* et *NYPD Blue*, Purviance avait eu l'idée d'engager un homme de main. Primo, se débarrasser de Ferris ; secundo, prendre la tête de l'entreprise.

Demoiselle juive bien élevée, Purviance n'avait pas de relations. Encore moins parmi les truands. Qui pouvait-elle appeler, sinon Kaplan, cet ancien escroc qui continuait de frayer avec l'illégalité. Lui, elle savait comment le joindre grâce au téléphone de l'entrepôt qui conservait en mémoire les numéros entrants et sortants.

Kaplan était un voyou, d'accord, mais ce n'était pas un tueur. Flairant la bonne affaire, il avait empoché l'argent de Purviance sans fournir de contrepartie.

Maîtresse abandonnée, associée déboutée, commanditaire flouée, Purviance fulminait. Aveuglée par une fureur obsédante, elle avait décidé de passer à l'acte. Sachant que son voisin gardait un pistolet dans sa voiture, elle l'avait dérobé, et avait tué Ferris elle-même.

Cependant, la rage avait eu raison de ses talents de stratège, hérités des séries télé. Après avoir abattu Ferris de deux balles, elle lui avait fourré le Jericho dans les mains et avait tiré une troisième balle en l'air pour que l'on retrouve des traces de poudre sur la main du « suicidé ». Sauf que voilà : en récupérant les cartouches, elle avait réduit à néant toute possibilité de faire passer son meurtre pour un suicide.

Le SIJ avait retrouvé dans le cagibi un fragment d'une des balles à l'origine du trou en forme de serrure dans le crâne de Ferris. Une autre avait été récupérée dans le mur du couloir. Avec celle découverte en premier dans le plafond du cagibi, cela faisait un total de trois balles. La reconstitution balistique avait démontré que la balle qui avait tué Ferris avait été tirée alors qu'il se tenait face à la porte. Le malheureux n'avait pas dû se douter des intentions meurtrières de Purviance quand elle était entrée dans le cagibi et passée dans son dos.

Étonnée de son sang-froid au moment d'expédier Ferris *ad patres*, Purviance avait décidé de faire d'une pierre deux coups : se tirer du Québec en vitesse tant qu'on ne la soupçonnait pas, et alimenter son compte en banque. Elle avait donc réservé un billet pour Israël en utilisant le prénom de Channah inscrit sur son passeport tunisien. Grâce à quoi elle n'avait pas été repérée.

Sachant que Ferris était en contact avec Blotnik, elle était allée trouver le directeur des Antiquités israéliennes sous prétexte de débattre avec lui des modalités de paiement au nom de son patron. Mais une nouvelle injustice l'attendait. Blotnik n'avait toujours pas reçu le squelette de Massada. Bluffant, Purviance avait prétendu savoir qui le détenait et s'était engagée à le livrer en échange d'argent ou d'un objet de valeur. Blotnik lui avait montré les os du linceul. Devinant ce qu'ils représentaient une fois convertis en monnaie sonnante et trébuchante, elle avait frappé à nouveau et fait main basse sur les os.

L'histoire de Kaplan était simple : Miriam Ferris s'était toujours montrée gentille envers lui, même quand il était en prison. Une vraie amie, qui lui envoyait des chocolats, qui lui écrivait des lettres. Celle que nous avions trouvée chez lui n'était que l'une des nombreuses missives dans lesquelles elle l'exhortait à conserver la foi.

Par Purviance, Kaplan était au courant de ses relations avec Ferris. C'était la première question qu'il lui avait posée quand elle l'avait contacté. Au cours de sa négociation avec elle, il en était venu à la considérer comme une traîtresse sans scrupules, un de ces êtres prêts à inventer mille ruses pour sauver leur peau quand ils se sentent acculés au pied du mur. Il avait parfaitement compris que Miriam, en sa qualité d'épouse victorieuse, risquait d'être la prochaine victime. C'était donc par crainte que Purviance ne pointe son doigt crochu sur une femme qui lui avait toujours été d'un grand soutien que Kaplan m'avait refilé la photo du squelette à l'autopsie. Dans l'espoir d'orienter l'enquête vers une autre piste.

Cela dit, Kaplan craignait également pour sa peau. Que Purviance ne le dénonce, ou pire encore. Une femme capable de concocter la mort de son amant pouvait fort bien vouloir éliminer le rat qui l'avait arnaquée pour trois mille dollars. Et pourquoi pas s'en occuper toute seule, puisqu'on n'est jamais mieux servi que par soi-même ?

Par ailleurs, Kaplan avait des ennuis avec Litvak, son copain-cousin antiquaire, qui était furieux de ne pas avoir reçu le squelette de Massada, comme promis. Kaplan, à l'instar de Purviance, avait décidé de régler deux problèmes d'un coup : se faire rare au Canada, réparer les dégâts en Israël. Voilà pourquoi il avait fait le voyage en Terre promise, lui aussi.

Pourquoi Blotnik avait-il volé les os du linceul ? Sur ce point-là, Jake avait sa propre explication, probablement exacte.

Blotnik avait été un prodige alors même qu'il n'avait pas encore soutenu sa thèse de doctorat à New York. Articles dans des journaux prestigieux, publication d'une grande œuvre de trois cents pages sur l'*Ecclesiastes Rabbah*, un commentaire rabbinique datant de l'ère talmudique. Les propositions de travail coulant à flots comme le vin à Cana, il s'était installé en Israël et s'y était marié. Là, il avait obtenu de fouiller les plus beaux sites du monde, ceux dont rêvaient tous les archéologues. Le monde entier lui appartenait.

Lui appartenait même un collègue plus jeune. Bref, Blotnik nageait dans le bonheur. Il était tombé de haut quand son amant l'avait abandonné, bientôt imité par sa femme.

Embarras, solitude, dépression ? Toujours est-il qu'après son divorce, Blotnik s'était peu à peu détaché de son travail. Il ne montait presque plus de chantiers. Après de rares articles ici ou là et un ouvrage peu épais sur les bains antiques de Hammat-Gaderou, il n'avait rien publié depuis vingt ans.

Le coup de téléphone de Ferris avait dû lui paraître la manne du ciel. Un squelette de Massada perdu depuis près de quarante ans ? Le fameux squelette sur lequel circulaient les rumeurs les plus invraisemblables depuis qu'il traînait ses bottes dans le milieu archéologique israélien ? On ne saura jamais avec certitude ce que Ferris ou Kaplan lui dirent de nouveau. Que ces restes pourraient être ceux d'un personnage important ayant vécu au Ier siècle dans la Palestine romaine ? Ceux d'un VIP de la Bible ? Quoi qu'il en soit, Blotnik avait vu son avenir recommencer à clignoter comme une marquise d'Hollywood.

Et voilà qu'avec la mort de Ferris, cette manne lui était brutalement retirée. Néons éteints.

Plus tard, quand je l'avais appelé de Montréal pour lui annoncer que j'avais le squelette de Massada, il avait dû voir naître l'aube d'une ère nouvelle. Imaginer son nom de nouveau à la une ! Que ce soit pour redonner de l'éclat à une carrière déclinante ou pour garnir son compte bancaire — hypothèse qui avait les faveurs de Ryan —, Blotnik avait fait des recherches sur le squelette de Massada et la grotte 2001.

Mais voilà que Max lui échappait pour la seconde fois. Volé par le Hevrat Kadisha, comme Jake et moi le lui avions annoncé. Le découragement l'avait repris. Non, il ne reviendrait jamais sur le devant de la scène.

Cet homme, génial au temps de sa jeunesse, supportait mal la déception. Comme Purviance, il était prêt à faire des bêtises.

Or le ciel faisait justement de nouveau pleuvoir la manne sur lui, une manne ayant l'apparence d'un document oublié près d'une photocopieuse. Le rapport d'Esther Getz adressé à Jake.

Blotnik l'avait lu, en avait tiré une photocopie.

Un suaire datant du Ier siècle ? Renfermant peut-être des restes humains ? Un suaire découvert par Jake Drum ? C'était quoi, déjà, la théorie de ce farfelu ? Ah oui, le tombeau de la Sainte Famille.

L'archéologue raté n'avait pas mis longtemps à comprendre le parti qu'il pouvait tirer des révélations explosives liées à la théorie de Jake et à la découverte du linceul. Ne pouvant avoir le squelette de Massada, il aurait ces os-là ! Armé d'un coupe-boulon, il s'était rendu à Beit Hanina et avait attendu que Jake parte de chez lui. Pas plus difficile que ça.

Et Jake, dans tout ça ?

Lui, il avait fait comme il me l'avait dit : il avait filé sur son site. À son arrivée, le Hevrat Kadisha faisait déjà un tel tapage qu'il avait fallu réclamer l'intervention des forces de l'ordre. Le temps que les choses se calment, il était trop tard pour qu'il rende visite à Ruth Anne Bloom ou à Esther Getz. D'autant que la police voulait voir son permis de fouiller à Talpiot et qu'il l'avait laissé à l'appartement.

Rentré chez lui, il avait commencé par vider ses poches selon sa bonne habitude. Ensuite, il s'était mis à chercher le fameux permis. C'est alors qu'il avait découvert l'effraction, l'armoire ouverte et les os du linceul envolés. Fou de rage, il s'était précipité hors de chez lui, oubliant de fermer ses portes. Il était d'abord passé au poste de police pour présenter les papiers requis. Ce n'est qu'après qu'il avait filé au musée Rockefeller, pour dire deux mots à Blotnik.

Et là, il m'avait découverte, enfermée dans le cagibi. Alors…

Les os du linceul étaient partis en fumée.

Blotnik était mort.

Kaplan était libre.

Purviance serait condamnée en Israël pour le meurtre de Blotnik. Extradée plus tard ? Peut-être.

Et Max, dans tout ça ?

Sous la pression de Friedman, le Hevrat Kadisha avait admis l'avoir « libéré » et reporté en terre. Où ça ? Ni les menaces ni les supplications n'avaient su les convaincre de révéler l'endroit. Les poursuites judiciaires ? Ils connaissaient ça par cœur. Pour eux, la remise en terre était une loi sacrée. *Halakha.* Ils ne livreraient pas le squelette, même temporairement et sous surveillance.

Alors… De Max, il ne demeure que trois choses : la photo que Kaplan m'a remise ; les échantillons prélevés pour les tests d'ADN ; les photos prises par moi dans mon labo de Montréal.

À part ça, Max n'a plus d'existence.

Chapitre 41

Nous étions jeudi, quatre jours après l'accident. À minuit, je reprendrais l'avion pour Montréal avec Ryan. Mais avant de quitter Israël, nous tenions à effectuer une dernière visite. C'est ainsi que nous nous sommes retrouvés sur la route de Jéricho.

Nous avons passé Qumran, célèbre pour ses grottes et ses rouleaux esséniens, puis Ein Gedi, célèbre pour ses plages et sa station thermale. À gauche, la mer Morte étirait son vert cobalt en direction de la Jordanie. À droite s'étendait un paysage torturé de collines et de plateaux.

Enfin, je l'ai aperçue : la citadelle d'Hérode. Masse rouge vif se découpant sur le bleu limpide du ciel en bordure du désert de Judée.

Ryan a tourné. Deux kilomètres plus loin, il s'est garé sur une aire de stationnement plantée de ces panneaux qui rassurent les touristes. « Restaurant », « commerces », « toilettes ».

— On prend le funiculaire ou on monte à pied par le chemin du Serpent ? ai-je lancé à Ryan.

— L'escalade est ardue ?

— De la petite bière.

— Pourquoi ce nom de « Serpent » ?

— Parce que ça serpente, bon Dieu !

On m'avait prévenue que la randonnée était difficile, qu'il fallait grimper une bonne heure dans la poussière avant d'arriver au sommet. J'étais préparée à l'épreuve. Pas Ryan.

— Tu ne préfères pas monter en funiculaire et voir ensuite ?

— Poule mouillée.

— Les légionnaires romains, ça leur a pris sept mois entiers pour atteindre le sommet.

— C'est parce qu'en plus ils devaient se battre contre une armée de fanatiques.

— Oui mais ça, c'est un détail.

Massada est l'endroit le plus visité d'Israël. Ce n'était pas le cas ce jour-là.

Les billets achetés, nous avons pris place dans un funiculaire absolument vide. En haut, il nous a fallu gravir encore un escalier en colimaçon. Enfin, le site antique s'est livré à notre admiration. Nous sommes restés abasourdis.

Romains, zélotes, Byzantins, Nazaréens… tous ces gens avaient foulé le sol sur lequel je me tenais. Terre parcourue depuis des siècles et des siècles.

J'ai visité en détail ce qui restait des cantonnements, les remblais à présent surélevés, les vieilles pierres blanchies par les intempéries, me laissant pénétrer par le spectacle de cette place sèche comme le désert Mojave à l'intérieur de son mur d'enceinte, ponctuée ici ou là d'un bosquet de fleurs grimpantes qui luttaient pour leur survie. Des fleurs d'un pourpre stupéfiant : la beauté parmi la désolation.

J'ai pensé aux soldats, aux moines, à toutes les familles qui avaient vécu là. Dévouement, sacrifice ? Je m'interrogeais.

Près de moi, Ryan étudiait la table d'orientation. Au-dessus de nos têtes, un drapeau israélien claquait au vent.

— La visite commence là-bas.

Me prenant par la main, Ryan m'a entraînée vers la partie nord.

Nous avons visité les entrepôts, les quartiers des officiers, le palais du nord où Yadin avait découvert sa «famille» de zélotes. L'église byzantine, le *mikveh*, la synagogue.

Nous avons croisé peu de monde : un couple qui parlait allemand, une classe d'enfants surveillée par des parents armés jusqu'aux dents, des adolescents en treillis avec des Uzi dans le dos.

La visite standard achevée, nous avons fait demi-tour pour aller voir le flanc sud. Aucun touriste ne s'était aventuré de ce côté-là.

J'ai consulté le plan dans mon guide touristique. La citadelle et le mur sud y étaient reportés. Le réservoir. Le grand bassin. Pas un mot sur les grottes.

J'ai fait une pause près du mur fortifié. À la vue de la plaine en bas où sable et rochers se brouillaient en une brume scintillante, je me suis sentie intimidée. Époustouflée par le spectacle de ces formations géantes et muettes, modelées par un vent millénaire.

J'ai désigné à Ryan un endroit à peine visible dans ce paysage lunaire.

— C'était l'un des campements romains.

Accoudé à la balustrade près de moi, il a hoché la tête. Me penchant davantage, j'ai tendu le cou à gauche.

Elle était là. Elle faisait comme une cicatrice sombre sur la chair de la falaise.

— La grotte.

Ma voix s'est brisée. Je ne pouvais en détacher les yeux, j'étais hypnotisée. Ryan a compris ce que j'éprouvais. Me tirant doucement en arrière, il a passé le bras autour de mes épaules.

— Tu as une théorie sur qui était Max ?

J'ai levé les mains en un geste signifiant « va savoir ».

— Des hypothèses ?

— Max est un homme qui a vécu sur Terre pendant quarante ou soixante ans, il y a de cela deux mille ans. Il a été enseveli avec plus de vingt personnes dans cette grotte, là, en bas. Une dent provenant d'une personne plus jeune que lui a abouti dans sa mâchoire. Par erreur, probablement. Erreur précieuse pour nous parce que, sans elle, nous aurions pu ne jamais rien savoir des liens qui existaient entre les gens de cette grotte et la famille ensevelie dans le tombeau de la vallée du Cédron, où j'ai mis au jour le linceul.

— Le caveau de famille de Jésus, selon Jake.

— Oui. De sorte que notre Max peut très bien avoir été un Nazaréen et non pas un zélote.

— Jake a l'air sacrément sûr qu'il s'agit du tombeau de la Sainte Famille.

— En tout cas, les noms sur les ossuaires correspondent. Et puis il y a les motifs ornementaux, l'âge du linceul. Jake est convaincu que l'ossuaire de Jacques provient de ce tombeau.

J'ai donné un coup de pied dans une pierre.

— Et toi ? m'a demandé Ryan.

— Je me pose des questions.

— Lesquelles ?

J'ai pris un temps de réflexion. Que voulais-je dire, au juste ?

— Il a peut-être raison. Simplement, j'ai du mal à accepter cette idée. Parmi toutes les religions qui se sont développées en Palestine au cours de l'histoire, les trois plus grandes assoient leur légitimité sur le mystère divin et la foi plutôt que sur la science et la raison. Quitte à tordre certains faits historiques si cela peut servir leur vision des choses. Ou même à carrément nier des faits de moindre importance.

« Ceux que Jake posent en postulat à propos de ce tom-beau de la vallée du Cédron pourraient faire voler en éclats certains préceptes de la foi chrétienne. Et si Marie n'était pas restée vierge ? Et si Jésus avait eu des frères et sœurs, voire des enfants ? Et si, après sa cruci-fixion, il était resté dans son loculus, enveloppé dans son suaire ?

« La même chose s'applique à la grotte 2001, ai-je repris en désignant la falaise. Des événements de l'histoire juive considérés comme sacrés pourraient être remis en question. Massada n'était peut-être pas peuplé exclusivement de zélotes quand a éclaté la révolte au Ier siècle. Peut-être que des chrétiens s'y étaient installés, eux aussi. Qui sait ? Tout ce que je peux dire, c'est qu'il est tragique qu'on n'ait pas pu prélever d'échantillon sur les os du linceul pour les soumettre à des tests d'ADN. Surtout depuis que l'on sait qu'au moins une des personnes de la grotte de Massada était apparentée aux gens ensevelis dans le tombeau de Jake.

Ryan a gardé le silence un moment. Puis :

— Tu continues de considérer que la réapparition de Max et la découverte des os à quelques semaines de distance sont une simple coïncidence, même s'il est prouvé grâce aux tests d'ADN qu'un individu ayant vécu à Massada est apparenté à plusieurs personnes ensevelies dans le tombeau de la vallée du Cédron ?

— Oui. La dent qui le prouve a obligatoirement appartenu à l'un des squelettes de la grotte 2001. C'est par erreur qu'elle s'est retrouvée dans la bouche de Max. Mais, dans toute cette saga, Max peut très bien n'avoir été que le messager, et pas du tout le message. C'est drôle, maintenant je suis bien plus curieuse de savoir à qui appartenait cette dent que de connaître l'identité de Max.

— Je ne te suis plus.

— En fait, tout a commencé avec Max. Cependant, il se peut très bien qu'il se soit retrouvé par hasard au beau milieu d'une saga de cimetière temporaire.

— Je suis toujours aussi perdu.

— Imagine que Max ait été enterré tout au fond de la grotte. Il est possible alors que les animaux ne se soient pas intéressés à sa tombe. Son squelette serait resté intact. Dans ce cas, le fait qu'il ait été retrouvé à part ne signifie nullement qu'il ait bénéficié d'un traitement particulier en tant que personnage de statut social plus élevé. Mais comme c'était le seul squelette encore entier, et même pourvu de ses articulations, les gens qui travaillaient sur le site l'ont considéré comme quelqu'un de spécial. Résultat, on l'a fait sortir d'Israël en catimini. Après quoi, il a été volé par Lerner et ensuite caché par Ferris et par le père Morissonneau. En fin de compte, ce que Max a peut-être fait de plus intéressant dans toute sa vie, c'est de nous être parvenu intact et de nous avoir offert cette molaire qui, elle, est très spéciale.

— Car elle rattache la grotte de Massada au tombeau du Cédron. Jake a une théorie sur le propriétaire de cette dent ?

— Il y avait pas mal de corps dans cette grotte. Jake pense qu'il pourrait s'agir d'un neveu de Jésus, peut-être l'enfant d'une de ses sœurs, puisque l'ADN mitochondrial prouve l'existence d'un lien familial par la mère.

— Ce ne serait donc pas l'un de ses frères ou sœurs ?

— C'est peu probable. Les inscriptions, si cet ossuaire est authentique, indiquent Jude, Joseph, Jacques, les deux Marie et Salomé. Simon est mort des années plus tard.

Le silence est retombé. C'est moi qui l'ai rompu.

— C'est drôle, tout a démarré avec Max. Lerner l'a volé au Musée de l'Homme parce qu'il a cru l'histoire de Joyce sur le rouleau et sa théorie selon laquelle Jésus aurait survécu à sa crucifixion et habité à Massada. Il ressort de toute cette aventure que Joyce pourrait être dans le vrai en ce qui concerne Jésus, je veux dire un certain Jésus, mais pas en ce qui concerne Max. Max ne peut en aucun cas être le Jésus de Nazareth qui mourut à l'âge de trente ans environ, selon le Nouveau Testament. Son âge ne colle pas et son ADN mitochondrial démontre qu'il n'est pas relié par sa mère à la lignée des gens ensevelis dans ce tombeau de la vallée du Cédron. Mais Max peut très bien avoir été un neveu de Jésus.

— Le rouleau de Grosset est censé avoir été écrit par quelqu'un qui s'appelait « Jésus, le fils de Jacques ».

— Exactement. Mais la dent peut elle aussi avoir appartenu à un neveu de Jésus. Selon Bergeron, son propriétaire était un homme âgé de trente-cinq à quarante ans à l'heure de sa mort. Si l'une des sœurs de Jésus a épousé un homme qui s'appelait Jacques et qu'elle a eu de lui un fils, ce fils a eu le même ADN mitochondrial qu'elle. Si ces événements se sont déroulés à l'époque de la crucifixion, l'âge correspond, et cette dent pourrait bien, en effet, avoir appartenu à Jésus, le fils de Jacques. Merde, Ryan. Dans tout ce méli-mélo, n'importe quel homme peut avoir eu ce nom. Nous ne le saurons jamais.

— Et le septuagénaire retrouvé dans la grotte 2001 dont Yadin fait état dans son rapport et dans son livre ?

— Même réponse. Ce n'était pas Max, et ce n'était pas le propriétaire de la dent. Ça peut avoir été n'importe quel homme du tas.

Mais Ryan voulait aller au cœur des choses.

— Quelle que soit la personne à qui cette dent a appartenu, que Jake ait raison ou non quand il dit que l'ossuaire de Jacques provient sûrement de ce tombeau, et que ce tombeau soit ou non celui de la Sainte Famille, le seul fait que cette dent ait été retrouvée dans la grotte 2001 prouve en toute certitude qu'il y avait des Nazaréens à Massada à l'époque du siège. Et ça, ça en bouche un coin à pas mal de gens. C'est en contradiction avec la version israélienne des faits.

— Oui, en contradiction totale. Pour Israël, surtout pour les théologiens, c'est un pur sacrilège qu'un lien puisse exister entre les Nazaréens et Massada. Il suffit de voir leur réticence à évoquer les squelettes de cette grotte ou à les faire analyser.

Je me suis retournée vers le nord.

— Tout au bout du camp romain, là-bas, près du flanc ouest, il y a un petit monument où tous les restes retrouvés à Massada ont été remis en terre en 1969. On pourrait exhumer les os provenant de la grotte 2001, mais les Israéliens s'y refusent.

— Et les os du linceul ? Jake a eu le temps de prélever des échantillons ?

— Non, et c'est bien dommage. Car avec des analyses d'ADN ou d'autres, par exemple un scanner du trou sur le calcanéum, nous aurions pu en savoir beaucoup plus. Tout ce qui nous reste de ces os, ce sont les photos merdiques que j'ai prises dans le loculus.

— Et les échantillons de cheveux et d'os récupérés par l'experte en textile ?

— Les cheveux donneront peut-être quelque chose un jour. Mais les fragments d'os sont surtout des particules, presque de la poussière. Je suis déjà ébahie qu'Esther Getz les ait repérés.

— Jake n'en a pas mis de côté quelques-uns ?

— Il n'a pas eu le temps.

— Il a l'intention de demander des tests d'ADN pour les os de l'ossuaire de Jacques ?

— Il a soumis une demande. Pour l'heure, les Israéliens refusent. Et comme ce sont eux qui détiennent les os... Enfin, connaissant mon Jake, je sais qu'il n'en restera pas là.

— L'ossuaire de Jacques est peut-être un faux.

— C'est possible, ai-je admis.

— La théorie de Jake est peut-être fausse aussi.

— Possible aussi.

Ryan m'a attirée contre lui. Il devinait qu'au fond de moi j'éprouvais de la culpabilité et de la déception. Max avait disparu, enterré pour l'éternité dans une tombe anonyme. Les os de la grotte 2001 avaient disparu, enterrés sous l'un des monuments les plus sacrés d'Israël. Les os du linceul avaient disparu, détruits dans un brasier d'essence.

Pendant un moment, nous sommes restés à contempler ce coin mélancolique, au bout de l'univers. Vide. Mort.

Pendant des années, j'avais lu des articles et entendu parler de ce morceau de notre planète en perpétuel conflit. Impossible de ne pas être au courant.

Le Livre des psaumes appelait Jérusalem la ville de Dieu. Pour Zacharie, c'était la ville de la vérité. Le dieu de qui ? La vérité de qui ?

— LaManche a téléphoné aujourd'hui, ai-je dit enfin pour réintégrer un monde dans lequel il me semblait possible d'exercer un minimum de contrôle sur ma vie.

— Il va comment, ce vieil oiseau ?

— Il est ravi de me savoir de retour au labo lundi.

— Tu n'es même pas partie depuis dix jours !

— L'exhumation du père Morissonneau a été ordonnée. En fait, il est bien mort d'un arrêt cardiaque consécutif à une congestion.

— Le père abbé ?

— Oui. Infarctus.

— Aucune intervention de la part de djihadistes pleins de mauvaises intentions ?

— Eh non ! Uniquement un muscle cardiaque défaillant, conjugué à un stress élevé probablement dû à la réémergence inattendue d'un problème ancien. Je veux parler du squelette.

— Tiens, à propos, Friedman a eu des nouvelles fracassantes sur l'effraction de ta chambre. Il a montré à Mme Hanani le papier que t'a donné la femme de chambre. En fait, ce Hossam Al-Ahmed, cuisinier à l'hôtel, tournait autour de la femme de chambre. La vertueuse jeune fille a décidé de se venger du vilain en saccageant une chambre et en le dénonçant. Tu n'avais pas fermé ta porte à clef.

— C'est drôle. C'est comme nous, avec nos mégathéories de juifs ultra-orthodoxes, de chrétiens radicaux ou d'islamistes pour expliquer le meurtre de Ferris et le vol de Max… Alors qu'en fin de compte les mobiles étaient vengeance et cupidité. Les plus rabâchés de tous. Ni secret d'État, ni guerre sainte, ni précepte de foi. Nous avons dénoué la méthodologie d'un meurtre et nous avons identifié un tueur. Je devrais être au comble de l'allégresse. Bizarrement, au vu des deux dernières semaines, ce meurtre me semble quelconque, un peu comme la mort de Charles Bellemare.

— Le cow-boy défoncé qui était tombé dans la cheminée ?

— Oui. Petites marionnettes sur une scène immense. Dans ce contexte, le meurtre me paraît presque insignifiant.

— On s'est pris tous les deux les pieds dans le tapis.

— J'ai lu dans le *Gallup International Millennium Survey* les résultats d'un sondage effectué parmi les populations de soixante pays, autrement dit représentant au total un milliard deux cents millions d'âmes. À la question : « Quels rapports entretenez-vous avec Dieu ? », 87 % des gens interrogés ont répondu qu'ils avaient le sentiment d'appartenir à une religion, 31 % considéraient leur foi comme étant la seule vraie.

Ryan a voulu ajouter quelque chose, mais je n'avais pas fini.

— Ils se trompent, Ryan. Au-delà des différences en matière de rites et de rhétorique, au-delà même des bombes, les religions disent presque toujours la même chose, celle des sikhs ou des zoroastriens, le bouddhisme, le taoïsme, le chamanisme, l'islam, peu importe.

— Je suis perdu, mon petit chou.

— La Torah, la Bible, le Coran, tous ces livres proposent des recettes pour atteindre à la satisfaction spirituelle. Chacun d'eux prétend tenir sa recette de Dieu lui-même. Recette livrée au monde par l'intermédiaire d'un messager chaque fois distinct. Recette d'espoir, d'amour, de contrôle des passions. Toutes ces recettes visent seulement à offrir aux hommes une formule de vie bien ordonnée sur le plan spirituel. Hélas, chaque fois, le message est faussé d'une façon ou d'une autre, comme des cellules qui deviennent cancéreuses. Des hommes s'autoproclament porte-parole de Dieu et délimitent les frontières de la croyance. Ceux qui restent en dehors sont déclarés hérétiques et doivent être combattus par ceux qui sont à l'intérieur. Je n'ai pas l'impression que c'était ce qui était prévu au programme, à l'origine.

— Je sais que tu as raison, beauté, mais le policier que tu as devant toi ne se croit pas en mesure de réconcilier les diverses religions du monde. Déjà que j'ai perdu depuis longtemps l'espoir de débarrasser la

Belle Province du crime. Tout ce que je sais, c'est que là-bas, chez nous, la morgue est bourrée de cadavres qui méritent notre attention. Nous faisons ce que nous pouvons. Et tu sais quoi ? On n'est pas si nuls, finalement.

Après un dernier regard à cette plaine stupéfiante de beauté et gardant la mémoire de tant de conflits, je me suis laissée entraîner par Ryan loin du parapet. Adieu, Israël. Que la paix t'accompagne !

EXTRAITS DES DOSSIERS
DU Dr KATHY REICHS

La plupart des romans dont l'héroïne est Temperance Brennan sont nés du croisement de plusieurs affaires médico-légales auxquelles j'ai participé. Je prends le squelette d'un enfant exhumé dans la propriété d'un fermier, j'y ajoute un corps démembré retrouvé dans le sous-sol d'un gratte-ciel, et je mélange.

À tombeau ouvert a débuté par l'examen de vieilles coupures de presse et d'une photo en noir et blanc imprimée sur papier glacé. Sont venus s'y ajouter de mauvaises photocopies et un conte très étrange.

Le Dr James Tabor, mon collègue à l'université de Caroline du Nord (section Charlotte), porte deux casquettes : l'une, de spécialiste en archéologie biblique ; l'autre, d'expert en mouvements religieux apocalyptiques, comme il en apparaît de nos jours. C'est à ces dernières compétences que le FBI a fait appel lors du drame survenu à Waco, au Texas, et moi-même je me suis tournée vers lui quand j'écrivais *Death du Jour*. En tant qu'archéologue spécialisé dans l'histoire biblique, il a fouillé à Qumran, où furent découverts les rouleaux de la mer Morte. Par ailleurs, il a dirigé des fouilles dans la grotte de Jean le Baptiste, à l'ouest de Jérusalem, et il a également étudié en profondeur Massada, le site archéologique le plus célèbre d'Israël.

À l'automne 2003, alors que je venais de mettre un point final à *Meurtres à la carte* et que je me préparais mentalement à chercher un point de départ pour un huitième roman, Tabor m'a téléphoné. Il voulait me parler de tombes pillées et de squelettes dérobés. Il travaillait, me dit-il, à un essai, *The Jesus Dynasty*, dans lequel il se proposait de réunir tous les faits historiques se rapportant à la famille de Jésus. Il se fondait, pour ce travail, sur les recherches et les découvertes archéologiques les plus récentes.

« Veux-tu entendre, me demanda-t-il, une histoire qui pourrait intéresser "ta fille" ? » Et comment !

À l'instar de Tempe, j'ai débuté ma vie active en tant qu'archéologue. L'idée de plonger mon héroïne dans ce milieu me ravissait. Nous avons pris rendez-vous. Pendant le déjeuner, Tabor me montra des photos et des articles, et me relata les faits suivants

De 1963 à 1965, l'archéologue israélien Yigael Yadin, aidé d'une équipe de bénévoles originaires de tous pays, pratiqua des fouilles en Israël sur le site de Massada. Vingt-cinq squelettes dont un de fœtus furent découverts dans une grotte située sur le flanc sud de la falaise, en dessous du mur fortifié. Curieusement, Yadin passa cette découverte sous silence, et ne fit mention à la presse que des trois squelettes exhumés à l'intérieur du complexe principal, c'est-à-dire dans la partie nord du site. Elle ne fut pas davantage citée dans les rapports de l'anthropologue en chef du chantier, Nicu Haas. Par ailleurs, aucun des six volumes de l'ouvrage final consacré à ce chantier ne dit un mot sur les fouilles pratiquées dans cette grotte — seule exception, un mémo joint en annexe.

Trente ans s'écoulent. Soudain une photo sort des archives : celle d'un squelette intact découvert dans cette même grotte, où les ossements de vingt-cinq individus ont été retrouvés pêle-mêle. Un squelette entier, articulations comprises, dont Yadin n'a jamais fait état dans aucun rapport ou article publié par ses soins.

Intrigué, Tabor retrouve les transcriptions des réunions du personnel à l'époque des fouilles, documents qui avaient servi de base aux rapports de chantier. Y manquent les pages couvrant la période où des fouilles furent pratiquées dans cette grotte.

Tabor parvient à remettre la main sur les notes manuscrites de Nicu Haas. De son inventaire des ossements qui lui furent soumis aux fins d'analyse, il ressort qu'aucun squelette complet ne lui a jamais été transmis.

Tabor se plonge dans les articles publiés à l'époque de la mission. Il retrouve une interview de Yadin remontant à la fin des années soixante dans laquelle celui-ci stipule qu'il n'est pas de son ressort d'ordonner des datations au carbone 14. En épluchant plusieurs numéros de la revue *Radiocarbon*, Tabor constate alors que, dans ces mêmes années soixante, Yadin a pourtant réclamé des tests au carbone 14 pour des échantillons provenant d'autres chantiers.

Je regarde la petite photo en noir et blanc. Je lis les notes de Haas et les transcriptions des réunions du personnel. Je suis fascinée. Et l'histoire n'est pas finie.

Flash-back. Été 2000. Alors qu'ils parcourent la vallée de Hinnom en compagnie d'étudiants, Tabor et l'archéologue israélien Shimon Gibson tombent sur un tombeau récemment pillé. Ils ouvrent un chantier. Leurs fouilles mettent au jour des ossuaires brisés et des restes humains enveloppés dans un suaire. Les analyses au carbone 14 font apparaître que le linceul date du Ier siècle. Le séquençage des divers ossements révèle l'existence de liens de parenté entre les individus ensevelis dans ce tombeau. Des fragments d'ossuaire portent les noms de Marie et de Salomé.

Second flash-back. Octobre 2002. Un collectionneur d'antiquités déclare avoir acquis en 1978 un ossuaire du Ier siècle portant l'inscription « Jacques, le fils de Joseph, le frère de Jésus ». Or Tabor détient une preuve indirecte selon laquelle cet ossuaire provient du pillage du tombeau dans lequel lui-même a découvert le suaire deux ans plus tôt. Non seulement cet ossuaire est de même facture que les autres, mais son motif ornemental correspond. Les rumeurs qui circulent à Jérusalem corroborent le fait.

Tabor en vient à supposer qu'il a pu découvrir le caveau de la famille de Jésus. En 2003, il demande qu'un échantillon soit prélevé sur un des os contenus dans l'ossuaire dit de Jacques, et analysé en vue d'obtenir son séquençage d'ADN mitochondrial, cela pour le comparer au séquençage de la lignée ensevelie dans le tombeau qu'il a fouillé. Le directeur de l'Autorité des antiquités israéliennes rejette sa requête au motif que l'affaire est en cours d'investigation.

Des squelettes mystérieux... Des pages arrachées... Des tombeaux pillés... La tombe de la famille de Jésus... C'est de la dynamite ! Bien sûr que je vais revenir à mes amours archéologiques et envoyer ma Tempe en Terre sainte ! Alors que j'examine les photos et les cartes que me montre Tabor, j'en suis déjà à tricoter une intrigue. Mais il y a un hic : comment intégrer Ryan et les autres dans cette aventure ?

Il arrive parfois aux coroners et aux autorités médico-légales chargées des autopsies d'être obligés de passer outre les protestations des familles. Protestations bien souvent dues à des convictions religieuses. Au cours de ma collaboration avec le Laboratoire de sciences judiciaires et de médecine légale du Québec, j'ai assisté à un certain nombre d'autopsies pratiquées sur des juifs orthodoxes décédés de mort violente. Dans la mesure du possible, le protocole habituel était modifié afin de respecter au mieux les interdits religieux.

J'y suis ! Je vais commencer par un homicide commis à Montréal, puis envoyer Tempe à Jérusalem et en Cisjordanie.

Pendant toute une année, je me suis plongée dans les sources, inventaires, transcriptions et articles de journaux. J'ai étudié des photos d'ossuaires et celles prises lors des fouilles de Massada. J'ai lu des livres sur la

Palestine à l'époque romaine et sur Jésus en tant que personnage historique. Je suis partie pour Israël avec Tabor, j'ai visité des musées, des chantiers de fouilles, des tombeaux et des sites historiques. J'ai rencontré des antiquaires, des archéologues, des scientifiques et des officiers de la police nationale d'Israël.

Comme on dit, le reste, c'est du roman.

Kathy Reich

Pour une vision pleine et entière des faits relatés dans *À tombeau ouvert*, se reporter à *The Jesus Dynasty* de James Tabor, à paraître prochainement (www.jesusdynasty.com).

REMERCIEMENTS

Comme d'habitude, je n'aurais pu mener à terme l'écriture de ce livre sans le soutien d'un bon nombre de personnes, collègues et proches, qui se sont montrées envers moi extrêmement généreuses de leur temps, de leurs conseils et de leur savoir.

Le premier à avoir excité mon intérêt pour cette histoire a été le Dr James Tabor, président du Département des études religieuses à l'université de Caroline du Nord, section de Charlotte. Il m'a autorisée à consulter ses carnets de notes et les résultats de ses recherches, il a vérifié l'authenticité de mille et un détails importants pour moi et il m'a vaillamment pilotée tout autour d'Israël.

Mes quelques connaissances en matière d'ADN antique, c'est au Dr Charles Greenblatt et à Kim Vernon, du département des Sciences et des Antiquités de l'université hébraïque de Jérusalem, que je les dois, ainsi qu'au Dr Carney Matheson, du Paleo-DNA Laboratory de l'université de Lakehead. En matière d'ADN moderne, ce sont le Dr Mark Leney, spécialiste en ADN, coordonnateur au Laboratoire central d'identification de l'Armée américaine à Hawaii, membre du Groupe de recherche des prisonniers de guerre et des personnes disparues au combat, ainsi que le Dr David Sweet, directeur au bureau de dentisterie légale à l'université de

Colombie-Britannique, qui se sont chargés d'éclairer ma lanterne chaque fois que nécessaire.

Azriel Gorsky, docteur émérite au laboratoire des fibres et polymères à la division d'Identification et de Science judiciaire de la police nationale d'Israël, m'a fourni de précieux renseignements sur l'analyse des cheveux et des fibres, de même que sur les méthodes scientifiques en vigueur dans la police israélienne.

Le Dr Elazor Zadok, général de brigade, directeur de la division d'Identification et de Science judiciaire de la police nationale israélienne, m'a fait visiter ses locaux. Le Dr Tzipi Kahana, inspecteur en chef, anthropologue judiciaire à la division d'Identification et de Science judiciaire de la police nationale israélienne, m'a renseignée sur le fonctionnement de la médecine légale en Israël.

Le Dr Shimon Gibson, du Département archéologique de la ville de Jérusalem, m'a fait découvrir des chantiers de fouilles aux quatre coins du pays et a répondu à bon nombre de mes questions sur sa patrie.

Debbie Sklar, responsable à l'Autorité des antiquités israéliennes, m'a fait visiter le musée Rockefeller.

L'officier Christopher Dozier, de la police de Charlotte-Mecklenburg, et le sergent-détective Stephen Rudman, aujourd'hui à la retraite, ancien responsable de la section Analyse et Liaison de la police de la Communauté urbaine de Montréal, m'ont fourni tous deux des informations sur la façon d'obtenir des relevés téléphoniques auprès des compagnies de téléphone.

Roz Lippel m'a aidée à respecter dans ces pages une bonne transcription de l'hébreu et Marie-Ève Provost a fait de même pour le français.

Je tiens également à communiquer ici les références des deux livres cités dans cet ouvrage : *Masada, Herod's Fortress and the Zealots'Last Stand*, de Yigael Yadin, paru chez George Weidenfeld & Nicolson Ltd. en 1966, et *The Jesus Scroll*, de Donovan Joyce, publié chez Dial Press en 1973.

Je dois des remerciements tout particuliers à Paul Reichs pour ses commentaires perspicaces sur le manuscrit.

En fin de liste, mais certainement pas à la dernière place dans mon cœur, je tiens à mentionner ma rédactrice Nan Graham. Ses conseils ont grandement contribué à améliorer cette histoire. Qu'elle reçoive ici mes chaleureux remerciements. Grâces soient également rendues à Susan Sandon, mon autre rédactrice « de l'autre côté de la mare » !

Enfin, je ne saurais passer sous silence le soutien de Jennifer Rudolph Walsh, codirectrice du département de Littérature mondiale, vice-présidente exécutive de l'agence William Morris, l'une des deux premières femmes à avoir été admises au conseil d'administration. Bon vent à toi, amie, et merci d'être toujours mon agent !

Transcontinental
IMPRESSION
IMPRIMERIE GAGNÉ

IMPRIMÉ AU CANADA